Un panorama complet des civilisations du monde entier :

HISTOIRE UNIVERSELLE

1

L'aube
des civilisations

Carl Grimberg

Traduction Gérard Colson

Adaptation française
sous la direction de
Georges-H. Dumont

marabout

Collection
marabout université

L'ouvrage original « Världshistoria, Folkens Liv och Kultur », de Carl Grimberg et Ragnar Svanström, a été traduit par Gérard Colson et adapté sous la direction de Georges-H. Dumont.
Sources de l'iconographie : voir page 375.

© P.A. Nordstedt & Söners, Stockholm. Pour la présente édition : 1963, Ed. Gérard & Cⁿ ; et 1974, marabout s.a. Verviers, et 1983, les nouvelles éditions marabout

AVANT-PROPOS

Lorsque l'historien suédois Carl Grimberg entreprit la publication de sa Världshistoria, *il ne songeait nullement à donner aux lecteurs un nouveau manuel, un traité qui se serait ajouté à tous ceux qui existaient déjà. Il ne songeait pas davantage à ménager l'académisme de certains pédagogues. Pour lui, l'objet de l'histoire n'était pas le récit des batailles et l'analyse des traités de paix, mais l'homme. Il partageait donc l'opinion de Marc Bloch qui écrivait : « Derrière les traits sensibles du paysage, les outils et les machines, derrière les écrits en apparence les plus glacés et les institutions en apparence les plus complètement détachées de ceux qui les ont établies, ce sont les hommes que l'histoire veut saisir. Qui n'y parvient pas ne sera jamais, au mieux, qu'un manœuvre de l'érudition. Le bon historien, lui, ressemble à l'ogre de la légende. Là où il flaire la chair humaine, il sait que là est son gibier. »*

Carl Grimberg était cet ogre-là… Ceux qui n'avaient pas son appétit firent la fine bouche, bien sûr. Ils reprochèrent à la Världshistoria *d'accorder à la vie quotidienne une place trop importante par rapport à la vie politique; ils s'étonnèrent de trouver de nombreuses pages consacrées à la littérature, aux arts et aux sciences; ils s'indignèrent enfin de la façon très directe dont étaient traités les sujets les plus austères.*

Il apparait aujourd'hui que la plupart des critiques formulées par les « manœuvres de l'érudition» avaient involontairement souligné les mérites essentiels de l'œuvre de Carl Grimberg ! Le public, à vrai dire, n'hésita pas : dès les premiers volumes, ce fut le tout grand succès en Suède, Norvège, Danemark et Finlande.

Des milliers de lecteurs scandinaves se réjouirent de disposer enfin d'une histoire qui ne soit plus une suite de prouesses guerrières ou de tractations diplomatiques, une galerie de portraits et de tableaux conventionnels où, selon les mots de Torres-Bodet, « les nations exhibent leur égocentrisme et leur aveuglement».

Carl Grimberg ne put malheureusement achever le travail immense qu'il avait entrepris. A sa mort, en 1941, la Världshistoria *atteignait l'année 1715. Ce fut son plus proche collaborateur, Ragnar Svanström, qui assuma la tâche délicate de publier les derniers volumes dans l'esprit et le ton des premiers.*

Faut-il le dire? Les sciences historiques poursuivent une progression d'une surprenante rapidité : des domaines longtemps ignorés ont été explorés, la connaissance de certaines périodes a été renouvelée par des travaux plus approfondis, des valeurs culturelles ont surgi que l'on ne soupçonnait guère.

Aussi bien, les adaptateurs de l'édition néerlandaise — MM. E. Straat et E. Lousse — n'ont pas manqué d'apporter quelques changements et corrections au texte original. Nous avons largement profité de leur mise au point.

Puisqu'une refonte s'imposait, nous l'avons poussée jusqu'à la rédaction nouvelle de certains chapitres et, surtout, jusqu'à l'élargissement des horizons mêmes de l'histoire universelle. Carl Grimberg aurait certainement admis qu'en 1974, une histoire centrée quasi exclusivement sur l'Europe ne peut plus se prétendre universelle, et il aurait approuvé de réserver quelques centaines de pages au passé de ce qu'il est convenu d'appeler maintenant le Tiers Monde.

Peut-on comprendre l'évolution actuelle de l'Inde ou de la Chine, sans avoir dégagé les lignes de faîte du védisme ou du taoïsme? Et que d'erreurs de jugements auraient été évitées, si l'on ne s'était pas obstiné à faire coïncider les débuts de l'histoire de l'Afrique avec les débuts de la colonisation!

René Grousset fut un des premiers à proclamer que « le temps est révolu où nous pouvions penser par pays isolés, voire par continents cloisonnés. L'isolationnisme intellectuel a fait son temps, comme l'isolationnisme politique.» L'idée du grand orientaliste français mit quelque temps à triompher; même aujourd'hui, elle se heurte encore à de vieilles structures scolaires. Mais l'homme de notre génération, qui cherche les linéaments d'un humanisme historique, doit reconnaître l'absolue nécessité de penser planétairement, sous peine de devoir renoncer à comprendre l'univers.

C'est donc l'Homme, sous tous ses aspects et sur tous les continents, qui est le héros des douze volumes de cette Histoire universelle.

Georges - H. DUMONT

L'AUBE DE LA CIVILISATION

L'apparition de l'homme sur la terre, c'est essentiellement la naissance de la pensée, le pas décisif de la réflexion. Pour la première fois dans l'histoire de la vie, un être non seulement connaît mais encore se connaît.

Quand, où, comment a été franchi le seuil de l'hominisation? En dépit des découvertes sensationnelles de ces dernières années, la paléontologie doit renoncer à une réponse précise. Ce que nul ne conteste, par contre, c'est que, du point de vue organique, le phénomène se ramène à un cerveau plus perfectionné. " Si l'être dont l'homme est issu n'avait pas été bipède, écrit Pierre Teilhard de Chardin, ses mains ne se seraient pas trouvées libres à temps pour décharger les mâchoires de leur fonction préhensible, et par suite l'épais bandeau de muscles maxillaires qui emprisonnait le crâne ne se serait pas relâché. C'est grâce à la bipédie libérant les mains que le cerveau a pu grossir; et c'est grâce à elle, en même temps, que les yeux, se rapprochant sur la face diminuée, ont pu se mettre à converger, et à fixer ce que les mains prenaient, rapprochaient, et en tous sens présentaient; le geste même, extériorisé, de la réflexion!... "

Si la structure anatomique de l'homme est l'aboutissement d'une longue évolution, la naissance de son intelligence a cependant été brusque. Tout suggère que le seuil donnant accès à la pensée a été franchi d'un seul pas. Et, dès ce moment, la voie de l'espèce humaine était tracée. Elle l'était par le dynamisme même du pouvoir de réflexion mais aussi parce que, contrairement aux animaux qui sont étroitement solidaires du milieu ambiant, l'homme ne peut survivre que s'il transforme son environnement, s'il l'adapte à sa mesure. Et il commence par tailler des pierres et faire du feu.

De ces premières manifestations de l'espèce humaine, les témoignages les plus anciens datent du début du Pléistocène. Environ 700.000 années nous en séparent. Cela nous paraît vertigineux mais ne signifie, sous la perspective géologique, qu'un bref moment de l'histoire de la terre! Si, par un procédé analogue à celui qu'utilise parfois le cinéma scientifique, on réduisait à un an le milliard d'années qui s'est écoulé depuis l'apparition de la vie sur le globe, l'homme préhistorique n'occuperait que les huit dernières heures du jour ultime, et l'homme historique — de l'Égyptien antique à nos contemporains — ne représenterait que deux ou trois minutes... Mais quelles minutes!

DE L'HOMINIEN A L'HOMO SAPIENS

En 1925, le paléontologiste Dart découvrait dans la grotte de Taungs, au Transvaal, un crâne infantile dont il observa que certains traits avaient un caractère humain bien marqué. Il le nomma prudemment *Australopithecus africanus*. La découverte de Dart passa inaperçue; la plupart des savants croyaient à un fossile de jeune chimpanzé. Mais, onze ans plus tard, le paléontologiste Broom mettait à jour, dans une brèche de la grotte de Sterkfontein, près de Prétoria, un autre crâne du même type, qui avait appartenu à un sujet adulte. Des recherches systématiques furent, dès lors, poursuivies en Afrique du Sud, de 1937 à 1949. Elles livrèrent un grand nombre de fossiles, crânes et autres parties de squelette, qui confirmèrent les premières conclusions de Dart.

De toutes récentes découvertes d'industries humaines (Pebble Culture) dans des gisements à *Australopithecus*, n'autorisent plus aucun doute. L'Australopithécien représente indubitablement le premier *Homo faber* connu. Il taillait déjà les galets sur une face. A quelle époque géologique hantait-il l'Afrique australe jusqu'au Tanganyika? Sans doute au tout début du Pléistocène, il y a quelque 700.000 ans.

La tentation est forte de faire partir de l'Australopithécien une lignée humaine qui aboutit à l'*Homo sapiens*. Il faut y résister. En effet, la paléontologie humaine est condamnée à ne pouvoir observer qu'un nombre limité d'individus : quelques points de repère, éparpillés sur une étendue de plusieurs centaines de milliers d'années. Proscrivons donc les déductions absolues et renonçons à reconstituer, dans notre ascendance, une série de formes spécifiques qui se seraient succédé, d'une manière continue, jusqu'au type humain actuel. De l'évolution des hominidés, nous ne connaîtrons jamais que des paliers successifs.

L'Australopithécien se situe au palier le plus ancien, le plus élémentaire aussi. Les Pithécanthropiens représentent un palier suivant et correspondent à un stade de développement physique et intellectuel plus avancé.

La première découverte de quelques restes d'un Pithécanthrope remonte à la fin du siècle dernier. Fascinés par le problème du berceau de l'humanité, les savants de l'époque avaient émis diverses hypothèses. L'une d'entre elles — formulée par Ernst Haeckel — conseillait de rechercher nos premiers ancêtres dans l'archipel malais, parmi les fossiles d'éléphants, d'hippopotames et de stegodons de cette région. C'est ce que fit Eugène Dubois. Il partit pour l'Indonésie en qualité de médecin militaire et, en 1891-1892, trouva dans l'île de Java une molaire, une calotte cranienne, un fémur, une autre dent et un fragment de mandibule.

Eugène Dubois donna à l'être dont provenaient ces ossements le nom de *Pithecanthropus erectus*, c'est-à-dire " l'homme-singe debout ". Les relations statigraphiques permettaient de situer celui-ci au début du Pléistocène moyen, il y a environ 500.000 ans.

Tant qu'il était isolé parmi les trouvailles de la paléontologie, le Pithécanthrope de Java alimenta d'âpres controverses entre partisans et adversaires de l'idée transformiste. Pendant près de trente années, diverses missions s'efforcèrent vainement de mettre à jour d'autres restes de Pithécanthrope. Ce ne fut qu'en 1921 que le Suédois Gunnar Anderson découvrit deux molaires d'aspect humain, au milieu des vestiges pétrifiés de différents mammifères emplissant les fentes et les grottes de Chou Kou Tien, aux environs de Pékin. Une autre molaire y fut trouvée en 1927, par Davidson Black, et enfin, en 1929, une première calotte crânienne. Dès lors, les fouilles du gisement devinrent systématiques : en 1939, les restes d'une quarantaine d'individus de tous les âges avaient été exhumés!

On crut assez longtemps que le groupe des Pithécantropiens pouvait être localisé à l'Asie extrême-orientale. Mais, en 1954, les fouilles des gisements de Ternifine, en Algérie, permirent d'exhumer trois mandibules et un pariétal présentant tous les caractères du Pithécanthrope. L'*Atlanthropus mauritanicus* était contemporain du Sinanthrope et ses restes sont accompagnés d'une abondante industrie de silex taillés sur les deux faces.

Ce dernier fait a incité les savants à légitimement rattacher au groupe des Pithécanthropiens l'homme de Heidelberg dont on avait retrouvé la machoire inférieure, en 1907 déjà, à Mauer près de Heidelberg, et l'homme de Montmaurin, dans le Sud-Ouest de la France, dont la mandibule accuse des caractères très voisins de ceux de l'*Atlanthropus*.

C'est donc à l'ensemble du Vieux Monde qu'a correspondu, pendant quelque 300.000 ans (tout le Pléistocène moyen), l'extension des Pithécanthropiens.

Le Pithécanthrope était trapu : le mâle ne dépassait guère 1 m. 60 environ. Il avait le front fuyant, les arcades sourcilières en forme de bourrelet et les machoires proéminentes. Il vivait de la chasse et plus encore de la trappe; il utilisait certainement le piège à fosse. La majeure partie de son outillage lithique — silex bifaces — servait moins au combat qu'au travail du bois et à l'équarrissage. Ses armes étaient surtout des massues, des épieux, des bâtons de jet. On a, en outre, observé des indices d'une industrie osseuse, en bois de cervidés.

Les grottes de Chou Kou Tien ont livré du charbon de bois, des cendres et des traces de foyer. Le Sinanthrope connaissait donc l'art essentiellement humain de " domestiquer " le feu. On songe irrésistiblement au mythe grec qui raconte que les hommes tombèrent à genoux devant le feu ravi aux dieux par Prométhée...

Troisième palier de l'évolution humaine : le Néanderthalien qui, par son développement cérébral, son mode de vie et sa faculté d'invention se situe plus près de l'*Homo sapiens* que du Pithécanthrope. Il est connu depuis beaucoup plus longtemps que ses prédécesseurs puisque c'est en 1856 que des restes d'un homme de ce groupe furent découverts par des ouvriers, aux environs de Dusseldorf, dans une grotte de la vallée de Neanderthal. La trouvaille fit sensation à l'époque et contribua pour beaucoup à lancer la science sur la piste de l'homme préhistorique.

Au départ, les anthropologistes ne purent, d'ailleurs, se mettre d'accord. Plusieurs soutinrent qu'il s'agissait simplement du crâne d'un arriéré mental ou d'un homme ayant souffert de rachitisme dans sa jeunesse. D'autres

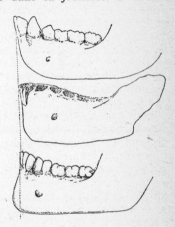

Mâchoires de chimpanzé, d'homme du type Neanderthal et d'Européen de nos jours (de haut en bas).

croyaient avoir trouvé le maillon intermédiaire entre l'homme et le singe. Quelques-uns, enfin, étaient d'avis que ces fragments étaient ceux d'un représentant d'une race humaine éteinte.

Les fouilles ultérieures aux environs du Neanderthal ne livrèrent plus de restes humains mais elles permirent de préciser l'environnement animal : rhinocéros à la toison de laine, ours, hyène et lion des cavernes, aurochs, cheval sauvage, mammouth...

En 1886, on trouva deux nouveaux squelettes du type néanderthalien à Spy, près de Namur, en Belgique. Puis les fouilles livrèrent au jour des Néanderthaliens en France du Sud-Ouest (La Chapelle-aux-Saints, La Madeleine, La Ferrassie), en Charente (La Quina), en Allemagne, en Espagne, en Italie, à Krapina en Croatie, etc... Les squelettes de Néanderthaliens découverts dans plusieurs grottes de Palestine sont d'une exceptionnelle diversité; plusieurs présentent un front plus bombé, ce qui indique une tendance au développement des lobes frontaux. Par contre, les crânes de Broken Hill (Rhodésie), de Saldanha (Afrique australe) et de Ngandong (Java) ont des caractères primitifs assez accentués. S'agirait-il d'une transition, d'un passage morphologique entre les Pithécanthropiens et les Néanderthaliens?

Compte tenu d'une certaine variabilité de détail, les quelque quarante squelettes du type néanderthalien autorisent l'esquisse d'une description. Les hommes du Néanderthal étaient en général de petite taille; les femmes atteignaient en moyenne 1 m. 56 et les hommes 1 m. 63. Les os du crâne étaient relativement épais, avec une capacité cérébrale sensiblement égale à celle des hommes de notre époque (env. 1.500 cm^3).

En dépit d'arcades sourcilières encore saillantes et d'yeux très écartés, le Néanderthalien n'avait pas cet aspect bestial prononcé que l'imagerie populaire a vulgarisé au début de ce siècle. Il avait l'attitude dressée et le port vertical de la tête de l'homme d'aujourd'hui. Il vivait de la trappe, de la chasse et de la nourriture que la forêt pouvait lui offrir : racines et tubercules comestibles, fruits, pousses et feuilles diverses.

L'industrie lithique des Néanderthaliens d'Europe est dite moustérienne, du nom de la grotte de Moustier, en Dordogne. Elle indique une évidente spécialisation puisqu'elle se compose principalement de pointes aux bords aiguisés par de soigneuses retouches et de racloirs, sortes de rabots servant à travailler le bois. Fait important, indiquant le passage de l'instrument simple à l'instrument composite : l'homme de Néanderthal emmanchait ses outils et ses armes, ce qui en augmentait considérablement l'efficacité.

Son habileté technique ne le poussa pas jusqu'à la recherche de formes artistiques mais les témoignages de sa vie spirituelle sont incontestables. Les coffres de pierre découverts dans la grotte de Drachenloch, en Suisse, renfermaient des crânes d'ours placés sur des plaques de calcaire et orientés de même manière. Les restes d'un foyer suggèrent l'éventualité d'un feu sacré, associé à ce lieu de sacrifices rituels.

A San Felice Circeo, en Italie, on a trouvé un crâne d'homme néanderthalien au centre d'un cercle de pierre; d'autres cercles de pierre l'environnaient, au milieu desquels les ossements d'animaux représentaient probablement des offrandes. Mais la plupart des gisements (Spy, Moustier, La Ferrassie, Mont Carmel, etc...) se caractérisent par des inhumations complètes, à proximité immédiate des habitations. La tête du mort est posée soit sur une pierre, soit dans la paume de la main droite; aux jambes et aux bras est donnée la position du fœtus, recroquevillée comme dans le sein maternel. Les offrandes funéraires — armes, outils, provisions — et le recouvrement en argile ocre couleur du sang et de la vie, révèlent la croyance en l'au-delà.

La longévité du Néanderthalien couvre le dernier interglaciaire et le début de la glaciation de Würm, soit environ 100 à 150.000 ans. Pendant cette longue période, des mutations ont dû se produire d'autant plus facilement que les types raciaux étaient variés et que l'extension géographique du stade néanderthalien comprenait l'ensemble du Vieux Monde.

L'*Homo sapiens*, dernier palier de l'évolution humaine, a-t-il surgi tel un rameau d'une branche du Néanderthalien? Nul ne peut le prouver mais, depuis la révélation de la supercherie du crâne de Piltdown, on doit constater que tous les restes de l'*homo sapiens fossilis* découverts en Europe, en Asie et en Afrique ne remontent qu'à quelques dizaines de millénaires.

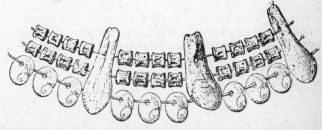

Fragment de collier trouvé autour d'un squelette dans une caverne près de Menton (paléolithique inférieur). Les deux rangs supérieurs se composent de vertèbres dorsales de saumon, le rang inférieur, de coquillages. Tous les rangs sont interrompus, à intervalles réguliers, par des canines de cerf, ornées de rayures.

La première race d'*homo sapiens fossilis* rencontrée en Europe le fut en 1868, à Cro-Magnon, en Dordogne. Les squelettes exhumés à cet endroit et ceux du même type, qui le furent, par la suite, en Europe et en Afrique du Nord, sont caractérisés par une grande robustesse et une stature élevée (env. 1 m. 80). Le crâne peu épais et de grande capacité ne diffère guère du nôtre. Tout indique d'ailleurs, chez l'homme de Cro-Magnon, un psychisme qualitativement égal à celui des populations les plus évoluées de notre temps.

La race de Cro-Magnon prédominait en Europe mais elle n'était pas unique. Autre type d'*homo sapiens fossilis*, les hommes de Chancelade — ainsi nommés depuis la trouvaille du squelette de la grotte de Chancelade, près de Périgueux — étaient trapus; leur taille ne dépassait pas 1 m. 55 et les pommettes saillantes de leur face rappellent celles des Esquimaux. Quant aux hommes de Grimaldi, découverts dans la grotte de ce nom, près de Menton, leur caractère négroïde est fortement accusé.

Serions-nous déjà en présence de Blancs, de Jaunes et de Noirs?

L'arrivée en Europe de l'homme de Cro-Magnon et des autres types d'*homo sapiens*, vers le milieu de l'ultime

Dessin de Mammouth de l'homme de Cro-Magnon.

glaciation, ouvre la période du paléolithique supérieur souvent appelée l'âge du Renne par allusion à l'abondance de ces ruminants, au nord des Alpes et des Pyrénées. Ce dernier stade de la civilisation de la pierre taillée s'étend sur quelque trente millénaires (d'environ — 40.000 à environ — 10.000) et se subdivise en trois phases inégalement réparties en Europe : l'âge du Renne ancien (Aurignacien et Périgordien), l'âge du Renne moyen (Solutréen) et l'âge du Renne supérieur (Magdalénien).

Dès le début de l'Aurignacien-périgordien, la technique de la taille de la pierre et du travail de l'os est portée à un point de grande perfection. Au Magdalénien apparaissent l'hameçon, le harpon et — importante révolution technique — l'application de l'élasticité du bois à la propulsion de projectiles, c'est-à-dire un mécanisme dont le monde antique et le moyen âge demeureront tributaires.

Mais la merveille la plus impressionnante du paléolithique supérieur est la découverte de l'art. D'après l'abbé Henri Breuil, l'art figuré " est parti de représentations *dramatiques*, où l'acteur imitait son modèle dans ses attitudes, et complétait sa ressemblance dans ses actions par un grimage approprié et une sorte de mascarade mimée : l'illusion était augmentée par l'usage de la peau et des dépouilles des bêtes. Celles-ci ont été remplacées par des éléments qui les imitaient, et la ressemblance, de dramatique, devient ainsi physique, elle est le résultat d'une fabrication.

" A partir de ce moment, la statuaire et la sculpture en rondebosse ont été possibles à l'Homme, l'image devenant indépendante de l'acteur. L'Homme a dès lors acquis la faculté de reconnaître, dans les nuages comme dans les cailloux et les roches, des formes naturelles semblables à celles qu'il s'efforçait de fabriquer; et il a pu lui arriver parfois d'accentuer des " pierres-figures ", simple jeu de la nature. "

Qu'il s'agisse de petits objets en pierre, os, ivoire, bois de cervidé ou de compositions sur les parois des cavernes, l'art des chasseurs de rennes est naturaliste. Il est essentiellement consacré à l'image de la faune : les derniers mamouths, rhinocéros laineux et ours des cavernes, les rennes, chevaux, bisons, bœufs sauvages, cerfs, chevreuils, daims, chamois, bouquetins, etc... Plus rares sont les figures humaines; elles sont soit associées à un animal, soit une exaltation magique des attributs sexuels de la femme, emblèmes de la fécondité.

Sur les murailles des grottes du Sarladais, des Pyrénées, du Périgord, d'Espagne levantine, d'Estramadure, les artistes de l'âge du Renne ont exprimé en rouge, noir,

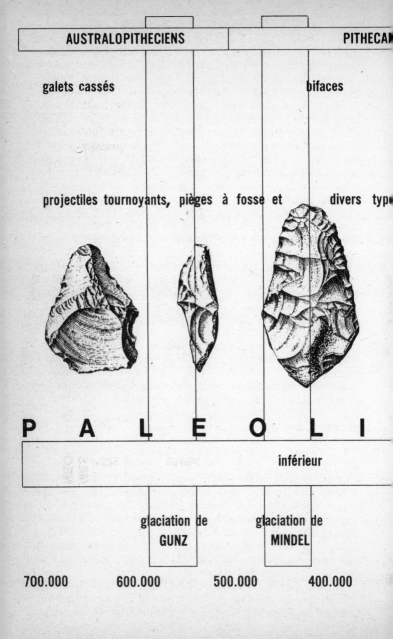

AUSTRALOPITHECIENS	PITHECA...

galets cassés   bifaces

projectiles tournoyants, pièges à fosse et   divers typ...

P A L E O L I

inférieur

glaciation de **GUNZ**   glaciation de **MINDEL**

700.000   600.000   500.000   400.000

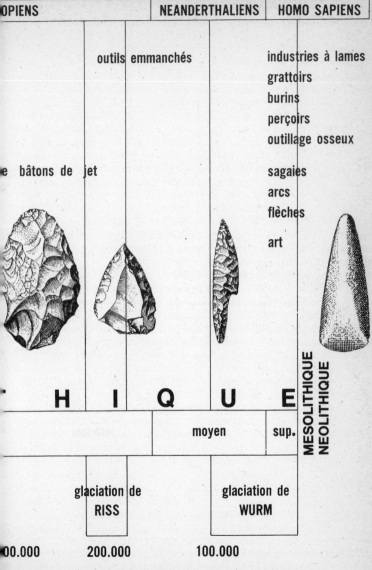

OPIENS		NEANDERTHALIENS	HOMO SAPIENS
	outils emmanchés		industries à lames
			grattoirs
			burins
			perçoirs
			outillage osseux
e bâtons de jet			sagaies
			arcs
			flèches
			art

T H I Q U E

MESOLITHIQUE
NEOLITHIQUE

		moyen	sup.

	glaciation de RISS	glaciation de WURM

00.000	200.000	100.000

Les premières manifestations du phénomène humain

ocre, jaune et blanc, d'étranges rites d'envoûtement pareils à ceux qui se pratiquent encore au cœur de la forêt africaine ou en Océanie. Le sorcier de la grotte des Trois-Frères (Ariège) affublé d'une peau de cerf, d'oreilles de loup, de griffes d'ours et d'une queue de cheval est le frère de telle divinité océanienne d'aujourd'hui.

La signification religieuse de l'art pariétal saute aux yeux — peintures et sculptures sont d'ailleurs situées aux endroits les moins accessibles des grottes, là où la lumière du jour ne pénètre pas. Mais la perfection des mouvements et des silhouettes (particulièrement sensible dans l'art oriental d'Espagne), l'habile répartition des ombres et des lumières (à Lascaux, par exemple) témoignent aussi d'une joie esthétique de créer et d'un goût exubérant de la fantaisie qui nous enchantent encore.

Pas plus que le Néanderthalien, l'*Homo sapiens* du paléolithique supérieur ne vivait dans les cavernes; c'est devant leur entrée qu'il dressait son habitation, fabriquait ses outils et préparait sa nourriture assurée par la pêche, la cueillette et surtout la chasse. Sans doute plusieurs familles se groupaient-elles autour des tombes des ancêtres, ce qui supposerait une certaine organisation sociale. Les pratiques funéraires et le culte des morts sont analogues à ceux en honneur chez les Néanderthaliens et confirment la persistance de la croyance à la survie.

LA TRANSITION MÉSOLITHIQUE

Entre l'âge des chasseurs de rennes et celui des agriculteurs, entre le paléolithique supérieur et le néolithique, se situe une époque de transition. Elle coïncide, en Europe, avec la fin de la glaciation de Würm. Le climat s'adoucit. Les rennes émigrent vers le nord, cédant la place aux cerfs et aux chevreuils. Chronologiquement, le mésolithique s'étend du dixième millénaire au cinquième en Mésopotamie et en Égypte, au quatrième en Europe méditerranéenne et au deuxième en Europe septentrionale.

Certains préhistoriens attribuent au mésolithique l'art rupestre du Levant espagnol parce que sa stylisation annonce le symbolisme et le schématisme de l'art méso-lithique dont les vestiges sont particulièrement riches en Afrique du nord jusqu'à l'Égypte.

A l'opposé des peintres du paléolithique supérieur, qui s'efforcent de restituer la réalité, l'artiste du mésolithique recherche le dessin linéaire, le raccourci des formes, le rythme du mouvement. L'animal n'est plus au centre de son intérêt; c'est l'homme à la silhouette étirée qu'il place au cœur de la scène. Tous se passe comme s'il prenait désormais pour objet de sa pensée sa propre personne et sa situation dans l'univers.

L'homme du mésolithique vivait essentiellement du gibier : faites de corne et d'os, ses armes de chasse étaient nombreuses et variées. Il taillait encore le silex avec une prédilection pour les modèles très petits (microlithes). Mais ce chasseur vivait dans des villages et, derrière lui, courait le chien qu'il avait domestiqué...

LA MÉTAMORPHOSE NÉOLITHIQUE

Le néolithique est l'aboutissement d'une métamorphose culturelle qui, préparée par le mésolithique, fait passer l'homme de l'âge des chasseurs à l'âge des agriculteurs et des éleveurs. L'espèce humaine s'étant multipliée au cours des millénaires, le problème s'est posé à certains groupes de tirer le parti maximum du territoire qu'ils occupaient et qu'ils ne pouvaient plus guère quitter sans se heurter à des groupes voisins. L'homme a été, en quelque sorte, acculé à devenir productif, à compléter la cueillette et la chasse par la culture de plantes sélectionnées et l'élevage d'animaux domestiqués.

Métamorphose fondamentale d'où découlent les techniques nouvelles du silex poli, du tissage, de la poterie et, surtout, l'esquisse d'une vie communautaire, d'une socialisation.

Le culte des morts aussi s'est transformé et décanté. La croyance à la survie persiste mais le défunt ne part plus dans l'au-delà muni de ses armes; un mobilier rituel lui suffit. La mort s'inscrit, du reste, dans un ensemble religieux où le mythe a remplacé la magie. " Le chasseur, observe Herbert Kühn, lorsqu'il cherche à tourner à son profit les hasards de la chasse, recourt au sortilège, à la magie. Le paysan, ayant reconnu la loi qui régit le rythme des saisons, ayant admis la succession normale de la germination, de la maturité et de la mort, doit s'adresser à d'autres formes de la pensée pour s'expliquer l'inexplicable : ainsi naissent le mythe et la notion d'esprit...

" Pour les agriculteurs, la force vitale réside dans les éléments naturels qui portent en eux à la fois la naissance et la mort. Ils sont plusieurs, entre lesquels n'existe pas de lien logique mais qui, au sens mythique le plus profond, ne sont que des aspects différents d'une force unique. Ce sont la lune, la femme, l'eau, le serpent, la cigale, l'arbre, les cornes du taureau.

" Les éleveurs, eux, traduisent dans un autre langage le symbole de la fécondité : c'est l'animal reproducteur, la puissance virile ; si bien que les dieux des peuples pasteurs sont associés à la force du taureau, du cheval, du bouc.

" Chez les uns comme chez les autres, l'idée de la force est conçue comme isolée, comme existant pour soi et réelle en soi. "

L'humanité néolithique semble en pleine expansion. Par l'Alaska dépouillé de ses glaces, notamment, elle pénètre en Amérique et y sélectionne la céréale qui assurera le mieux son existence : le maïs. Puis c'est l'extension à travers le Pacifique. *L'homo sapiens* prend possession de la terre.

Le rythme et l'ampleur de l'évolution ne sont cependant pas identiques partout. Favorisées par leur configuration géographique et leur climat, certaines régions appellent la concentration des hommes, leur organisation et leur épanouissement culturel. Il en est ainsi du bassin du Fleuve Jaune, des vallées du Gange et de l'Indus, de la Mésopotamie et de la vallée du Nil. Des foyers de civilisation s'y allument quasi en même temps mais c'est du Moyen Orient — de Sumer et d'Égypte — que tout partira : les villes, l'écriture, la métallurgie. L'Histoire commence dans le Croissant fertile.

LES ÉGYPTIENS

LE PAYS DU NIL

" Les grands fleuves sont le lait de la culture ". Le Nil,
l'Euphrate, le Tigre et les principaux fleuves de l'Inde
et de la Chine en sont un exemple. Les premières sociétés
organisées se formèrent sur leurs rives; la science, la
littérature et l'art y virent le jour. Dans ces régions, la terre
est particulièrement fertile, mais là ne réside pas la seule
raison de ce développement. Les hommes ont dû fournir
un travail commun pour arracher les fruits de la terre.
Là où la nature offre tout aux hommes sans leur demander
un effort en retour, l'humanité reste au même stade de
développement pendant des millions d'années. Dans les
îles des Mers du Sud, les hommes en sont encore, en plein
vingtième siècle, à l'Age de la Pierre. C'est le travail
exigé pour vaincre les obstacles posés par la nature qui
fait naître la culture.

La partie fertile de l'Égypte n'est qu'une oasis très
allongée, née des alluvions déposés par le fleuve. Le fleuve
arrache ce limon aux régions d'Afrique Centrale où il
prend sa source et aux montagnes d'Éthiopie, et l'emporte
vers l'Égypte; au cours de plusieurs milliers d'années,
les alluvions se sont étendus sur le sol pierreux des rives
et sur les sables du désert.

Avant que l'homme eût entrepris de l'irriguer, la vallée
du Nil se limitait à une bande marécageuse, jungle
luxuriante où proliférait le petit gibier. Coincés entre
cette jungle et les sables stériles, les premiers Égyptiens
durent nettoyer les marais et gagner, pouce par pouce,

des terres arables. L'ampleur des travaux — canaux et réservoirs — ne requérait pas seulement l'énergie de toute la communauté ; elle exigeait aussi la coopération dans l'effort, c'est-à-dire une société à l'organisation bien pensée.

Dès les premiers stades de leur évolution culturelle, les Égyptiens furent convaincus de la nécessité d'un ordre politique. C'est ainsi que le Nil a posé les bases de la société égyptienne.

L'Égypte a joué un rôle si important dans l'histoire du monde qu'on se l'imagine volontiers comme un pays très étendu. Ce n'est pourtant pas le cas. Depuis la première cataracte jusqu'à la Méditerranée, l'oasis n'a pas moins de 850 km de long mais, sauf au Delta, elle est extraordinairement étroite. A l'est et à l'ouest, les déserts l'isolent des contacts extérieurs. En Haute-Égypte, ces déserts frôlent l'habitation des hommes ; c'est dans ses sables que furent bâtis les temples et les tombeaux. En Basse-Égypte, par contre, les surfaces fertiles se déploient en éventail ouvert sur la Méditerranée.

La différence entre les " Deux Terres " était flagrante. " Je ne sais ce qui me séparait de mon pays, s'écriait un exilé. C'était comme un rêve, comme de se retrouver dans l'Éléphantine pour un homme du Delta ou, pour un habitant des marais, en Nubie. " Cela posait, du reste, des problèmes linguistiques. " Vos discours sont inintelligibles, se plaignait un scribe, et il n'est pas d'interprète qui puisse les expliquer. On dirait un dialogue entre un habitant des marais du Delta et un homme de l'Éléphantine. "

LE PAYS DES MORTS

L'Égypte semble avoir pour destin d'être la Terre Promise des historiens. Le climat même préserve les vestiges du passé. Des produits humains aussi fragiles et périssables que les vêtements et les papyrus se conservent ici pendant des milliers d'années, s'ils ne sont pas engloutis par une crue du Nil ou détruits par des mains sacrilèges. On a retrouvé intacts des objets qui, sous un climat plus humide, seraient depuis longtemps retournés en poussière.

Un autre facteur de conservation, unique en son genre, fut la religion égyptienne. Sous l'influence de leurs conceptions religieuses, les Égyptiens ont bâti à leurs

morts des tombeaux sur lesquels le temps n'aurait pas
de prise. Ils ont chargé leurs défunts de cadeaux très
divers, de nombreuses œuvres d'art. En leur honneur,
ils ont tracé des inscriptions, des reliefs, des dessins. Tout
cela réuni forme le plus bel album d'histoire culturelle
que l'on puisse imaginer.

Les Égyptiens voulaient préserver les corps de leurs
disparus; cela leur fit découvrir l'art de l'embaumement
qui doit dater de 4.500 ans. Voici comment procédait
l'embaumeur au moment où cette technique avait atteint
son plein développement : tout d'abord, il extrayait le
cerveau et les entrailles du cadavre et les lavait au vin de
palme. Ensuite, il le laissait baigner pendant soixante dix
jours dans une solution saline. Le corps était alors changé
en momie; il se contractait à un tel point que la peau,
devenue brune et dure, ne recouvrait plus qu'un squelette.
La momie était remplie de mirrhe et d'autres matières
odoriférantes, entourée de bandelettes et finalement
recouverte d'une masse molle qui durcissait rapidement.
Pour le protéger des dangers du voyage, le mort était
muni d'amulettes, parmi lesquelles on trouve souvent
le scarabée, c'est-à-dire le stercoraire sacré des Égyptiens;
le scarabée était sculpté dans la pierre, dans la terre cuite,
dans le verre ou dans d'autres matériaux. Ce petit animal
a l'habitude de pétrir une boule de fumier, de s'y rouler
pour finalement l'enfouir dans le sol après y avoir déposé
ses œufs. Cette boule était pour les Égyptiens le symbole
du soleil et ils se représentaient le dieu du soleil (entre
autres symboles) comme un scarabée qui pousse le disque
solaire devant lui. Et comme le soleil se lève chaque matin
au firmament, le scarabée devint un symbole de la
résurrection des morts.

Une fois la momie entourée de ses bandelettes et munie
de ses amulettes, on la mettait dans un étui qui avait
la forme d'un corps humain; sur la tête était peint le visage
du mort. Cet étui était alors placé dans une ou plusieurs
caisses pouvant s'emboîter l'une dans l'autre; si le mort
était un personnage important, on enfermait les caisses
dans un sarcophage de pierre. Le cœur et d'autres viscères
du défunt étaient conservés dans des amphores d'albâtre
appelées canopes. Enfin, on conduisait le mort vers sa
dernière demeure; le cortège résonnait des plaintes et des
chants funèbres des membres de la famille et des pleureuses

L'âme, sous la forme d'un oiseau, visite le mort que l'on transporte dans un sarcophage en forme de bateau.

L'âme pouvait alors visiter le corps; on trouve fréquemment ce retour dessiné sur des papyrus et sur les bandelettes des momies.

Le mort devait comparaître devant le tribunal du dieu Osiris pour y apprendre ce que serait sa vie future. Ce dieu rendait la justice dans une grande salle, entouré de 42 démons — 42 était le nombre des districts de l'Égypte ancienne. Devant chacun de ces démons, le défunt devait se déclarer innocent d'un péché. Ces quarante-deux péchés peuvent être résumés dans les catégories suivantes : blasphème, parjure, meurtre, luxure, vol, mensonge, calomnie et faux témoignages. Pour accéder à la béatitude, le mort devait prouver qu'il avait nourri les affamés,

Le tribunal d'Osiris : le cœur du mort est pesé par Anubis, le dieu à tête de chacal. Tot, à tête d'ibis, scribe des dieux, note les résultats, qui sont communiqués à Osiris par Horus à tête de faucon.

abreuvé les assoiffés, vêtu ceux qui étaient nus et fait passer la rivière à ceux qui n'avaient pas de bateau.

Dans ce tribunal des morts, nous rencontrons pour la première fois l'idée que le sort des défunts dans la vie future dépend de leur conduite sur la terre. De nombreux siècles plus tard, cette conception de la responsabilité personnelle de l'homme était encore inconnue à d'autres peuples. Pour les Babyloniens et les Assyriens, les justes comme les pécheurs devaient descendre dans le sombre royaume des morts.

Celui qui était condamné par le tribunal d'Osiris était précipité dans le feu ou dans l'eau bouillante ou jeté à un monstre, mélange de crocodile, de lion et d'hippopotame, pour être mis en pièces.

Les Égyptiens s'imaginaient de différentes manières le sort des bienheureux. La conception la plus populaire voulait que ces défunts fussent emmenés dans une terre promise, à l'Occident; le blé y poussait ses épis à plusieurs mètres du sol, la vie n'y était que bonheur et gaîté. Il est clair que cette croyance exerçait une influence bénéfique sur la conduite des hommes. Chacun voulait à tout le moins être considéré comme un homme de bien. On lit sur de nombreuses inscriptions funéraires : " J'ai donné du pain aux affamés, j'ai donné à boire à ceux qui avaient soif; j'ai vêtu ceux qui étaient nus, j'ai fait passer la rivière aux voyageurs... "

Sur sa tombe vieille de près de quatre mille ans, un puissant chef de province avait fait graver l'épitaphe suivante : " Je n'ai violé aucune pauvre fille, je n'ai laissé aucune veuve dans le besoin, je n'ai fait la vie dure à aucun paysan, chassé aucun berger, je n'ai pris les serviteurs de personne pour les faire travailler sans salaire. Personne n'a connu la misère, personne n'a connu la faim sous mon gouvernement. Lorsque vinrent les années difficiles, j'ai fait labourer et ensemencer les champs, du nord au sud de ma province et j'ai offert des vivres aux habitants. J'ai donné à la veuve autant qu'à celle qui avait un mari; lorsque je distribuais des cadeaux, je n'ai pas favorisé l'homme influent au détriment du pauvre. Puis le Nil envoya de grandes inondations qui donnèrent du blé et toutes sortes de vivres; même à ce moment, je n'ai pas exigé la corvée. C'est pourquoi je fus aimé du peuple. "

Les défunts qui avaient subi avec succès l'épreuve du

tribunal d'Osiris avaient droit au bonheur éternel. Ils étaient pourtant menacés par certains dangers dont ils devaient se protéger par des formules d'incantation. Pour aider le mort, ces formules étaient gravées sur le sarcophage et sur les murs du tombeau. Elles furent peu à peu rassemblées dans le célèbre *Livre des Morts*, écrit sur un rouleau de papyrus que l'on posait dans le tombeau aux côtés du mort. Lorsque le défunt rencontrait des démons sous la forme de serpents, de crocodiles géants ou de dragons crachant le feu, il savait ce qu'il devait dire pour les chasser ; lorsqu'il arrivait devant une porte à ouvrir ou une rivière à traverser, il savait quelle formule magique prononcer.

Un petit exemple. La formule contre les crocodiles était : "Au large ! Va-t-en, crocodile maudit ! Tu ne t'approcheras pas de moi car je vis de mots magiques nés de la force qui m'habite. " Et le mort effrayait un peu plus le crocodile en lui disant : " Mes dents mordent comme des couteaux de pierre et déchirent comme celles du dieu chacal et toi, qui es là, ensorcelé, les yeux fascinés par mes incantations, tu ne parviendras pas à me dérober ma puissance magique, toi le crocodile, toi qui pourtant vis aussi par l'action de la magie. "

On trouve également dans le *Livre des Morts* des pensées élevées telles que celle-ci : " L'homme sera jugé d'après la façon dont il s'est conduit sur la terre. " De telles différences dans un seul et même écrit sont expliquées par le fait que le *Livre des Morts* n'est pas un ouvrage homogène ; les chapitres représentent différents stades de l'évolution. Les parties les plus anciennes datent sans doute d'il y a cinq à six mille ans, tandis que les plus récentes datent du septième siècle avant notre ère. Avec ce conservatisme qui les caractérise, les Égyptiens gardèrent des formules très anciennes qui ne correspondaient plus avec leurs nouvelles conceptions religieuses. Nous retrouvons ce conservatisme des anciens Égyptiens dans toutes leurs manifestations culturelles : dans leur religion, dans leur art pictural, dans leur littérature et dans leur organisation politique. Ils furent, pour ainsi dire, les Chinois de l'Antiquité, aussi industrieux et sobres que les fils de l'Empire Céleste.

Grâce au respect des Égyptiens pour tout ce qui était ancien, le *Livre des Morts* est devenu progressivement un miroir où se reflètent tous les stades par lesquels est passée la religion égyptienne depuis l'époque où le peuple était encore à demi-sauvage jusqu'au moment où il se mit à perdre sa puissance.

Du commencement à la fin, le *Livre des Morts* est plein de formules magiques qui aident la momie à se protéger et le défunt à recevoir la vie éternelle. Voici une de ces formules quelque peu raccourcie : " Salut à toi, Osiris, mon père divin! Tout comme toi dont la vie est impérissable, mes membres connaîtront la vie éternelle. Je ne pourrirai pas. Je ne serai pas mangé des vers. Je ne périrai pas. Je ne serai pas la pâture de la vermine. Je vivrai, je vivrai. Mes entrailles ne pourriront pas. Mes yeux ne se fermeront pas, mon visage restera le même qu'aujourd'hui. Mes oreilles ne cesseront pas d'entendre. Ma tête ne se séparera pas de mon cou. Ma langue ne me sera pas arrachée. Mes cheveux ne seront pas coupés. On ne me rasera pas les sourcils. Mon corps restera intact, ne se décomposera pas, ne sera pas détruit en ce monde. "

Pour rendre la vie du défunt agréable dans l'au-delà, on plaçait dans sa tombe des cruches remplies de pain, de vin et d'autres vivres. Comme ces provisions ne pourraient durer toute l'éternité, on devait veiller d'une autre façon au confort matériel du disparu; on exécutait donc sur les murs du tombeau des peintures ou des frises sculptées représentant des scènes qui, espérait-on, deviendraient réalité dans l'autre monde.

Afin que l'Égyptien riche et distingué ne soit pas obligé après sa mort de labourer lui-même ou de moissonner et battre le blé ou de cuire le pain, de brasser la bière, de s'occuper du bétail ou de ramer lui-même, on plaçait dans sa tombe de petites figurines de bois représentant les serviteurs des différents corps de métiers et les animaux domestiques, et aussi des modèles réduits de maisons et de bateaux. Les princes et d'autres personnages de haut rang étaient gratifiés de toute une armée de petites statuettes de bois. On donnait ainsi au défunt une sorte de monde artificiel. Tout ce qu'on a trouvé dans les tombeaux montre une image extrêmement précise de la vie quotidienne de l'Égypte ancienne. Un archéologue américain des plus renommés raconte qu'ayant trouvé une chambre funéraire aux environs de Thèbes en 1921, il put, par une fente de la muraille, embrasser d'un seul coup d'œil toute une société lilliputienne vieille de quatre mille années. La crypte fourmillait littéralement de petits hommes de quelques décimètres de haut, affairés à leurs tâches quotidiennes.

Il ne fallut pas moins de trois jours et trois nuits de travail ininterrompu à l'expédition pour amener à la lumière ces centaines de petites figurines de bois délicatement sculptées et peintes. Tout était dans un merveilleux état de conservation, même les fils aussi fins que des toiles d'araignée qui garnissaient les quenouilles et les métiers à tisser des femmes. On trouva aussi douze bateaux qui devaient héberger le prince défunt et sa suite pendant ses voyages sur le Nil. Dans sa cabine, à bord du plus grand bateau, deux coffres de cuivre étaient rangés sous le lit.

Il y avait aussi un groupe très imposant qui représentait le puissant seigneur lui-même, assis devant sa maison : son fils et héritier était accroupi à ses pieds tandis que tout près quatre secrétaires s'affairaient à compter son bétail.

L'usage de placer dans les tombes des figurines représentant des serviteurs disparut au milieu du deuxième millénaire avant J.-C. On remplaça cette coutume par une autre plus simple. Le défunt fut muni d'un sosie : une miniature du mort lui-même en argile, en bois ou en métal, habituellement en forme de momie reposant dans une caisse de moindres dimensions. Ce sosie était censé faire tout le travail du disparu dans le royaume des morts.

Souvent, les enfants emportaient leurs jouets dans la tombe. On a retrouvé dans les sépultures d'enfants des toupies de bois, des poupées de bois qui pouvaient remuer les bras et les jambes, un crocodile en bois, lui aussi, qui pouvait ouvrir la gueule, etc. Les enfants morts emportaient aussi avec eux des souvenirs moins agréables de leur existence terrestre; on plaçait dans leur tombe leurs cahiers de papyrus et leurs ardoises. Mais les exercices de calligraphie conservés sur cet attirail scolaire sont pour nous d'une valeur inestimable; ils sont indispensables à notre connaissance de la littérature égyptienne car une grande partie de cette littérature ne nous est parvenue que sous cette forme.

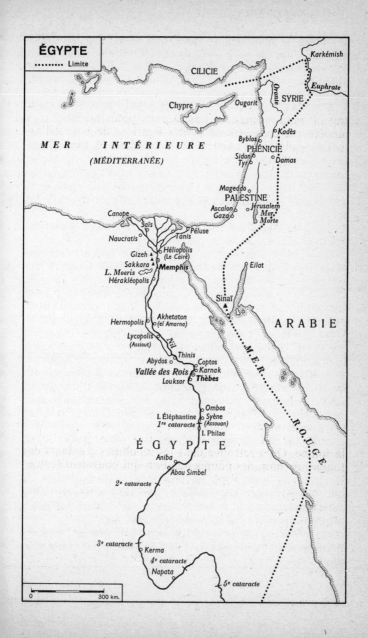

ÉGYPTE

········· Limite

CILICIE

Karkémish

Chypre
Ougarit
SYRIE
Oronte
Euphrate

MER   INTÉRIEURE
(MÉDITERRANÉE)

Byblos
Kadès
PHÉNICIE
Sidon
Tyr
Damas

Mageddo
PALESTINE
Ascalon
Jérusalem
Gaza
Mer
Morte

Canope
Saïs
Péluse
Naucratis
Tanis
Héliopolis
(Le Caire)
Gizeh
Sakkara
Memphis
Eilat
L. Moeris
Hérakléopolis

Hermopolis
Akhetaton
(el Amarna)
Sinaï
ARABIE
Lycopolis
(Assiout)
Nil
Thinis
Abydos
Coptos
Vallée des Rois
Karnak
Louksor
Thèbes

MER

Ombos
I. Éléphantine
Syène
(Assouan)
1re cataracte
I. Philae
ÉGYPTE
Aniba
ROUGE

Abou Simbel

2e cataracte

3e cataracte
Kerma
4e cataracte
Napata
5e cataracte

0   300 km.

" Nous sommes égaux devant la mort. " Cela n'était pas vrai pour les anciens Égyptiens. Chez eux, il n'y avait pas seulement une différence *sociale*, mais aussi une différence *religieuse* entre le riche, à l'abri dans sa tombe, protégé contre les chacals et les autres animaux du désert et le pauvre qui n'avait pas d'argent pour faire embaumer son corps. Ses restes à lui, gisant sans sarcophage sous un mètre du sable du désert étaient bien vite la victime du temps et il ne pouvait donc pas participer à la béatitude de l'au-delà. Les moins aisés travaillaient de toutes leurs forces pour rassembler l'argent nécessaire à des funérailles convenables ou pour se réserver au moins une place dans les tombes collectives que des entrepreneurs dynamiques faisaient creuser dans le roc.

Ce souci était poussé si loin qu'il arrivait que quelqu'un volât les pierres de sa propre tombe.

Un acte juridique vieux de plus de 3.000 ans raconte ainsi les délits d'un contremaître : " Il ordonna à ses hommes de détacher des pierres de la tombe du roi Séthi II. Et avec ces pierres, il éleva cinq piliers dans sa propre tombe. " Dans une autre tombe, il s'appropria deux exemplaires du *Livre des Morts* — dont il comptait se servir lui-même dans l'au-delà — et il pénétra dans une troisième tombe pour faire main basse sur le lit où reposait le mort. Il vola des coupes d'encens et de vin destinées à l'offrande funéraire du roi. On retrouva chez lui un objet de grande valeur pris dans la tombe d'une reine. Le récit nous apprend encore que cet homme qui prenait tant de risques pour assurer sa félicité future était sur cette terre un fieffé coquin. Il vivait dans le péché avec les femmes des travailleurs placés sous ses ordres et volait tout ce qui lui tombait sous la main. Parfois, il s'amusait à grimper sur un mur et à jeter des briques sur ses ouvriers. Il couronna cette belle carrière lorsque quelques-uns de ses subordonnés, las de ses brimades, voulurent aller se plaindre au roi. Il les fit massacrer " pour qu'ils ne puissent apporter aucun message au pharaon ".

Ce pécheur n'aura probablement pas acquis l'immortalité de cette manière mais il s'est fait une place inattendue dans l'Histoire !

L'aube de la civilisation

Cette statuette féminine
en ivoire,
trouvée dans les Landes,
à Brassempouy,
est une des plus anciennes
figures humaines connues.
Elle remonte au
Paléolithique supérieur
(40.000-20.000 av. J.-C.).

Une pointe de flèche taillée, retrouvée au Sahara.
(Grandeur réelle : 75 mm.)

Deux petits cerfs des grottes de Lascaux, travaillés à la
poudre d'ocre rouge ; chacun a 80 cm. de long (Paléolithique supérieur, Périgordien).

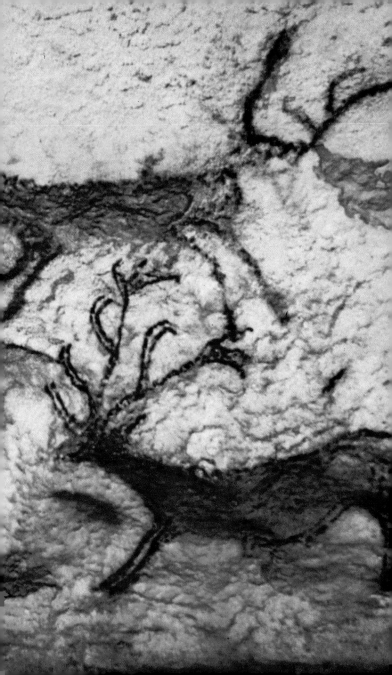

Chasseur saharien
armé de son arc.

Graffitis représentant
des bergers et leur troupeau
(Levant espagnol).

LES GRANDES PÉRIODES DE L'HISTOIRE DU PAYS DU NIL

L'Empire égyptien naquit probablement d'un grand nombre de petites communautés urbaines et des districts campagnards qui s'y rattachaient. Ces petits États s'unirent progressivement en deux royaumes, la Haute-Égypte et la Basse-Égypte. La Basse-Égypte était le territoire du delta, la Haute-Égypte les régions méridionales jusqu'à la première cataracte près de l'actuel Assouan, immédiatement au sud de l'île Éléphantine. Depuis toujours la frontière entre l'Égypte et la Nubie ou l'Éthiopie comme la nommaient les Grecs, se trouvait près de la première cataracte.

Les habitants de la Nubie ancienne étaient des frères de race des Égyptiens : des Hamites.

Le premier roi qui réunit sous son sceptre la Haute et la Basse-Égypte aurait été Ménès, originaire de Haute-Égypte. Fut-il un personnage historique ou une figure légendaire? Se confond-il avec Narmer? Nous l'ignorons. Nous ne savons pas davantage si la capitale Memphis connut un éclat immédiat. Actuellement, l'opinion la plus répandue situe Ménès aux environs de 3.100 avant le Christ, c'est-à-dire il y a 5.060 années.

Dans l'Antiquité, on rangeait les rois d'Égypte de Ménès à Alexandre le Grand en trente *dynasties* (Alexandre conquit l'Égypte en 332 avant J.-C.). On en vint à cette classification à l'aide de listes de rois tenues par les prêtres; les dates des règnes y étaient indiquées. Les 26 dynasties enregistrées par les prêtres couvrent la période pharaonique proprement dite et s'arrêtent à la conquête de l'Égypte par les Perses à la bataille de Peluse en 525 avant J.-C.

L'histoire d'Égypte peut-être divisée en différentes périodes séparées les unes des autres soit par un déclin intérieur soit par une domination étrangère. Pour les périodes les plus reculées, on ne peut avancer de chiffres avec certitude.

aux environs de

Les deux premières dynasties (thinites)	3100-2700 av. J.-C.
L'Ancien Empire : 4 dynasties	2700-2185 » »
Première période intermédiaire	2185-2050 » »
Le Moyen-Empire	2050-1800 » »

Deuxième période intermédiaire (Période Hyksôs)	1800-1567 av. J.-C.
Le Nouvel-Empire (Période des Conquêtes)	1567-1085 » »
La période de déclin	1085- 663 » »
La période saïte	663- 525 » »

LES DÉBUTS ET L'ANCIEN EMPIRE
Aux environs de 3100-2185 avant J.-C.

Narmer-Ménès excepté, les rois des deux premières dynasties ne sont plus que des noms pour l'historien. L'époque des grands bâtisseurs commence aux environs de 2700, avec la 3e dynastie. Les rois résidèrent d'abord à Sakkara, ensuite à Gizeh, au sud du Caire. Ils retournèrent à Sakkara pendant les cinquième et sixième dynasties. La capitale changeait avec les pharaons. Les recherches archéologiques nous apprennent que presque chaque roi se faisait bâtir un nouveau palais aux environs de son futur tombeau. Sous la troisième dynastie, *Memphis* devint la capitale de l'Égypte. Memphis était une ville déjà ancienne à cette époque et possédait un temple célèbre consacré au dieu Ptah (ou plutôt au *ka*, l'âme de Ptah).

Même après la fin de l'Ancien Empire et après que la capitale se fût déplacée vers le Sud, Memphis resta l'une des villes les plus importantes. Les plus anciennes tombes royales (près de la ville d'Abydos) ne furent que de profondes tranchées creusées dans le sol. On en renforçait les parois avec de l'argile séchée au soleil (ce qui leur donnait l'aspect de grottes aux murailles de maçonnerie). Mais à cette même époque, on construisait aussi des *mastabas;* ces monuments ont la forme de caisses aux parois légèrement inclinées. " Mastaba " est un nom arabe qui signifie *banc*. Ces tombes faisaient aux Arabes l'effet d'énormes bancs. Elles pouvaient atteindre jusqu'à cinquante mètres de longueur et contenir jusqu'à trente chambres, parmi lesquelles une petite chapelle où les prêtres faisaient des offrandes au défunt, et où parents et amis déposaient des aliments qui lui étaient destinés.

Dans les tombeaux de personnages importants de la fin de l'Ancien-Empire, on a trouvé des inscriptions exhortant le visiteur à faire des offrandes au défunt. Le mort intercédera alors en faveur du donateur auprès du dieu qu'il a servi pendant sa vie. Dans les deux cas, les défunts avaient été prêtres.

Dans de nombreux mastabas, des inscriptions proclament qu'un parent du défunt lui a érigé cette tombe ou lui a rendu service d'une manière ou d'une autre. C'est ainsi qu'un homme écrivit sur les murs de la tombe paternelle : " Lorsque mon père a été enterré dans le bel Occident, je lui ai bâti cette tombe ; il n'en aurait pas voulu d'autre lorsqu'il marchait encore sur ses pieds. " Une autre personne, qui avait rendu à son père un honneur semblable, se décrit elle-même comme " un homme à qui son fils rendra les mêmes services lorsqu'il sera parti pour le pays de l'Occident ". Les Égyptiens appelaient l'au-delà " le pays de l'Occident ".

Il y a quelque chose d'émouvant dans cette inscription que l'un des gouverneurs de province du pharaon a fait graver sur les murs d'une tombe commune, bâtie pour son père et pour lui-même. " Je veux reposer dans la même tombe que Zau, car je veux rester à ses côtés. Je n'ai pas fait cela parce que je ne pouvais pas me permettre une tombe pour moi seul, mais parce que je veux voir Zau tous les jours et rester auprès de lui, au même endroit. "

Les inscriptions en relief qui ornent les murs des mastabas ont une grande importance dans l'histoire de la culture. Elles montrent entre autre l'amour immodéré des anciens Égyptiens pour les titres honorifiques. Le défunt énumère avec un plaisir visible les hautes fonctions dont il a été chargé, les marques de faveur et les cadeaux dont le pharaon l'a comblé. Et quelle confiance le pharaon témoignait parfois à ses favoris! L'un d'entre eux, Ouni, avait reçu mission, à la suite d'un complot, de soumettre la reine à un interrogatoire, et il écrit : "Jamais encore, un homme dans ma position n'avait appris les secrets du harem royal. "

Par la suite, les mastabas devinrent des tombes royales de dimensions beaucoup plus importantes. Ce sont les *pyramides*, les plus grandes constructions du monde, la Grande Muraille de Chine exceptée. Tout d'abord, on bâtit au sommet du mastaba des mastabas toujours plus petits ; de là naquit ce qu'on appelle la *pyramide à degrés*. La première et la plus caractéristique est la pyramide de *Zoser*, près de Sakkara, sur la rive occidentale du Nil. Cette pyramide à six degrés fut bâtie par *Imhotep*, architecte et ministre de Zoser. Cet Imhotep était, en outre, un médecin d'une telle renommée que les Grecs l'identifiaient à leur dieu de la médecine, Asclépios.

La pyramide continua à évoluer. Le stade suivant est représenté par " la fausse pyramide " de Meidoum, près de l'oasis de Fayoum et par la " pyramide tronquée " de Sakkara. La pyramide pure apparut lorsqu'on se mit à " combler " les degrés et à couvrir l'ensemble de dalles de calcaire poli. On peut voir les vestiges d'un tel revêtement au sommet de la pyramide de Chephren (Khâefrê), seconde, par les dimensions, des trois pyramides de Gizeh.

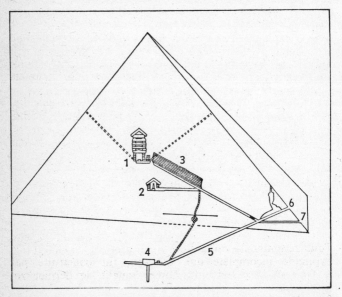

Coupe d'une pyramide royale. Par un couloir (7) et une grande galerie (3) on peut atteindre la tombe du roi (1) et de la reine (2). L'entrée (6) et le couloir (5) qui, dans l'antiquité, conduisaient à la crypte primitive (4) sont maintenant fermés.

Comme les mastabas, les pyramides étaient destinées à servir de tombes aux rois. Les pharaons bâtissaient des pyramides, d'abord pour eux-mêmes, mais aussi pour les proches parents qu'ils voulaient honorer. Près de la paroi orientale de la pyramide de Chéops (Khoufoui) se dressent trois petites pyramides destinées à des membres de la famille du pharaon. Cela vaut également pour la pyramide de Mycérinos (Menkaourê), la troisième et la plus petite des pyramides de Gizeh. Autour des pyramides royales se dressent les mastabas devenues les monuments funéraires traditionnels des princes et des princesses, des hauts fonctionnaires et des courtisans. Entre Gizeh et Memphis, sur une distance de cinquante kilomètres, a surgi une Ville des Morts qui n'a pas sa pareille au monde.

Les pyramides devaient être des " demeures éternelles "; c'est pourquoi elles furent construites, tout comme les temples, en matériaux plus durables que les palais royaux qui, eux, ne devaient servir que pendant le règne d'un seul roi. On se contentait pour ces bâtiments de dalles d'argile séchées au soleil, qui n'avaient aucune chance de résister à l'usure du temps. C'est pourquoi, l'Égypte devint le *pays des temples et des tombes*.

On construisit les premières pyramides en pierre calcaire. Par la suite, il fallut se contenter de blocs d'argile séchés au soleil. Il est stupéfiant que les Égyptiens aient pu manier des blocs de plus de cent tonnes avec les moyens primitifs dont ils disposaient. On a même retrouvé un bloc de granit provenant d'une pyramide et pesant près de cinq cents tonnes. Dans les pyramides les mieux construites, les différents blocs sont assemblés avec tant de précision qu'il est difficile d'introduire une mince feuille de papier dans les failles.

Il subsiste environ quatre-vingts pyramides royales. Tout récemment, on a découvert près de Sakkara une pyramide incomplète qui, croit-on, fut construite par le frère et successeur de Zoser, Sanakt, le dernier roi de la troisième dynastie.

Les plus puissantes et les plus impressionnantes pyramides, ces merveilles du monde, se dressent aux portes du Caire. La plus grande et la plus célèbre fut bâtie, il y a quelque 4500 ans, par le roi *Chéops*. L'historien grec Hérodote qui visita l'Égypte vers le milieu du cinquième siècle avant J.-C., raconte que cent mille hommes ont travaillé pendant vingt ans à la construction de la pyramide de Chéops.

Le pharaon reposait dans son sarcophage, au cœur du puissant monument ou dans le sol, sous sa base. Il a fallu des peines infinies, des sommes énormes et des trésors de perspicacité pour trouver et ouvrir les passages qui conduisaient aux cryptes des rois.

Dans les pyramides de la fin de la cinquième et du début de la sixième dynastie, on trouve des textes gravés dans les parois des chambres funéraires et des couloirs qui y conduisent. Ces textes contiennent différents éléments qui étaient déjà très anciens au moment où ils furent gravés. Ils appartiennent à la même période littéraire que les parties les plus anciennes du *Livre des Morts*.

Il n'est pas exagéré de dire qu'aucune œuvre humaine ne fait sur le spectateur une impression aussi profonde et aussi durable que les trois grandes pyramides. Au clair de lune, elles dégagent une majesté prenante. Leurs imposantes silhouettes se dessinent sur le gris-bleu du ciel nocturne ; du sable du désert surgit le sphinx, l'être énigmatique à tête humaine et au corps de lion. On croit aujourd'hui que les traits de son visage sont ceux du pharaon Chephren.

Au pied des pyramides, on se sent écrasé, pris de vertige. Quelle influence extraordinaire la croyance en une survie exerça sur la culture égyptienne ! Quelle force énorme représente l'idée de l'immortalité dans l'évolution de l'homme !

De leur vivant, les rois et les citoyens éminents d'Égypte nommaient des prêtres qui devaient, à l'heure de leur mort, leur faire les offrandes voulues et leur rendre les honneurs dûs à leur rang. Des actes légaux fixaient les honoraires de ces prêtres ; ils héritaient de l'usufruit de certains biens immobiliers des défunts. Un prince de la quatrième dynastie destinait les revenus de douze villages à son culte funéraire. Un fonctionnaire de la cour engagea huit prêtres pour rendre les honneurs devant sa tombe. Le revenu national de l'Égypte fut ainsi employé à des fins improductives ; en conséquence, l'État s'appauvrit et il vint un moment où il ne put faire face à ses obligations.

Mais avant d'être frappé par ces malheurs, le pays connut une grande efflorescence culturelle pendant la période de Memphis. L'empire formait une unité réelle sous une administration fortement centralisée dont le pharaon tirait tous les fils. Les différents districts étaient placés sous l'autorité de gouverneurs. Ils étaient responsables du maintien de l'ordre social et de la perception des impôts. En nature.

Toute l'économie du pays reposait sur l'agriculture. L'Égypte ne connaissait encore aucun système monétaire. Une partie du grain, des fruits et des jeunes animaux revenait de droit à l'État qui en assurait le transport vers les magasins royaux. Ces impôts en nature servaient alors à l'entretien de la cour et aux traitements des fonctionnaires. Une partie était exportée pour payer les produits achetés à l'étranger.

L'art de l'Ancien Empire atteignait un niveau très élevé. En témoignent entre autres deux sculptures comme " Le Scribe accroupi " du Musée du Louvre et le " Magistrat de village " (le " Cheikh el-Beled "), qui datent de la cinquième dynastie. N'est-il pas vivant, ce fonctionnaire qui tient en main le bâton d'acacia, insigne de sa dignité? Sa silhouette trapue, son cou épais et court, son visage vulgaire mais énergique qui exprime si bien le contentement de soi en font le type parfait du médiocre compétent. Le Scribe semble avoir une toute aussi bonne opinion de lui-même. On croirait voir un instantané parfaitement réussi, pris au moment même où le modèle vient de s'asseoir, prêt à travailler. Ses yeux attentifs sont fixés sur la bouche de la personne qui va commencer à dicter, il attend prêt à écrire le premier mot sur la feuille de papyrus étalée devant lui.

La jeunesse et la spontanéité de ces œuvres n'ont jamais été égalées par les productions postérieures de l'art égyptien; devant elles, on ne peut parler de l'Ancien Empire comme si cette époque portait en tout le signe de la vieillesse. Les chefs-d'œuvre de la sculpture et les bas-reliefs qui ornent les tombes témoignent, au contraire, de la vigueur et de l'enthousiasme de leurs créateurs et ne donnent pas la moindre impression de lassitude.

Dès l'Ancien Empire, les pharaons commencèrent à s'intéresser aux territoires situés au sud de la première cataracte. Sous la sixième dynastie, la cataracte fut canalisée et rendue navigable pour les embarcations les plus légères.

Un grand personnage de cette époque fit graver sur les murs de sa tombe le récit de ses aventures avec le roi Pépi I au cours d'une expédition contre le " peuple des sables " (nom donné par les Égyptiens aux Bédouins des frontières méridionales et septentrionales). Ce grand personnage n'était autre que celui qui avait pu interroger la reine sur les secrets du harem; ce fut lui également qui fit creuser des canaux le long de la cataracte. Voici ce qu'il raconte dans son inscription. " Sa Majesté équipa une armée de dix mille hommes et elle revint victorieuse, ayant détruit le pays du peuple des sables, abattu leurs figuiers et leurs vignes, incendié leurs maisons, tué des milliers d'hommes et fait un grand nombre de prisonniers. " Mais il envoya vers le Sud des expéditions plus pacifiques qui ramenèrent de Nubie de pleins chargements de produits précieux comme l'ivoire, l'ébène et l'or.

Sur les murs d'une tombe près de l'actuel Assouan, on trouve le récit de quatre expéditions lancées vers la Nubie par un vassal du pharaon dans l'Éléphantine, un certain Khoufhor. Pendant son quatrième voyage en Nubie — environ 2250 avant notre ère — un enfant de sept ans, Pépi II était assis sur le trône royal. Le règne de ce jeune roi allait être le plus long de toute l'histoire mondiale car, si l'on en croit la tradition égyptienne, Pépi II n'a pas régné moins de soixante-dix ans. Lorsque la caravane revint, elle rapportait au petit pharaon quelque chose qui lui plût davantage que l'or ou l'ivoire, en l'occurrence un nain danseur. Pépi était au comble du ravissement. Dans une lettre à Khoufhor, il exprime sa joie, dit son impatience de recevoir le cadeau annoncé et il prie instamment Khoufhor de veiller à ce que rien n'arrive au petit homme. " Lorsqu'il montera à bord avec toi ", écrit le pharaon, " choisis deux hommes sûrs, ils doivent rester constamment à ses côtés pour l'empêcher de tomber à l'eau. La nuit, que des hommes de confiance dorment auprès de lui dans sa tente et regardent dix fois si tout est en ordre. Et si tu amènes le nain en bonne santé à la cour, le pharaon fera dix fois plus pour toi que le roi Asesa (un roi de la cinquième dynastie) n'en fit en son temps pour l'homme qui lui avait rapporté un nain de Punt."

Khoufhor fut si fier de la lettre du petit pharaon qu'il la fit recopier mot pour mot sur les murs de sa tombe, où nous pouvons la lire aujourd'hui.

Sous l'Ancien Empire, les gouverneurs et d'autres hauts fonctionnaires recevaient en récompense de leurs services des terres qu'ils léguaient ensuite à leurs descendants. Mais ce système de rétribution présentait un danger : petit à petit les grandes familles dont les membres monopolisaient les hautes fonctions entrèrent en possession de beaucoup trop de terres. Finalement, cette aristocratie fortunée et les prêtres puissamment organisés devinrent plus puissants que le pharaon et l'empire se déchira en un grand nombre de petites principautés qui se faisaient mutuellement la guerre.

Le déclin de l'Ancien Empire fut suivi d'un effondrement économique et social complet; l'un de sages de cette époque a décrit cette situation de façon impressionnante. " Les eaux du Nil, dispensatrices de vie, quittaient le lit du fleuve ", dit-il, " mais les champs n'étaient plus cultivés. Des voleurs et des vagabonds erraient sur les routes, dressaient des embuscades aux voyageurs. Les épidémies se succédaient, les femmes devenaient stériles. L'ordre social n'était plus qu'un vain mot, les impôts n'étaient plus payés. On pillait les temples et les palais du roi. " " Celui qui autrefois possédait des habits magnifiques est aujourd'hui en haillons. De grandes dames courent le pays, mendiant leur pain, et les ménagères soupirent : " Ah! Si seulement nous avions quelque chose à manger! " Partout on entend le cri : " Écrasons les puissants! " Les crocodiles sont repus tant ils trouvent de proies. Certains se laissent dévorer volontairement, car l'épouvante les rend fous. Nulle part on n'entend rire. Le deuil couvre le pays. Jeunes et vieux disent : " Que ne suis-je mort! " Et les petits enfants se lamentent : " Pourquoi nous a-t-on mis au monde? " Les bateaux ne partent plus vers Byblos, le port syrien au pied du Liban couvert de cèdres, " où trouverons-nous le bois pour les cercueils de nos momies, maintenant? "

LE MOYEN EMPIRE
Environ 2050-1800 avant J.-C.

La période de décadence dura jusqu'aux environs de 2050 avant J.-C. A ce moment, les souverains de Thèbes en Haute Égypte parvinrent à soumettre tout le pays et à rétablir l'unité de l'Empire. Leur territoire était l'actuelle région Louksor-Karnak avec, sur la rive occidentale du Nil, la ville qui porte encore actuellement le nom de Thèbes. Une nouvelle période de prospérité commence avec la douzième dynastie; elle durera plusieurs siècles. Des rois vigoureux mettent en échec la puissance des vassaux.

Les rois de la douzième dynastie s'appellent tous *Amenemhat* ou *Sesostris* (Sesostris est la traduction grecque de *Senousrit*). Ils furent de grands bâtisseurs; on a retrouvé des tombes mais aussi des temples datant de leur époque. Les arts et la littérature fleurissaient et le Moyen Empire devint pour les générations futures la période classique de l'Égypte. Des siècles plus tard, on étudiait encore la littérature de ce temps dans les écoles et tous ceux qui se piquaient de beau langage imitaient le style de ces textes.

Les pharaons établirent leur résidence au bord de l'oasis de Fayoum, tout à fait au sud de Memphis. La région était marécageuse et malsaine; une sorte de canal naturel la reliait au Nil.

On améliora cette liaison Fayoum-Nil au moyen d'écluses et l'irrigation fut réglée selon les besoins des différentes récoltes. Grâce à un nouveau système de canaux à l'intérieur de l'oasis, le marais fut transformé en terres arables et fertiles. Aujourd'hui encore, les oranges, les pêches, les figues et les raisins de Fayoum jouissent d'une grande renommée, non moins d'ailleurs que son coton et ses roses.

Amenemhat III se bâtit une pyramide à Fayoum et ensuite un temple géant. Ces bâtiments formaient avec les maisons des prêtres un tel fouillis de péristyles, de cours intérieures et de réduits obscurs qu'on ne pouvait y trouver son chemin sans guide. Ces bâtiments fournirent le point de départ des récits grecs sur le *Labyrinthe* qui passait pour la plus grande merveille du monde. De nos jours, le temple d'Amenemhat est complètement rasé.

La tradition grecque fait des souverains de la douzième dynastie nantis du nom générique de Sésostris, de puissants bâtisseurs et des conquérants redoutables; au fil du temps, leurs hauts faits prirent des proportions fantastiques. Ils parvinrent à étendre leurs territoires vers le sud " jusqu'à la fin du monde ", c'est-à-dire les environs de la deuxième cataracte, et ils soumirent non seulement la vallée nubienne du fleuve, mais s'approprièrent également les mines d'or situées à l'est de cette région. Les ruines d'établissements égyptiens aux alentours de la deuxième cataracte nous montrent encore comment les territoires nubiens de l'Empire étaient protégés contre d'éventuelles attaques venant du Sud. Près de Semnet, à soixante kilomètres au sud de la cataracte, Sésostris fit bâtir un fcrt et y planta une colonne commémorative ; dans l'inscription, il se vante " d'avoir inspiré une terreur respectueuse au peuple de cette pauvre Kush ", le nom que les Égyptiens donnaient à la Nubie.

Les mots lui manquent pour flétrir la lâcheté des Nubiens : " Ce ne sont pas des hommes courageux. Non, ils sont lâches et misérables, leur cœur est rempli de crainte. Ma Majesté les a vus de ses yeux, je ne raconte pas de mensonges. J'ai pris leurs femmes par la force, j'ai fait prisonniers les travailleurs de leurs champs, j'ai arraché leur blé et je l'ai réduit en cendres. Je le jure par la vie de mon père. Je dis la vérité et je peux prouver l'exactitude de mes paroles. " (Il est difficile de partager l'orgueil que Sa Majesté tire de son exploit : vaincre de malheureux indigènes n'a rien de très glorieux lorsqu'on dispose d'une armée bien équipée !)

Ce monument a une histoire bien particulière. Il fut découvert en 1844 par le grand égyptologue allemand Richard Lepsius. La colonne étant brisée en deux morceaux, Lepsius emballa chaque partie séparément, mais un seul fragment du monument parvint à Berlin. Les ouvriers de Lepsius avaient oublié l'autre morceau à Semnet où il ne fut retrouvé que quarante-deux ans plus tard, toujours dans l'emballage de Lepsius. Ce fragment fut envoyé au Caire et resta au Musée égyptien jusqu'en 1899. Il fut ensuite transféré à Berlin et c'est dans le musée de cette ville que les deux moitiés de la colonne commémorative de Sésostris furent enfin réunies après plus d'un demi-siècle de séparation.

Sésostris compléta également la canalisation de la première cataracte, commencée quatre cents ans plus tôt sous la sixième dynastie. Sur une île du fleuve, deux inscriptions rupestres témoignent de ces travaux (d'une grande importance au point de vue culturel). Elles nous apprennent aussi que le nom du canal signifiait : " Grands sont les desseins de Sésostris. " Le canal s'ensabla et se remplit de pierres, mais Sésostris le fit draguer et aménager.

Quelque quatre cents ans plus tard, Thoutmès III imita son prédécesseur en ordonnant aux pêcheurs de la région de nettoyer le canal chaque année.

Dès cette époque, les Égyptiens faisaient un commerce très actif avec la Syrie et les îles de la Méditerranée Orientale. La fin de la douzième dynastie fut aussi celle des puissants pharaons. De nombreux détails nous laissent supposer que le pays vint à manquer de chefs énergiques. Les notations qu'Amnemhat III avait fait graver sur les rochers surplombant la deuxième cataracte pour indiquer les niveaux atteints par les crues du Nil ne lui survécurent que quelques dizaines d'années. Bientôt, ce fut la fin des recensements de population régulièrement effectués sous la douzième dynastie. On cessa donc d'enregistrer ce qui était important pour la vie de l'État et ceci n'est pas un hasard mais le début d'un véritable déclin.

La vigueur de l'Empire ayant été minée par une révolte de la noblesse, des conquérants asiatiques vinrent s'installer dans le delta, puis dans toute l'Égypte. Ces conquérants, les Hyksôs, n'étaient pas des barbares grossiers. Ils introduisirent en Égypte, le cheval, le char, l'armure et de nombreux types d'armes. Ils laissèrent les pharaons poursuivre à Thèbes un pouvoir fantôme et se contentaient pratiquement de percevoir des impôts réguliers. Mais l'Égypte connut, pour la première fois, la domination d'un étranger qui " gouvernait dans l'ignorance de Râ ".

Les Hyksôs maintinrent leur domination pendant près de deux siècles, de 1.800 à 1.600 avant J.-C. environ. Pendant ce temps-là, les Égyptiens avaient appris aussi à manier les nouvelles armes.

LE NOUVEL EMPIRE
Environ 1600-1100 avant J.-C.

C'est de Thèbes que partit la renaissance de l'empire égyptien. Un prince de cette ville connu sous le nom de Kamosé leva l'étendard de la révolte, mais tomba dès le début de la guerre. Sa momie se trouve au musée du Caire et porte encore des traces évidentes du combat. Un coup de hache lui a entaillé la joue et mis les dents à nu, un autre coup lui fendit le crâne et fit se répandre sa cervelle sur son front. En outre, il porte au-dessus de l'œil droit une blessure causée par un poignard ou une lance et il s'est tant mordu la langue pendant son agonie qu'il n'en reste que des lambeaux.

Un de ses successeurs poursuivit le combat de la liberté et parvint non seulement à bouter les Hyksôs hors du delta, mais encore à les poursuivre jusque dans le sud de la Palestine.

Il n'existe aucune source officielle concernant l'expulsion des Hyksôs mais les légendes ne tardèrent pas à imaginer les exploits les plus extraordinaires. L'Égyptien moyen admit donc que la révolte naquit d'un défi lancé au prince de Thèbes par le souverain Hyksôs; l'étranger avait envoyé au Thébain un message où il se plaignait de ne pouvoir trouver le sommeil (dans sa résidence du delta) à cause du tapage que faisaient les hippopotames près de Thèbes! " Jour et nuit, leurs hurlements résonnent à mes oreilles! ", se plaignait ce potentat à l'ouïe merveilleusement fine; cette argumentation fait penser aux griefs du loup envers l'agneau dans la fable de La Fontaine.

Le prince qui parvint à chasser les Hyksôs d'Égypte fut le fondateur de la dix-huitième dynastie et fit de Thèbes la capitale du pays. Ce fut le début du Nouvel Empire, une période de grande efflorescence culturelle et d'expéditions contre les pays voisins jusqu'à l'Euphrate au nord-est, et au sud jusque dans les profondeurs du Soudan. La longue guerre de libération contre les Hyksôs avait rendu la noblesse belliqueuse et les paysans d'Égypte, d'une nature pourtant très pacifique, s'habituèrent aux guerres et aux conquêtes.

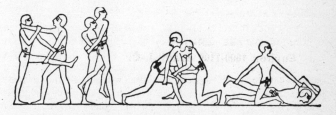

Soldats s'exerçant à la lutte.

L'Égypte devint un État militaire, dominé par l'armée. Les troupes étaient en grande partie composées de mercenaires étrangers; il en venait même de Sardaigne. Tous étaient bien armés. Les archers égyptiens jouirent d'une grande renommée jusqu'aux temps hellénistiques. De plus, le *cheval* fut importé d'Asie en Égypte sous la domination des Hyksôs. Il ne fut employé que pour tirer les chars de guerre, peut-être parce que les premiers chevaux qui arrivèrent en Égypte étaient trop petits pour servir d'animaux de selle. Cette race de chevaux s'est probablement développée, elle est devenue plus vigoureuse grâce aux bons pâturages d'Égypte et de Nubie. A ce propos, il convient de rappeler qu'on n'a trouvé aucun dessin représentant un chameau, qui soit antérieur à la période hellénistique (depuis environ 300 avant J.-C.); le chameau est pourtant de nos jours le trait le plus typique du paysage égyptien. Tout d'abord, on n'employa pour les transports à travers le désert que des ânes; ce n'est qu'avec les Arabes, au milieu du cinquième siècle après J.-C. que le " vaisseau du désert " apparaît au pays du Nil.

Thoutmès (Thoutmôsis) I

A la fin de la période des Hyksôs, l'Égypte n'était plus en état de maintenir sa domination sur la Syrie et les pharaons de la dix-huitième dynastie durent faire appel à toutes les forces du pays pour reconquérir ces territoires. Bientôt, la frontière méridionale aux environs de la deuxième cataracte fut rétablie et fortement défendue. Mais le jeune et ambitieux Thoutmès I alla plus loin encore; " comme une panthère enragée ", il s'enfonça vers le sud. Il soumit tout le territoire jusqu'à la quatrième cataracte.

Thoutmès entreprit en Syrie du Nord une expédition de plus d'envergure encore. Jusqu'alors, aucune armée égyptienne n'avait pu pousser aussi loin, mais maintenant le pharaon pouvait " réjouir son cœur au pays des barbares ". Sans difficulté, il étendit ses conquêtes jusqu'au cours supérieur de l'Euphrate. Il y remporta une grande victoire dont il perpétua le souvenir dans une inscription sur la rive orientale du fleuve.

A son retour en Égypte, le jeune Thoutmès pouvait se vanter d'avoir reculé les frontières de l'empire au sud jusqu'à la quatrième cataracte et au nord jusqu'à l'Euphrate. En fait, il n'exerça sur la Syrie qu'une domination incertaine. Sans doute, les princes et les villes rendirent hommage au pharaon lorsqu'il arriva à la tête d'une armée puissante et bien organisée, mais dès que les troupes avaient quitté le pays, les vassaux cessaient de payer tribut et se préparaient à la révolte.

Thoutmès mourut en 1495 avant notre ère. Contrairement à la tradition, il ne se fit pas bâtir de pyramide. Malgré toutes les précautions prises, les morts qui reposaient dans ces puissants mausolées étaient souvent la proie des pillards. L'interdiction d'approcher des chambres funéraires restait lettre morte. De même que les menaces gravées sur les murs des tombes et dirigées contre l'audacieux qui osait violer la demeure du défunt : "Je le capturerai comme un oiseau sauvage. Et il devra répondre de son méfait devant le grand dieu." Pour se protéger des profanateurs, Thoutmès se choisit une tombe dans les rochers sur la rive gauche du Nil, au-dessus de Thèbes, dans cette partie sauvage et inaccessible des montagnes de Libye, devenue célèbre sous le nom de "Vallée des Rois". On ne pouvait y arriver que par quelques cols qui tous étaient gardés. On peut encore voir aujourd'hui les ruines des postes de garde. Les morts pouvaient ici reposer en paix. Pendant quatre siècles, les pharaons suivirent l'exemple de Thoutmès. On mit ainsi fin à la vieille habitude de réunir la tombe et le temple en un seul bâtiment où les parents du défunt lui faisaient des offrandes de nourriture et de boisson. Thoutmès I fit construire son temple funéraire loin de sa tombe; on fit de même dans les siècles ultérieurs lorsqu'on sépara l'église et le cimetière qui, à l'origine, formaient un ensemble. Les rois de la dix-huitième dynastie trouvèrent leur dernière demeure dans ces parois rocheuses au bord du Nil. A certains endroits, de longues rangées de tombes sont creusées dans le roc, si près l'une de l'autre que les ouvertures noires se dessinent sur le calcaire jaune comme les cellules d'un rayon de miel. Des peintures nous montrent les grands hommes enterrés là et les exploits qu'ils ont accompli de leur vivant; aujourd'hui encore, on ne peut qu'admirer la vivacité et les couleurs splendides de ces petits tableaux. Nous y voyons des fonctionnaires du pharaon mener aux pieds du roi les représentants des peuples conquis; les vaincus s'approchent du trône, les bras chargés des produits de leur pays.

C'est donc ici que reposent les maîtres de l'Égypte, autrefois si puissants. (Ils sont couchés derrière les parois rocheuses dans un paysage qui porte le sceau d'un sérieux profond et sombre.) Rien au monde ne possède le caractère majestueux et élevé de cette ville des morts. Mais, hélas! les profanateurs sont passés ici, comme dans les pyramides et les mastabas. Fascinés par l'or et les pierres précieuses dont les morts étaient parés, des voleurs impies ont éventré les sarcophages et emporté les momies. Les mesures de sécurité prises autrefois par les pharaons n'ont pas pu les protéger après leur mort. Les pièges qu'ils firent creuser pour éloigner les indésirables ne purent leur assurer un sommeil paisible.

La reine Hatshepsout

La plus proche héritière de Thoutmès I fut *Hatshepsout*, sa fille par la reine. Une femme de son harem lui avait donné un fils, Thoutmès. Mais la mère de Thoutmès était d'un rang beaucoup moins élevé que la mère de Hatshepsout et la succession se faisant par les femmes en Égypte, seule une princesse dont la mère était une reine — donc la femme d'un dieu — avait un droit légitime au trône. Les événements qui précédèrent et suivirent la mort de Thoutmès I se sont perdus dans les ténèbres de l'histoire, mais il semble que Thoutmès ait essayé d'installer légalement son fils sur le trône en lui faisant épouser sa demi-sœur. De tels mariages étaient la règle dans la famille royale et ils étaient aussi connus du peuple. Il faut en chercher l'explication dans ce sens de l'économie qui a toujours caractérisé le fellah : il fallait autant que possible garder le patrimoine intact. Au sein de la famille royale, le mariage entre frère et sœur se justifiait par le désir de ne pas mélanger le sang royal. Le roi était en effet fils de dieu et n'avait pas à se commettre avec les filles de cette terre.

Grâce à son mariage avec Hatshepsout, le jeune Thoutmès put succéder à son père sous le nom de *Thoutmès II*. On ne sait pas grand-chose de cette période, mais il semble que Thoutmès II n'ait pas eu un très long règne et qu'à sa mort, la situation dynastique était aussi précaire qu'à celle de Thoutmès I, car, pas plus que son père, Thoutmès II n'avait eu d'enfant de la reine. Le prince qui monta plus tard sur le trône sous le nom de Thoutmès III était peut-être le fils de Thoutmès II et d'une esclave, bien que certains érudits prétendent qu'il était fils de Thoutmès I et, de ce fait, demi-frère de Thoutmès II et aussi d'Hatshepsout.

Quoi qu'il en soit, lorsqu'il n'était encore que prince, le futur Thoutmès III devint prêtre du temple d'Amon et intrigua pour s'assurer le trône. Mais la légitimité de Hatshepsout était inattaquable. Comme elle se servait d'une des coteries de la cour — ou peut-être était-ce le contraire — Thoutmès put être tenu à l'écart et Hatshepsout devint la souveraine régnante. Ceci était très inhabituel. Comme héritière de son père, elle pouvait transmettre la couronne à un descendant mâle, mais ne pouvait régner elle-même. Il lui fallait donc trouver une fable qui renforçât sa position : elle prétendit que le dieu Amon lui avait offert le trône. Elle s'arrogea les prérogatives royales : des dessins la représentent vêtue de vêtements masculins et en général son visage s'orne de la barbe, insigne de la dignité royale.

Hatshepsout était une belle personne, très douée; en fait, nous savons peu de choses de sa personnalité. Certains la représentent comme un monstre de volonté, l'Élisabeth I de l'Égypte en quelque sorte. D'autres ne voient en elle qu'un jouet entre les mains de nobles affamés de puissance. En tout cas, elle ne partit jamais en campagne et à la fin des vingt années de son règne, les possessions syriennes étaient pratiquement perdues pour l'Égypte. Mais son règne fut illustré par une remarquable expédition vers le Pount, au sud de la Mer Rouge, le pays entouré de légendes, le pays de l'encens.

On passa tout d'abord du Nil à la Mer Rouge par un canal. On cingla ensuite vers le sud jusqu'à ce qu'on atteignît un village. Là, les Égyptiens durent prouver qu'ils venaient, animés d'intentions pacifiques. Ils firent alors la même chose que nos explorateurs modernes, c'est-à-dire qu'ils offrirent des cadeaux. Lorsqu'on eût fait connaissance, on se lança dans un troc animé. Les bateaux égyptiens se chargèrent d'or, d'argent, de pierres précieuses, d'ébène et d'autres essences rares, d'ivoire, de peaux de léopards et de panthères. Et par-dessus tout cela, des singes. Mais le produit le plus remarquable du pays était la résine employée comme encens. Pour obtenir de l'encens dans leur propre pays, les Égyptiens emportèrent trente arbres à myrrhe, conservant autour des racines une grosse motte de terre. Hatshepsout les fit planter sur les terrasses du merveilleux temple de pierre qu'elle avait fait bâtir en l'honneur du dieu Amon, sur la rive occidentale du Nil, au-dessus de Thèbes. Le récit du voyage dans le Pount est gravé sur les murs de ce temple.

Mais cette inscription ne représente pas ce voyage comme une expédition commerciale ordinaire. Comment le pharaon qui recevait des cadeaux de tous les pays du monde aurait-il pu *acheter* quelque chose à un peuple barbare? L'encens que les Égyptiens avaient rapporté fut appelé un " tribut du roi du Pount ". Et l'on écrivit que les chefs du peuple de Pount " firent leur soumission, la tête baissée et baisèrent le sol aux pieds de la reine en implorant la paix ".

De nombreuses grandes constructions s'élevèrent pendant le règne d'Hatshepsout. Son " temple de la falaise " à Deir-el Bahari, près de Thèbes est l'une des plus belles créations de l'architecture égyptienne.

Thoutmès (Thoutmôsis) III

Les circonstances dans lesquelles Hatshepsout termina son règne sont assez obscures. Fut-elle écartée par un coup d'État? Ses partisans se dispersèrent-ils après sa mort? On ne le sait. Toujours est-il que Thoutmès III poursuivit la mémoire d'Hatshepsout de sa vindicte obstinée. Ses statues dans le temple de Deir-el-Bahari furent mutilées et les débris jetés dans une carrière voisine.

La victoire politique de Thoutmès III, c'était la défaite du parti de la paix. On s'en aperçut aussitôt. Soixante-quinze jours après son accession au trône, le pharaon lança son armée sur la région de Suez : " Sa Majesté se rendit immédiatement au pays de Djahi pour en finir avec les traîtres qui y demeuraient et prodiguer ses présents à ceux qui lui étaient fidèles. "

Thoutmès III devint l'une des plus grandes figures de la longue série des rois d'Égypte. Par dix-sept expéditions en Syrie et quelques autres en Nubie, il étendit et consolida sa domination depuis l'Euphrate au nord jusqu'à la quatrième cataracte au sud. Thoutmès III renforça la puissance navale de l'Égypte, poussa jusqu'aux îles Égées dans l'est de la Méditerranée et le roi de Chypre devint son vassal.

Cependant, les Égyptiens ne devinrent jamais un peuple de grands navigateurs. Deux choses indispensables leur manquaient : des équipages qualifiés et le bois nécessaire à la construction navale. Leurs lourds bateaux de rivière leur permettaient tout au plus le cabotage; ils étaient absolument incapables de tenir la pleine mer. De plus, les Égyptiens n'avaient pas assez de courage pour devenir de bons marins. Ils avaient peur de l'océan; c'est pourquoi ils laissaient des étrangers s'occuper de leurs transports par mer. Ce furent surtout les Phéniciens qui se virent confier la flotte égyptienne. Des marchandises de tous les pays envahirent l'Égypte : l'or, les pierres précieuses, l'ivoire et l'ébène, l'encens, les étoffes précieuses des Phéniciens, des purs-sangs pour les écuries royales. D'innombrables Noirs et des prisonniers de guerre syriens furent conduits en Égypte pour y mener une vie d'esclaves au service du pharaon.

Lorsque Thoutmès III eût régné pendant trente ans, il éleva deux obélisques. Plus tard, d'autres obélisques furent érigés à l'occasion de nouveaux jubilés; il y en eut six en tout, deux dans le temple de Karnak, deux à Deir-el-Bahari et deux devant le temple de Râ à Héliopolis. Aucun d'entr'eux n'est resté à l'endroit où les Égyptiens les avaient érigés. Deux ont disparu, le sommet d'un troisième se trouve à Istamboul sur un socle qui perpétue la mémoire de Théodose le Grand, un autre fut emmené à Rome et orne maintenant la place du Latran. L'Empereur Auguste en fit déplacer deux vers Alexandrie où les Arabes leur donnèrent plus tard le nom d' " aiguilles de Cléopâtre "; ils n'ont pourtant rien de commun avec cette jolie reine. L'un de ces deux obélisques fut offert par Méhémet Ali, souverain d'Égypte, au gouvernement anglais et se dresse aujourd'hui, noirci par les fumées londoniennes, sur les bords de la Tamise. Un autre échoua à New York. Ces puissantes colonnes proclament donc la gloire de Thoutmès III, " le conquérant de la terre ", dans quatre villes du Vieux et du Nouveau Monde.

La personne de Thoutmès III est plus vivante à nos yeux que celle de n'importe quel autre roi de l'Égypte ancienne, Akhénaton excepté. Nous voyons en lui un souverain énergique et infaillible, un politicien plein de sagesse et l'un des plus grands capitaines de l'histoire. Jamais auparavant, un seul homme n'avait tenu en mains le sort d'autant d'êtres. Son génie valait celui d'Alexandre ou de Napoléon. Thoutmès a fondé le premier empire mondial.

Aménophis II et Aménophis III

A peine Thoutmès était-il mort que la tempête se déchaîna. Les Syriens opprimés se révoltèrent en masse contre son fils et successeur *Aménophis II*. Mais, comme dit la dédicace d'un monument de Karnak, le jeune roi mit l'ennemi en déroute.

Son petit-fils et second successeur, *Aménophis III*, n'était pas un homme de guerre. Il préférait jouir des bienfaits de la paix et des joies d'une culture très raffinée en restant aux côtés de sa femme Tiy. Il pouvait se le permettre sans courir de risques, aussi longtemps que le nom du pharaon gardait son prestige auprès des peuples. La période de paix fut favorable aux échanges commerciaux et culturels avec les autres pays. Le quinzième siècle avant J.-C. est la première période de l'histoire où l'on peut parler de *commerce mondial*. La civilisation du Nil et celle des pays du Tigre et de l'Euphrate se rencontrèrent. D'autre part, l'influence de la culture égyptienne ne rayonna pas seulement sur les îles de l'est de la Méditerranée, mais aussi sur le continent grec. L'architecture et l'artisanat égyptiens furent imités aussi bien en Crète qu'à Mycène et les inscriptions préhistoriques de Crète montrent clairement l'influence égyptienne.

De tous les coins du monde antique, les richesses affluèrent vers l'Égypte et la prospérité du pays atteignit des proportions inouïes. Thèbes devint la ville la plus monumentale de l'Antiquité.

Les relations commerciales de plus en plus étroites avec l'étranger eurent la conséquence que l'on devine : les pharaons abandonnèrent leur réserve un peu dédaigneuse vis-à-vis des autres potentats de l'univers. Nous possédons des documents du plus haut intérêt qui témoignent d'échanges diplomatiques très fréquents entre Aménophis III et son fils et successeur Aménophis IV d'une part, et les souverains de Babylone, de Ninive et d'autres États asiatiques d'autre part. Les documents en question consistent en une correspondance : les célèbres *lettres d'Amarna*. Il s'agit de tablettes de pierre couvertes de caractères cunéiformes babyloniens ; elles doivent leur nom à l'endroit où elles furent découvertes, El Amarna, en Égypte Centrale à 48 kilomètres au sud du Caire. Aménophis IV y avait établi sa résidence. Lorsqu'il quitta Thèbes pour sa nouvelle capitale, il emporta probablement les archives politiques de son père.

Les lettres d'Amarna furent découvertes en 1888, par le plus grand des hasards. Une paysanne qui creusait des tas de détritus à la recherche de quelque chose qui pût lui servir d'engrais pour son champ, découvrit de nombreuses caisses de bois vermoulu remplies de tablettes de pierre. Ceci valait mieux que le meilleur des fumiers, car les touristes payaient très cher les antiquités. Voulant monnayer cette trouvaille au plus haut prix, les paysans égyptiens brisèrent les plus grandes tablettes pour vendre chaque morceau séparément.

L'intervention du gouvernement égyptien permit de sauver environ 350 tablettes qui échouèrent aux musées de Londres, du Caire et de Berlin.

Les auteurs des lettres se montrent parfaits diplomates, l'amabilité faite hommes. Leurs Majestés ne s'appellent pas autrement que " Mon Frère ''. Des mariages renforçaient l'union des différents voisins. C'est ainsi qu'Aménophis III obtint la main d'une princesse d'un royaume du Haut-Euphrate, en Mésopotamie septentrionale — après des requêtes répétées et têtues. Il lui fallut demander sa main à six reprises — si l'on en croit le frère de la princesse, un personnage portant le nom sonore de Dousratta, qui raconte l'histoire de cette cour obstinée dans une lettre à Aménophis IV. Plus tard, Aménophis III qui, à ce moment, prenait sérieusement de l'âge, reçut en mariage une des filles de Dousratta. A la mort du roi, peu de temps après, son fils Aménophis IV hérita du trône et de la jeune veuve.

L'amitié entre le beau-père (Dousratta) et le beau-fils reposait sur la base solide de cadeaux mutuels, donc, en fait, sur le troc. Du pays de l'Euphrate arrivaient de fiers chevaux, des chars, des étoffes précieuses, de l'argent, des bijoux et des parures. Le donateur s'attendait à recevoir des cadeaux de valeur égale. Si la contrepartie se faisait attendre, on envoyait des avertissements, on parlait de ne plus expédier un seul cadeau jusqu'à ce que l'autre partie ait comblé son retard. La soif d'or des rois asiatiques était insatiable. Le roi Dousratta avait appris de ses ambassadeurs qu'en Égypte, "il y avait autant d'or que de poussière sur le sol ''; les mines d'or de Nubie avaient commencé à produire beaucoup, mais il n'empêche que cette affirmation était quelque peu exagérée. Lorsque Aménophis III demanda la main de la fille de Dousratta, le futur beau-père lui réclamait de l'or dans chacune de ses lettres, de l'or pour sceller l'amitié entre des deux souverains et payer la dot de la jeune fiancée. Il demande " dix fois plus d'or que n'en a reçu mon père ". Mais, dit la lettre, " qu'il y en ait peu ou beaucoup, même s'il y en a si peu qu'il soit possible de le compter, je serai au comble de la joie ".

Les cadeaux du pharaon arrivèrent et Dousratta fut " au comble de la joie ". Il écrit : " J'ai ordonné des réjouissances à l'arrivée de vos cadeaux ". Mais lorsqu'il ouvrit les cadeaux en présence de toute sa cour " hélas, il n'y avait pas d'or ". Tous alors pleurèrent amèrement. Le pauvre futur beau-père avait " senti la peine en son cœur " et " s'était ému de la conduite de son frère ". Naturellement, il ne pouvait envoyer sa fille à Aménophis avant que celui-ci ne se fût racheté par de riches cadeaux qui " réhabiliteraient son frère aux yeux de ses sujets ".

Cette lettre eut des suites favorables pour Sa Majesté Dousratta. Dans la missive suivante, la générosité du pharaon le rend fou de bonheur. La princesse fut immédiatement envoyée à Thèbes. Et, dit le pharaon, " je me réjouis dans mon cœur lorsque je la vis ".

Tout allait donc pour le mieux. Lorsqu'Aménophis, maintenant très vieux, tomba malade, son beau-père lui envoya une statuette de la déesse assyro-babylonienne Ishtar, la déesse de l'amour et de la vie, qui était d'un grand secours en cas de maladie. Dousratta exprima le désir de voir Ishtar offrir au pharaon une vie de cent mille années. Mais le beau-père ne voulait rien laisser au hasard; il demandait à Aménophis de ne pas oublier de lui renvoyer la statuette, car " Ishtar est ma déesse et elle n'est pas la déesse de mon frère ". Aménophis III avait également fait des offres de mariage à la cour de Babylone. Le roi de Babylone marqua son accord à condition d'obtenir en contrepartie la main d'une princesse égyptienne et de recevoir de l'or, " autant d'or qu'il était possible " pour décorer de façon convenable le nouveau palais qu'il se faisait construire. Mais le pharaon avait son amour-propre et répondit à son " frère " que " jamais encore la fille d'un roi d'Égypte n'avait été donnée à un vassal étranger "! Comme on s'en doute, ceci ne fut

pas du goût de Sa Majesté babylonienne et Elle manifesta
bruyamment son déplaisir! En même temps, ce naïf roi
de Babylone assurait le pharaon qu'il se contenterait
d'une autre Égyptienne, pourvu qu'elle fût suffisamment
jolie, si Aménophis voulait bien proclamer qu'elle était
fille de roi — car personne ne mettrait en doute la parole
du pharaon. "Mais, poursuit la lettre, " si vous ne me
donnez aucune femme égyptienne et si vous ne m'envoyez
pas de l'or tout de suite, vous pouvez vous attendre à perdre
ma fraternité et mon amitié et je garderai ici la femme
que je devais vous envoyer ". Le pharaon lui envoya
de l'or, mais trop tard et bien qu'il s'agît de 3.000 talents,
Sa Majesté babylonienne répondit ceci : "Je ne peux
accepter ce présent. Je vous le renvoie. Je ne vous donnerai
pas ma fille en mariage ".

Voilà qui était parler. Le pharaon s'empressa d'envoyer
à son frère de riches cadeaux : des lits, des sièges et d'autres
meubles incrustés d'or et d'argent pour garnir le nouveau
palais. Il promit d'envoyer encore beaucoup d'autres
choses, "tout ce qui a de la valeur à vos yeux ", et cela
dès que la princesse serait arrivée en Égypte.

Quelques nuages passèrent sur l'amitié avec les rois
babyloniens, notamment lorsque le pharaon ne leur
envoyait pas autant d'or qu'ils en désiraient ou lorsqu'un
examen attentif montrait que l'or égyptien n'était pas
d'une pureté parfaite et ne valait que le quart de ce que
prétendait le pharaon. Ce n'était pas des choses à faire
et le pharaon devait pourtant bien comprendre qu'il était
de son intérêt d'être respecté pour sa richesse. Pourquoi
donc s'exposait-il à perdre le respect des rois des pays
voisins?

Aménophis III fut un grand bâtisseur. On lui doit
un des plus beaux sanctuaires égyptiens, le temple de
Louksor.

Il se fit construire un magnifique temple funéraire sur
la rive gauche du Nil tout près de sa capitale et le fit
décorer avec une somptuosité inouïe. Malheureusement,
cette œuvre d'art fut rasée comme tous les autres temples
et palais orgueilleux qui couvraient autrefois tout le pays
situé entre le Nil et les montagnes abruptes de Libye.
Un siècle et demi après sa construction, le grand temple

d'Aménophis fut démantibulé par un autre pharaon qui employa les matériaux à la construction de son propre temple funéraire. Le grand archéologue anglais Flinders Petrie retrouva parmi les ruines de ce temple une pierre commémorative qui, à l'origine, faisait partie du temple d'Aménophis III. Du somptueux temple d'Aménophis III ne subsistent aujourd'hui que les monuments colossaux connus sous le nom de colosses de Memnon, qui gardaient autrefois l'entrée du temple. Ces colosses ont de telles dimensions qu'un homme d'une taille normale pourrait facilement s'asseoir sur une de leur main.

Les trente-six années du règne d'Aménophis III qui se termina en 1375 avant J.-C., furent des années de paix. Ce fut une des périodes les plus heureuses dans l'histoire de l'Égypte.

Akhénaton, " le roi hérétique "

Aménophis IV est une figure moderniste et révolutionnaire dans la suite des pharaons conservateurs d'Égypte. C'était un homme sensible, rêveur; sa vie familiale lui apportait un bonheur véritable. Il s'intéressait à la philosophie et à la théologie autant, sinon plus, qu'aux affaires de l'État. Son but était de mettre fin, à la fois, à la puissance du clergé d'Amon et au polythéisme. Ce polythéisme était en fait une survivance des temps préhistoriques, lorsque l'Égypte se composait d'un grand nombre de petits royaumes qui tous possédaient leur dieu propre, habituellement représenté et adoré sous la forme d'un animal. Mais les Égyptiens commencèrent très tôt à vénérer le soleil comme un dieu et, peu à peu, les principaux dieux locaux furent identifiés au dieu-soleil RA. L'aboutissement logique de cette évolution aurait dû être l'assimilation des nombreux dieux locaux en une seule divinité. Mais les prêtres ne voulurent pas qu'il en fût ainsi. Chaque dieu avait des temples très riches et ses prêtres avaient toutes les raisons de défendre les intérêts de leur dieu.

Les prêtres les plus puissants étaient ceux de Thèbes. Lorsque cette ville devint la capitale des pharaons, son dieu protecteur *Amon* était le plus populaire des dieux égyptiens. Il n'était pas seulement mis sur le même pied que le dieu solaire, mais tous deux se fondirent progressivement en une seule divinité, Amon-Râ. Ses prêtres étaient cependant les ennemis de tout monothéisme.

Mais ce n'était pas en faisant d'Amon-Râ le seul dieu de l'Égypte qu'Aménophis IV voulait abattre le polythéisme. Son monothéisme avait pour but de briser le pouvoir de la hiérarchie religieuse thébaine et de renforcer l'autorité royale en attachant à la couronne les biens des temples.

Le dieu qu'Aménophis voulait faire adorer par le peuple égyptien tout entier était symbolisé par le soleil, " le grand *Aton* ", source de toute vie. En l'honneur d'Aton, il changea son nom d'Aménophis (en fait Amen-hotep, ce qui signifie " Amon est satisfait ") en Ech-n-Aton, " celui qui plaît à Aton ".

Akhénaton et sa famille apportent des offrandes à Aton, le Dieu du soleil. Les petites princesses accompagnent leurs parents en chantant et en faisant de la musique.

Lorsque le jeune réformateur contemplait à Thèbes les temples imposants et les monuments que son père et ses ancêtres avaient élevés à la gloire d'Amon, il se sentait " triste dans son cœur ". Aussi décida-t-il de faire bâtir pour Aton une nouvelle ville qui serait en même temps la résidence du roi. Il choisit un endroit situé à 32 kilomètres au nord de Thèbes et connu aujourd'hui sous le nom d'El-Amarna. Il s'y fit bâtir un palais et un temple pour le dieu du soleil. Ces deux bâtiments étaient d'une splendeur dont, de nos jours, on ne peut se faire qu'une idée très vague. Le pharaon appela la nouvelle cité, " la ville de l'horizon " ou encore " la demeure d'Aton ".

Akhénaton n'adorait pas son dieu comme les prêtres d'Amon adoraient le leur; ceux-ci lui rendaient un culte dans un sanctuaire au plus profond des temples, là où ne pénétrait pas la lumière du jour. Sur un autel en plein air, Akhénaton sacrifiait au soleil lui-même qui symbolisait son dieu. Akhénaton ne fit jamais exécuter la moindre statue, la moindre peinture représentant le dieu solaire. Aton n'était symbolisé que par le disque solaire dont les rayons de vie aboutissaient tous dans une main tendue. Le dieu Aton était la bonté même, " le père plein d'amour de tout ce qu'il a créé ". Son amour s'étendait aux êtres les plus humbles; il entendait " le pépiement du poussin encore dans l'œuf ". Aton était le dieu de la douceur et de la paix.

On a retrouvé dans une tombe d'El-Amarna un hymne liturgique en l'honneur d'Aton. Tout porte à croire qu'Akhénaton lui-même en est l'auteur.

HYMNE AU SOLEIL.

Belle est ton aube, ô Aton vivant, Seigneur de l'éternité !
Tu es brillant, tu es beau, tu es fort !
Grand et profond est ton amour : tes rayons scintillent
aux yeux de toutes tes créatures; ta peau répand la lumière
qui fait vivre nos cœurs.
Tu as rempli les Deux Terres de ton amour, ô beau Seigneur,
qui t'es créé toi-même, toi qui as créé la terre entière
et tout ce qui s'y trouve, les hommes, les animaux, les
arbres qui poussent sur le sol.
Lève-toi pour leur donner la vie car tu es la mère et le père
de toutes tes créatures. Leurs yeux se tournent vers toi
lorsque tu montes au firmament. Tes rayons éclairent
toute la terre; le cœur de chacun se gonfle d'enthousiasme
lorsqu'il te voit, lorsque tu lui apparais comme son

Seigneur. Lorsque tu te couches à l'horizon occidental du ciel, tes créatures s'endorment comme les morts; leurs cerveaux se couvrent, leurs narines se bouchent jusqu'à ce que ton éclat se renouvelle, le matin, à l'horizon oriental du ciel.

Alors, leurs bras implorent ton ka, ta beauté éveille à la vie, et on renaît ! Tu nous offres tes rayons et toute la terre est en fête : on chante, on fait de la musique, on pousse des cris d'allégresse dans la cour du château de l'Obélisque, ton temple d'Akhoutaton, la grande place qui te plaît tant, où on t'offre de la nourriture en hommage…

Tu es Aton, tu es éternel… Tu as créé le ciel lointain pour t'y élever et voir toutes les choses que tu as créées. Tu es seul et pourtant tu donnes la vie à des millions d'êtres, leurs narines reçoivent de toi le souffle de vie. Lorsqu'elles voient tes rayons, toutes les fleurs vivent, elles qui poussent sur le sol et s'ouvrent à ton apparition. Elles se saoûlent de ta lumière. Tous les animaux se lèvent d'un bond, les oiseaux qui étaient dans leurs nids déploient leurs ailes, s'ouvrent pour prier Aton, source de vie.

Nous devons nous imaginer ce chant plein d'une foi ardente chanté avec accompagnement de harpes dans le temple d'Aton, à chaque aube et à chaque crépuscule.

Il y a une énorme différence entre ce chant à la gloire d'Aton et les hymnes plus anciens en l'honneur d'Osiris et autres divinités. Ces chants sont presque uniquement des litanies, une énumération des innombrables noms et surnoms du dieu et de ses sanctuaires, ornées de charabia mythologique. Les vieux hymnes au dieu solaire Râ, qui datent en partie de l'Ancien Empire, sont d'un niveau infiniment plus élevé. Il est clair que l'hymne d'Aton se rattache à ces chants qui décrivent la joie de tous les êtres lorsque le soleil monte à l'horizon et nous montre les babouins sacrés saluer de leurs mains tendues l'ascension de l'astre divin. Dans un autre hymne, Râ est comparé à un beau jeune homme : " Lorsqu'il se lève, les hommes renaissent et les dieux le saluent avec des cris joyeux. Les babouins le prient et tous les animaux sauvages chantent ses louanges ".

Lorsque, aux yeux des Égyptiens, Amon s'identifie au dieu solaire et devient Amon-Râ, on le célèbre dans un hymne comme celui-ci :

... qui crée les plantes pour en nourrir le bétail
et les arbres fruitiers pour les hommes,
qui offre la nourriture aux poissons de la rivière
et aux oiseaux du ciel,
qui, dans l'œuf, éveille le poussin à la vie
qui protège les petits du ver,
qui donne aux souris dans leur trou ce dont elles ont
besoin,
et fait vivre l'oiseau dans l'arbre.

Malgré de telles similitudes entre les hymnes de Râ et d'Aton, un profond fossé les sépare. Dans les hymnes de Râ la mythologie tient encore une place importante. L'hymne d'Aton, par contre, en est complètement libéré.

L'hymne d'Aton est plus proche des Psaumes de David. Une analyse comparative montre plusieurs correspondances, parfois frappantes, avec le Psaume 104.

Disciples d'Akhénaton priant le soleil.

Akhénaton gagna des disciples à la foi nouvelle. Dans les tombes d'Amarna, on trouve des inscriptions qui racontent comment le roi discutait des problèmes religieux avec ses amis. " Dès le petit matin, il commençait à m'instruire ", disent quelques grands du royaume. Akhénaton se choisit plusieurs amis parmi des gens de souche paysanne. On disait de lui qu'il " faisait des princes avec les petites gens ". Akhénaton attachait de l'importance non pas à leur origine mais à l'intérêt qu'ils portaient à " la doctrine "; c'est ainsi que les inscriptions funéraires d'El-Amarna appellent le nouveau dogme. Des marques de faveur de toutes sortes récompensaient les fonctionnaires qui " obéissaient à la doctrine ".

On doute un peu de la sincérité de ces conversions lorsqu'on voit sur les murs des tombes le propriétaire du lieu incliné devant Akhénaton qui lui offre de riches cadeaux tels que colliers et parures d'or.

Ce même roi qui fut le réformateur de la *religion* voulut aussi libérer l'*art* des liens du passé et de la tradition.

Sous l'Ancien Empire, l'art était résolument naturaliste comme nous le montrent le " Magistrat du Village " et le " Scribe accroupi ". A cette époque, les statues étaient considérées comme un refuge pour l'âme du mort, pour son *ka*. Elles devaient être aussi ressemblantes que possible : le *ka* ne pouvait courir le risque de se tromper. Plus tard, on crut à la force magique du *nom*, plutôt qu'à une représentation d'une exactitude minutieuse; la stylisation s'imposa donc dans l'art. Les œuvres du Nouvel Empire n'ont plus besoin d'être ressemblantes; le nom du modèle était suffisant. Conséquence amusante; il devenait possible de voler une statue et d'en faire la sienne; il suffisait pour cela d'effacer le nom original et d'y substituer le sien; ceci arrivait fréquemment.

On peut considérer les œuvres qui ornaient les tombes et fournissaient une demeure à l'âme des défunts comme des productions d'un art engagé (au point de vue religieux). Les tendances artistiques plus libres furent principalement encouragées et protégées par Akhénaton. Les fouilles d'El-Amarna ont mis à jour quelques vestiges du palais d'Akhénaton; en dehors de " la ville de l'horizon ", on découvrit les ruines d'un pavillon de plaisance ayant appartenu au roi; il était entouré de jardins aux étangs artificiels. Dans le palais même, certains fragments de pavement nous sont parvenus en bon état; ces débris portent des peintures du plus haut intérêt. Avec une précision qui rappelle les maîtres japonais, l'artiste rend les mouvements espiègles du petit veau qui folâtre dans un pré piqué de fleurs rouges, le vol plané des oiseaux; les plantes elles-mêmes semblent vivantes, les fleurs courbent leurs tiges avec la grâce de la vie.

Nous trouvons des œuvres d'un art aussi consommé à El-Amarna dans les tombes des courtisans et des hauts fonctionnaires. Toutes glorifient le dieu du soleil et la famille royale. Mais ceci se produit d'une façon tout à fait nouvelle. Auparavant le souverain était représenté comme un demi-dieu; on le voyait offrir un sacrifice, massacrer ses ennemis ou assis sur son trône dans une inébranlable majesté. On pouvait croire qu'aucun sourire n'éclairait jamais les lèvres royales dont la seule fonction était de donner des ordres. L'immuable sérénité des statues colossales de l'Égypte, la sobriété puissante de leurs poses s'accordent aux lignes sobres mais majestueuses des œuvres architecturales auxquelles elles appartiennent. L'art égyptien traditionnel possède son style et sa valeur propres.

L'art d'El-Amarna est beaucoup plus proche de nous. Lorsqu'on voit le pharaon maîtriser ses chevaux fougueux, sa femme, la très jolie reine Nefertiti, et sa petite fille trouvent place dans le char à ses côtés. L'enfant s'est vu confier le carquois de son père et la reine exprime sa joie dans un baiser.

Akhénaton sur son char.

Akhénaton est toujours entouré de son épouse et de ses enfants et laisse jeter un regard sur l'intimité de sa famille. L'amour familial et l'adoration du soleil illuminent toutes les œuvres de cet art nouveau, lui donnent sa sincérité et sa délicatesse.

Le nouveau réalisme se manifeste aussi dans les portraits du roi lui-même. Les artistes le peignent comme ils le voient, sans l'idéaliser. Jamais encore un roi égyptien n'avait été représenté avec une exactitude aussi impitoyable. Il semble parfois que l'on ait exagéré à dessein la longueur de son cou et de son menton, sa silhouette quelque peu dégénérée. Le " fils du dieu-soleil " nous apparaît, non plus comme un demi-dieu idéalisé et dépersonnalisé, mais comme un homme. Un art nouveau a vu le jour sous l'influence du fondateur d'une religion nouvelle. Cet art amarnien déchaîna les foudres de ceux qui demeuraient attachés au style traditionnel, hiératique, immuable.

Akhénaton accordait non pas toute son attention mais la plus grande partie, aux valeurs religieuses et esthétiques. Il est difficile de voir combien il y a d'intérêt politique dans son zèle de réformateur. Nous ne sommes certains que d'une chose : il livra un combat fanatique aux anciens dieux locaux comme Osiris et Hathor et surtout Amon. Il s'ensuivit donc que les puissants prêtres d'Amon devinrent les ennemis mortels d'Akhénaton. Et lorsque des ennemis de l'extérieur envahirent en force les états vassaux de l'Égypte, les tentatives de réforme du " roi hérétique " furent condamnées à tourner court.

En effet, la religion et l'art avaient poussé Akhénaton à négliger ses devoirs en matière de politique étrangère. Et c'était d'autant plus dangereux qu'un empire puissant s'était formé en Asie Mineure, celui des Hittites, un peuple curieux qui pose un des plus grands problèmes ethnographiques de l'histoire. Les Hittites n'étaient ni sémites ni indo-européens, mais ils formaient probablement un peuple composite, dont la langue semble devoir être rangée parmi les langues indo-européennes. Ce n'est que tout récemment que l'on est parvenu à déchiffrer cette langue, et encore, d'une façon très fragmentaire. Cela fut rendu possible par la découverte en 1906-1907 d'un grand nombre d'inscriptions sur des tablettes d'argile dans l'ancienne capitale de l'empire hittite, l'actuelle Boghaz-Keui en Turquie au beau milieu des montagnes presque infranchissables de l'Asie Mineure. On a trouvé à Boghaz-Keui les archives de l'empire hittite ; la chance permit que ces documents fussent écrits en caractères cunéiformes babyloniens. Sans cet heureux hasard, on ignorerait toujours leur signification, car la vraie écriture des Hittites, une sorte de hiéroglyphes, défie aujourd'hui encore toutes les tentatives de déchiffrement.

Les Hittites étaient des guerriers redoutables grâce surtout à leurs chars de combat qui infligeaient des pertes énormes à l'adversaire. Dès le XXᵉ siècle avant J.-C., ces engins avaient répandu la terreur en Babylonie. L'Égypte ne s'était jamais trouvée face à face avec des adversaires aussi effrayants, car les Hittites possédaient la plus forte armée de toute l'Asie et disposaient d'armes en fer alors que les Égyptiens en étaient toujours à l'âge du bronze. Donc, pendant que les Hittites conquéraient les territoires du pharaon en Syrie du Nord, les Hébreux sortaient du désert pour envahir la Syrie du Sud.

Les chefs syriens restés fidèles au pharaon ne trouvèrent pas chez lui l'aide qu'ils réclamaient de façon pressante. Les archives d'Amarna apportent d'émouvants témoignages de leur désespoir. Un des vassaux, à qui l'ennemi avait pris toutes ses villes sauf deux et l'assiégeait dans l'une d'elles, écrivit au pharaon : " Vois, je suis ici à Gubla comme un oiseau pris au collet. Les champs de mes paysans sont comme une femme qui n'a pas d'homme, ils sont stériles et abandonnés. Aussi, écoute, mon Seigneur, la supplication de ton serviteur et envoie-moi tout de suite de l'aide! Sinon, je devrai abandonner la ville et m'enfuir. "

Le prince qui régnait sur Jérusalem envoya cette plainte : " Que le roi sache que tous les pays s'effondrent et que l'ennemi approche! Que le roi veuille défendre son pays! Les régions de Gazri, Ascalon et Lakish se sont soumises aux Hébreux et leur ont offert de la nourriture, de l'huile et tout ce dont ils ont besoin. Que le roi envoie des troupes contre les peuples qui se conduisent de façon scandaleuse envers le roi, mon Seigneur! "

Dans la capitale de l'Égypte, les temples retentissaient de louanges adressées au nouveau dieu de l'empire mondial et cet empire mondial n'existait déjà plus! Les tributs d'Asie ne rentraient plus et la position économique du pharaon en était affaiblie. Comme il n'avait plus la possibilité de couvrir ses partisans de cadeaux, leur dévouement tiédit dans une grande mesure. Ses ennemis intérieurs se remettaient en selle. Ce ne furent pas seulement les prêtres de Thèbes qui s'opposèrent au pharaon; lorsqu'il donna l'ordre d'écarter tous les autres dieux au même titre qu'Amon, le peuple égyptien presque entier ne vit plus en lui qu'un " hérétique ".

Dans sa grande majorité, le peuple n'*osait* pas se séparer des anciens dieux, surtout d'Osiris, le protecteur des hommes dans le sombre royaume des morts. La doctrine d'Aton ne fut que le fait d'Akhénaton et d'un petit groupe de fidèles. Elle ne devint jamais la religion du peuple égyptien.

Bientôt, les prêtres des anciens dieux prenaient la tête du peuple et ralliaient l'armée. Les différentes classes sociales étaient unies dans un même désir : chasser du trône ce rêveur détesté! Akhénaton parvint, il est vrai, à maintenir sa position, mais ses dernières années furent pleines de soucis. Il mourut après dix-sept années de règne, aux environs de l'année 1360 avant J.-C.

Révolutionnaire ardent et réformateur énergique, Akhénaton se distingue parmi une longue série de pharaons attachés à la tradition, et sans grande personnalité. Ses idées étaient très en avance sur son temps. On a vu en Akhénaton le premier idéaliste et la première personnalité forte de l'histoire mondiale.

Ses ennemis essayèrent d'effacer de l'histoire d'Égypte le souvenir du " roi hérétique ". Après la mort d'Akhénaton, les prêtres et les partisans des vieilles croyances obligèrent son gendre et second successeur, Toutankhamon, à évacuer la ville d'El-Amarna.

Toutankhamon

Akhénaton était le dernier rameau masculin d'une famille vouée à l'extinction. Son père avait peu de santé et tous ses frères comme toutes ses sœurs devaient mourir jeunes. Akhénaton lui-même eut au moins six filles mais aucun fils pour perpétuer son nom. Deux de ses gendres lui succédèrent, mais ne régnèrent que peu de temps. Le deuxième porta tout d'abord le nom de " Tout-ankh-Aton (" celui qui vit en Aton "). Mais les prêtres d'Amon le forcèrent bientôt à rentrer au sein de la vieille religion et à prendre le nom de " Tout-ankh-Amon " (" celui qui vit en Amon ").

Toutankhamon n'avait pas une personnalité assez forte pour résister à la pression du clergé. Il capitula sur toute la ligne. " Il installa des prêtres et des prophètes, dit un texte propitiatoire, choisis parmi les enfants des nobles de leurs villes et parmi les fils des gens aux noms connus... Tous les biens des temples furent doublés, triplés, quadruplés par des dons en or, argent, lapis-lazuli et turquoises... Le service des sanctuaires fut pris en charge par le Palais aux dépens du Seigneur des Deux Terres. " Bien entendu, Toutankhamon abandonna la ville du dieu-soleil et réinstalla la capitale à Thèbes.

Le déménagement semble s'être effectué en grande hâte. On a retrouvé dans les ruines du palais royal les squelettes d'une trentaine de lévriers ; cela prouve que les pauvres bêtes furent abandonnées à El-Amarna pour y mourir de faim. Les fonctionnaires et toutes les personnes employées à la cour accompagnèrent la famille royale. La splendide ville d'Aton fut donc vidée de tous ses habitants. Ses temples et ses palais tombèrent en ruine ; le vent du désert les ensevelit sous le sable. Ce ne fut que trois mille ans plus tard que cette Pompéi d'Égypte put être arrachée à l'oubli pour témoigner de la période la plus remarquable de l'histoire des pharaons.

Toutankhamon mourut après quelques années de règne ; il ne laissait pas de fils mais une veuve qui fit plus parler d'elle que son époux. Les tablettes de Boghaz-Keui dévoilent une intéressante petite intrigue où la jeune reine joue le premier rôle. Pour garder le trône, il lui fallait trouver un mari influent et ce dans les plus brefs délais ; c'est pourquoi elle écrivit la lettre suivante au roi des Hittites : " Mon mari est mort et je n'ai pas de fils. On me dit que vous avez plusieurs fils adultes. Envoyez-m'en un, je ferai de lui mon époux et il deviendra roi d'Égypte ! "

Il n'y avait pas une minute à perdre. On s'imagine facilement l'impatience de la reine ; après un mois d'attente, elle reçut non pas le mari demandé, mais une lettre prudente. Désespérée, elle renouvela sa requête. Le roi des Hittites se décida finalement à faire ce qu'on attendait de lui. Mais il était trop tard. Le prince hittite ne devint jamais roi d'Égypte. Quelqu'un d'autre succéda à Toutankhamon et la veuve, la petite fille espiègle des dessins d'El-Amarna, disparut pour de bon du théâtre de l'histoire.

Quant à Toutankhamon, son nom ne se serait sans doute jamais glissé dans ces pages sans la découverte de son tombeau, presque intact, découverte qui, du jour au lendemain, lui assura une renommée mondiale. La chose la plus importante que l'on puisse dire au sujet de ce pharaon est qu'il mourut et fut enterré...

Les dix-neuvième et vingtième dynasties

La négligence d'Akhénaton en matière de politique étrangère fut réparée en partie par des pharaons plus militaristes, notamment par *Séthi I* et son fils *Ramsès II*. Ils se trouvaient confrontés avec une situation difficile, ils avaient une tâche beaucoup plus lourde que celle de leurs prédécesseurs. Pendant la période d'Amarna, un des changements les plus importants de l'histoire s'était produit. Les Égyptiens avaient dû abandonner de plus en plus leur "leadership" politique et culturel aux peuples du Proche-Orient.

En Syrie, les troupes égyptiennes rencontrèrent une armée puissante. Ramsès dut lutter quinze ans contre les Hittites. La guerre prit fin en l'an 1272 avant J.-C. Ramsès dut reconnaître le roi des Hittites comme son égal. Dans les inscriptions des temples égyptiens on trouve cet euphémisme : " Les ambassadeurs hittites vinrent à Ramsès pour le supplier d'accorder la paix, lui le taureau des rois, qui étend les frontières de son pays comme il lui plaît ". En réalité, il n'est écrit nulle part dans le traité de paix que l'une des parties ait demandé la paix. Les deux souverains sont appelés " rois grands et courageux " et la conclusion du traité est que les deux potentats " seront frères pour l'éternité " et promettent de s'aider mutuellement contre leurs ennemis, à l'intérieur comme à l'extérieur de leurs frontières.

Il est intéressant de remarquer que la formulation de ces paragraphes est en fait le plus vieux traité international que l'on ait retrouvé. L'état de paix est affirmé en ces termes : " Le roi d'Égypte n'attaquera plus jamais le pays des Hittites pour y prendre quelque chose et le grand roi des Hittites ne s'introduira plus en Égypte pour y prendre quelque chose ". Le devoir d'assistance mutuelle est, en ce qui concerne le roi des Hittites, ainsi formulé : " Si un ennemi envahit les pays de Ramsès II, le grand souverain d'Égypte, et si le pharaon écrit au grand roi des Hittites : " Viens avec moi, viens m'aider à combattre celui-là ", le grand roi des Hittites viendra et le grand roi des Hittites tuera les ennemis du pharaon. Mais s'il ne plaît pas au grand chef des Hittites de combattre lui-même, il enverra son armée et ses chars de guerre qui tueront les ennemis du pharaon ".

Enfin, il est stipulé, sans doute pour plus de sécurité, que " celui qui n'agira pas selon les règles écrites sur cette tablette d'argent sera détruit par mille dieux du pays des Hittites et mille dieux du pays d'Égypte; il ne restera rien de lui, rien de sa maison, de son pays et de ses serviteurs ".

Ce remarquable traité de paix date de l'année 1272 ou 1271 avant J.-C.; il est rédigé en akkadien qui était à cette époque la langue diplomatique du Proche-Orient. Il fut écrit en caractères cunéiformes sur une tablette d'argent. Le texte original ne nous est pas parvenu mais on a retrouvé dans différents temples de Ramsès II des traductions égyptiennes en écriture hiéroglyphique. De même, et la chose est d'importance, les archives du royaume hittite à Boghaz-Keui comprennent deux copies identiques du texte du traité, copies qui étaient la propriété du roi des Hittites. On put de cette façon établir l'exactitude des traductions égyptiennes. Après la signature du traité, la reine des Hittites envoya une lettre d'amitié à sa " sœur ", l'épouse de Ramsès II. Elle y exprime des vœux pour le bonheur de la reine d'Égypte et se réjouit de " la douce paix et de la fraternité véritable qui unissent aujourd'hui le grand roi des Hittites et le grand roi d'Égypte ". La reine d'Égypte répondit par une lettre de remerciements. " Puissent le dieu du Soleil et le dieu du Vent vous garder la tête haute et puisse le dieu-soleil préserver la douceur de cette paix et faire durer éternellement la fraternité entre nos deux grands rois. Moi aussi, j'ai fait un pacte d'amitié avec ma sœur, maintenant et pour toujours "... Le reste de la lettre s'est, hélas, perdu.

Les relations d'amitié entre le pharaon et le roi des Hittites semblent avoir été solides et durables. Treize ans après la signature du traité, Ramsès épousa l'une des filles du roi des Hittites. Le beau-père, à la tête d'une brillante escorte, vint conduire lui-même la mariée en Égypte et offrit de riches cadeaux de noces à son nouveau gendre. Lorsque le Hittite quitta son pays pour entreprendre ce voyage, le pharaon lui écrivit une lettre pour lui souhaiter un bon voyage dans la montagne et des conditions atmosphériques favorables. A l'arrivée du visiteur, Thèbes retentit de grandes réjouissances. Les Égyptiens et les Hittites fraternisèrent avec le même enthousiasme qu'ils avaient mis à se combattre. La visite du roi fit une grosse impression sur le peuple et le souvenir de ces journées survit dans des inscriptions, des contes et des chants folkloriques.

Séthi I et Ramsès II perpétuèrent le souvenir de leurs hauts faits par les nombreux temples qu'ils firent élever. Tous deux furent de grands bâtisseurs, mais, en ce domaine, aucun pharaon n'égala Ramsès. Du Delta, à l'extrême nord du pays, jusqu'au plus profond de la Nubie, au sud, se dressent ses temples. Le plus méridional, celui d'Abou Simbel dresse d'immenses colosses qui ne laissent entre eux que peu de place à la surface plane de la façade. Les colosses du grand temple ont le corps sommairement taillés, ils appartiennent à l'architecture, mais de leur visage, infiniment plus détaillé, émane une impression de troublante sagesse. Au temple d'Hathor, les quatre statues escortent la reine Néfertari. "Tous debout, observe le professeur Pierre Gilbert, la jambe gauche avancée, ils surgissent à mi-épaisseur des hautes rainures de la roche. Ils répondent à l'appel des colosses d'en face. La reine, incarnant la déesse, va vers son époux divin et royal. Ce mariage sacré est aussi un mariage humain. Ramsès II a voulu fixer dans une espérance d'amour, magnifiée en accord avec les montagnes, ses images de gloire et celles de la reine préférée… ".

Plus que tout autre pharaon, Ramsès II est le fondateur de cette Thèbes qu'Homère dépeint comme la ville aux cent portes, chacune pouvant livrer passage à deux cents guerriers montés sur des chars de guerre.

Sur l'emplacement de cette grande ville de l'Antiquité, sur la rive orientale du Nil, s'étalent aujourd'hui les villages de Louksor et de Karnak. Quels spectacles divers se sont joués ici! Malgré tous les bouleversements et toutes les destructions, Thèbes en impose toujours par la majesté de ses ruines.

Parmi ces souvenirs de la grandeur de Thèbes, c'est le temple d'Amon qui fait l'impression la plus profonde.

Ramsès II envahit Ascalon. Les Égyptiens aimaient représenter plusieurs phases d'un combat en un seul dessin : les soldats armés du bouclier et d'une épée poursuivent l'armée d'Ascalon en fuite. Les prisonniers sont tués. La ville est ensuite assiégée; les portes sont mises en pièces avec des haches et on escalade les murs avec des échelles. Les habitants tentent d'échapper à la mort en continuant à offrir la paix. Les hommes s'avancent à la rencontre des assiégeants avec une coupe de parfum et les femmes pleurent à leur côté.

Aucun bâtiment de notre époque ne peut rivaliser d'importance avec ce sanctuaire dont les ruines s'étendent sur plus d'un kilomètre de distance. Ce temple possède le plus grand péristyle jamais construit. Des siècles durant, plusieurs dynasties ont travaillé à l'agrandissement et à l'embellissement de Karnak. Dans chaque inscription et dans chaque dessin, se reflète un aspect de l'histoire d'Égypte dans ce qu'elle a de plus brillant. De grands pharaons comme Thoutmès III, Séthi I et Ramsès revivent dans ces statues, ces reliefs et ces inscriptions qui décrivent leurs campagnes, leurs combats et leurs victoires, l'asservissement des peuples vaincus et l'offrande des prisonniers au dieu Amon. Sur les murs du temple sont gravées des inscriptions de victoire, remerciant les dieux d'avoir soutenu les armées égyptiennes. Ces temples devaient être une vraie merveille à l'époque de leur splendeur lorsque leurs murs, leurs piliers et leurs plafonds brillaient de mille couleurs, scintillaient des feux de l'or, de l'argent et des diamants des Indes et de l'Éthiopie.

A Thèbes, comme dans tous les temples bâtis par Ramsès, les murs sont décorés de fresques qui racontent ses expéditions. Ce sont des scènes de la vie militaire; on y voit des soldats nourrir leurs chevaux ou se reposer, étendus sur le sol. Le personnel du train a fort à faire : il lui faut décharger les ânes de bât, ce qui ne va pas sans difficulté, et préparer le repas des troupes combattantes.

Mais soudain, une tempête s'abat sur le camp : les Hittites sont là! Le pharaon en personne saute sur son char de guerre, s'enfonce dans les rangs ennemis, le transperce de ses flèches. On peut voir le roi des Hittites menant aussi un char, mais il s'enfuit et se retourne pour jeter un regard angoissé vers le pharaon qui le serre de près. Un de ces tableaux montre des espions de l'ennemi battus par les soldats, un autre, le pharaon qui fait compter les cadavres de l'ennemi et se fait amener les prisonniers.

La chronologie égyptienne est toujours sujette à maintes controverses, mais la plupart des égyptologues sont d'avis que Ramsès II rejoignit ses ancêtres en 1234 avant J.-C. Son règne commença probablement en 1301 et dura donc 67 ans. Il survécut à douze héritiers possibles mais laissa quand même une belle famille à sa mort : selon la tradition, il avait 79 fils et 59 filles, donc au total 138 enfants! Sa momie est conservée au musée du Caire.

Vers l'année 1200 avant J.-C., Ramsès III, qui appartient à la vingtième dynastie, monta sur le trône. Son règne dura 33 ans et rappelle beaucoup celui de Ramsès II par l'éclat de ses cérémonies. Le nouveau Ramsès suivit en tout l'exemple de son grand homonyme. Il donna à ses fils les mêmes noms que portaient les fils de Ramsès II et les investit des mêmes fonctions. Mais il ne put égaler son idole quant au nombre de fils!

Pendant la période de déclin qui suivit le règne énergique de Ramsès II, les Libyens se montrèrent indignes de confiance comme ils l'avaient été souvent déjà. Rançonnant et pillant, ils envahirent le delta en grand nombre et occupèrent le pays jusqu'aux environs de Memphis. Les Libyens étaient d'autant plus dangereux qu'ils faisaient cause commune avec les " Peuples de la Mer "; les Égyptiens nommaient ainsi les habitants des îles et des côtes de la Méditerranée orientale. A la fin de la dix-neuvième dynastie, une sorte de migration s'était produite parmi ces tribus guerrières, probablement sous la poussée d'autres peuples venus du nord et de l'est. Les navires des Peuples de la Mer débarquèrent sur les côtes de Syrie et ces indésirables eurent bientôt conquis toute la Syrie septentrionale. Ils poussèrent jusqu'aux bouches du Nil et s'installèrent dans les territoires fertiles du delta. Ramsès leur opposa son armée et sa flotte. Les Libyens furent vaincus, leurs flotilles pirates furent coulées ou tombèrent aux mains des Égyptiens. Les envahisseurs furent chassés du delta.

Ensuite, Ramsès III mit sur pied une flotte puissante. Dans le même temps, il conduisit lui-même son armée en Syrie qu'il délivra des étrangers. Puis, il retourna en hâte dans le delta pour assister aux combats que sa flotte livrait aux pirates. On ne sait pas exactement où se déroula cette bataille, mais ce doit être près de l'embouchure orientale du Nil, donc en Égypte.

De leurs bateaux, les célèbres archers égyptiens semèrent la mort sur les ponts des navires ennemis et lorsque ceux-ci, acculés, entrèrent dans le port, ils y furent accueillis par une véritable pluie de flèches : d'autres archers, sous les ordres du pharaon lui-même, attendaient en rangs serrés. Puis ce fut l'abordage et le corps à corps. La panique s'empara des pirates. Les navires égyptiens purent donc bloquer l'entrée du port : la flotte ennemie était ainsi prise au piège et vouée à la destruction. Les ennemis qui purent nager jusqu'au rivage furent faits prisonniers par les Égyptiens.

Ce combat est d'une importance particulière, car il s'agit là de la plus ancienne bataille navale que l'on connaisse. L'issue en fut déterminante dans le déroulement de la guerre. Vainqueurs, les Égyptiens jouirent de la paix revenue et Ramsès put se consacrer tout entier à ce qu'il aimait par-dessus tout : la construction de temples colossaux.

La force d'attaque des Égyptiens semble s'épuiser après l'expédition de Ramsès III. A partir de ce moment, les armées égyptiennes ne font plus que se défendre contre ceux qui les attaquent.

Les Égyptiens étaient par nature un peuple pacifique. Seule une extrême nécessité pouvait faire d'eux des soldats disciplinés; encore fallait-il qu'ils fussent placés sous les ordres de chefs compétents. Au contraire des fils du désert de Libye, l'Égyptien n'aime pas la bataille pour la bataille. Il préfère vivre tranquille sur le lopin de terre où il est né. L'idéal de l'Égyptien était de devenir scribe chez le pharaon ou chez un grand seigneur. Un père n'était satisfait que lorsqu'un de ses fils au moins occupait des fonctions de scribe.

On a parfois comparé les Égyptiens aux Chinois; ce sont deux peuples d'agriculteurs pacifiques et attachés à la tradition. Comme les vieux Chinois, les Égyptiens se montraient très humains. Il leur arrivait bien de traiter durement les peuples conquis; on trouve dans leurs temples des fresques montrant des prisonniers de guerre sacrifiés au dieu Amon. Mais ils ne chargèrent jamais leur conscience d'actes de barbarie dont les Assyriens, par exemple, étaient coutumiers. Ceux-ci coupaient le nez et les oreilles des ennemis vaincus, leur arrachaient les yeux ou les écorchaient vifs; ensuite, ils faisaient de ces supplices le sujet de leurs bas-reliefs et ils y prenaient un plaisir visible. L'Égyptien cultivé se détournait de ces cruautés avec horreur.

La mort de Ramsès III marqua le début d'une période de déclin. Les causes en furent nombreuses. A l'intérieur du pays, les prêtres étaient un danger permanent pour le pharaon. Les prêtres avaient amassé des richesses énormes en partie grâce aux largesses des pharaons eux-mêmes; les rois et le peuple les avaient toujours comblés de cadeaux. Ils connurent leur âge d'or sous la dix-huitième dynastie, à l'époque des expéditions d'Asie. Les inscriptions de Karnak parlent des cadeaux fabuleux de Thoutmosis aux temples d'Amon. Il leur offrit des jardins, des champs parmi les plus fertiles, de grands troupeaux, des trésors en argent et en or, des lappis-lazuli et des pierres précieuses, ainsi que des milliers de prisonniers asiatiques et nubiens. Ils devaient travailler les terres du dieu, remplir les greniers de blé, filer la laine et tisser les étoffes. Enfin, Thoutmosis offrit à Amon trois des villes conquises en Syrie; ces villes devaient payer un tribut annuel au dieu. Séthi I et ses successeurs agirent de la même manière envers les prêtres.

Grâce aux énormes richesses qui s'entassaient dans les temples, le grand-prêtre d'Amon devint le plus puissant personnage du pays après le roi; les témoignages d'honneur que lui rendait le pharaon étaient parfois si grands qu'on aurait pu se demander qui des deux était le maître véritable de l'Égypte. Cet "État dans l'État", que formaient les prêtres, était d'autant plus dangereux que la dignité du grand-prêtre était héréditaire, donc réservée à une seule famille.

Un autre danger menaçait l'empire du pharaon : en ce temps-là, l'armée égyptienne était surtout composée d'étrangers, prêts à servir le plus offrant.

Le déclin s'annonça par la perte progressive des possessions égyptiennes en Asie. Puis, vers 1100 avant J.-C., le dernier pharaon de la vingtième dynastie fut renversé et son successeur fonda une nouvelle dynastie, la vingt-et-unième. Pendant environ cent cinquante ans, cette dynastie régna sur Thèbes et la Haute-Égypte, cependant que d'autres rois exerçaient le pouvoir en Basse-Égypte, avec Tanis pour capitale.

L'État militaire des dix-huitième et dix-neuvième dynasties se transforma en une sorte de papauté sous l'autorité du grand-prêtre de Thèbes. A la fin de la dynastie des prêtres, vers 950 avant J.-C., le pays des pharaons fut administré pendant deux cents ans par une dynastie libyenne, puis par des rois nubiens pendant environ cinquante ans. Ceux-ci furent pourtant parfois vaincus par des rois assyriens. L'Égypte avait cessé d'être une nation; elle n'était plus qu'une mosaïque de petits États.

Une génération après Ramsès II, les jours du puissant empire hittite étaient également comptés. Il est possible qu'il tomba sous les coups des "Peuples de la Mer", qui menacèrent en même temps l'Égypte. L'empire hittite fut morcelé en un grand nombre de petits États. Les Hittites disparurent dans les montagnes inaccessibles de l'Asie Mineure aussi soudainement qu'ils étaient apparus sur la scène de l'histoire.

Des siècles après sa chute, l'empire hittite survivait encore dans l'imagination des Égyptiens. On lit dans un panégyrique de Ramsès IV, datant d'environ 1150 avant J.-C. : " Tu envahis le pays des Hittites. Tu y fais trembler les montagnes et les collines ". Et au sixième siècle avant J.-C., au siècle que l'on pourrait appeler la période grecque de l'Égypte, on grava sur la porte d'un temple de Thèbes, la silhouette d'un roi égyptien qui dit à Min, dieu de la fécondité et protecteur des Égyptiens à l'étranger : " J'enchaîne mon ennemi; je jette le Hittite à tes pieds. Il est là, couché devant toi; ses propres cheveux lui servent de liens ".

LA RESTAURATION

La période saïte, de 663 à 525 avant J.-C.

En l'an 663 avant J.-C., un prince égyptien de Saïs, ville du delta, parvint à chasser les Assyriens d'Égypte. Il devint le père de la célèbre vingt-sixième dynastie qui devait rendre son éclat à l'empire; ce processus de restauration avait d'ailleurs déjà débuté sous le règne des rois nubiens. Mais la puissance créatrice des Égyptiens dans le domaine culturel était épuisée. Ils prirent l'Ancien Empire comme exemple dans toutes les disciplines, dans les sciences comme dans les arts. On peut facilement prendre les temples et les tombeaux, les statues et les fresques de la période saïte pour des œuvres datant de l'Ancien Empire. Seul un œil exercé peut déceler la copie tant celle-ci est soignée. Nous voyons ici un peuple de vieille culture essayer consciemment de faire revivre une période du passé pour laquelle il éprouve de l'admiration. Cet enthousiasme pour l'antiquité la plus reculée peut être comparé à l'enthousiasme des Romantiques pour le Moyen Âge. En ce qui concerne les relations extérieures, la période saïte se caractérise par des contacts très étroits avec les pays étrangers. L'historien grec Hérodote raconte que le pharaon *Néchao* chargea des marins phéniciens d'entreprendre un voyage d'exploration tout autour de l'Afrique.

Cette restauration de l'empire des pharaons dura un siècle environ. En 525, les Égyptiens furent soumis par les *Perses*. Lorsque l'empire perse fut abattu à son tour par le jeune conquérant grec *Alexandre le Grand* l'Égypte fit partie de son butin. A la mort d'Alexandre, l'empire qu'il avait mis si peu de temps à bâtir fut partagé entre ses lieutenants. L'Égypte échut à *Ptolémée*. Sous son règne et celui de ses successeurs, le pays connut trois siècles de prospérité; mais des querelles intérieures affaiblirent le royaume qui tomba sous le pouvoir des *Romains* en 31 avant J.-C.

Tout comme les Ptolémées, les empereurs romains firent preuve de compréhension et de respect envers la vieille culture égyptienne. Ils élevèrent de grands temples en l'honneur des anciens dieux. Le plus célèbre temple du temps des Ptolémées est celui d'Edfou, à mi-chemin entre Louksor et Assouan. De tous les sanctuaires égyptiens, le temple d'Edfou est le mieux conservé. Il nous donne une idée très précise de ce qu'était un grand temple égyptien. Car ce temple, bâti pendant les derniers siècles avant la naissance du Christ montre une ressemblance fort grande avec les sanctuaires élevés deux mille années auparavant. Ceci est une nouvelle preuve de l'ultra-conservatisme des Égyptiens.

LA CULTURE ÉGYPTIENNE

COMMENT LE PASSÉ ÉGYPTIEN
REVINT A LA VIE

Folles hypothèses et réalités

Aussi longtemps qu'il fut impossible de déchiffrer les hiéroglyphes, l'âge d'or du pays du Nil resta un mystère pour les historiens de notre temps. On se lança tout d'abord dans des tentatives un peu échevelées, on voulut déchiffrer les textes comme des rébus et en tirer des vérités inconnues.

Voici comment un savant père jésuite du dix-septième siècle interprétait un petit groupe de sept — je dis bien 7 — hiéroglyphes : " Le créateur de toute fécondité et de toute croissance est le dieu Osiris dont la force vivifiante tire la sainte Mophta du ciel vers son empire ". (Nous savons actuellement que ces sept hiéroglyphes composent le mot " autocrate ", " maître absolu ", l'un des titres des empereurs romains).

Sur de telles bases philologiques, on bâtit d'autres hypothèses pour arriver à des conclusions fantaisistes : on crut, par exemple, à une étroite parenté entre les Égyptiens et les Chinois. Les Chinois auraient été originaires d'Égypte et leur écriture serait née des hiéroglyphes; c'est pourquoi on aurait pu les déchiffrer en s'aidant des dictionnaires chinois!

Ce sont des hypothèses de ce genre qui permirent à Voltaire de dire des étymologistes qu'ils établissaient la parenté entre les différentes langues " en négligeant tout à fait les voyelles et en ne s'occupant pas trop des consonnes ".

Aujourd'hui nous connaissons mieux le chinois et les anciens caractères égyptiens. L'écriture des Égyptiens a dû naître comme celle de tous les autres peuples et être d'abord figurative. Tout comme les enfants, les *peuples* ont ont d'abord " écrit " en exécutant des petits dessins qui devaient exprimer leurs pensées. De nombreux peuples, comme, par exemple, les Indiens d'Amérique, n'ont jamais dépassé ce stade. Mais les Égyptiens se montraient déjà beaucoup plus avancés, même dans les plus anciens textes que nous connaissons. Ils ne s'étaient pas encore tout à fait débarrassés de l'écriture idéographique, il est vrai, mais leur écriture était déjà en grande partie syllabique et en même temps littérale, c'est-à-dire que chaque signe, chaque hiéroglyphe représentait une syllabe ou un son isolé.

Des hiéroglyphes comme les signes des mots " taureau " : 🐂, " charrue " : 🗲, " maison " : ⌐, " visage " : ⚥, " œil " : 👁, " soleil " : ☉, " lune " : (,

en sont encore au stade de l'écriture purement idéographique.

Des dessins semblables pouvaient aussi exprimer des concepts abstraits et des verbes. C'est ainsi qu'un lys : 🌿 signifiait la " Haute-Égypte ", tandis que la Basse-Égypte était symbolisée par des branches de papyrus : 🌱.

Une branche de palmier signifiait " année "; on pensait en effet que chaque année, il poussait une nouvelle branche au palmier. Le verbe " manger " était exprimé par un homme assis qui porte la main droite à sa bouche : 🧎 ; " entendre " par le dessin d'une oreille de vache : 👂 ; " pleurer " par celui d'un œil qui pleure : 👁 ; " courir " par celui de deux jambes : Λ ; le verbe " vieillir " par la représentation d'un vieillard appuyé sur son bâton :

Lorsque l'Égyptien voulait exprimer le verbe " voler ", il

dessinait un oiseau en vol : ; il rendait le verbe " trou-

ver " par un ibis qui picore sa nourriture. Le mot " régner "

était représenté par un sceptre royal : ; le mot " com-

battre " par une main qui serre une massue et une autre
main qui brandit un bouclier. Etc…

De l'écriture idéographique se développa donc *l'écriture
syllabique.* A ce sujet, il faut remarquer que, à l'origine,
dans la langue égyptienne comme dans les langues
sémitiques, on écrivait uniquement les *consonnes;* plus
tard, des voyelles firent leur apparition, peut-être sous
l'influence du grec; encore ces signes n'apparaissent-ils
au début que dans les noms étrangers. Donc, puisque les
voyelles n'existaient pas à l'origine, le signe pour " visage "

qui se prononçait en égyptien *hor* pouvait avoir plusieurs

significations comme par exemple *hor :* " dresser "
(la tente), *hir* qui est la préposition " sur ", ou *hri :* " le plus
haut ", " le plus grand "; le signe peut encore signifier
d'autres mots, quelles que soient les voyelles que ces mots
contiennent, pour autant que la base consonantique du
mot soit h + r. Nous ferions la même chose si nous
rendions le mot " rat " par un dessin représentant cet
animal; cet idéogramme pourrait également signifier
" rot ", " rit ", " rut ". De même la représentation d'un
cor de chasse pourrait signifier " cor ", ou " car ".

Le signe qui était idéogramme est donc devenu

signe syllabique. De la même manière, le signe " maison " :

qui se prononçait en égyptien *peri*, devint le signe

syllabique pour p + r; le tue-mouches , qui devait être

prononcé *mas* devint le signe pour m + s, etc.

Mais, beaucoup de mots égyptiens ne comprenaient qu'*une seule* consonne et une seule voyelle, comme par exemple *kê :* la hauteur, *rô :* la bouche, *schê :* plus, *ta :* le pain. Comme les voyelles n'étaient pas écrites, l'hiéroglyphe de chacun de ces mots devint un *signe phonétique*, un signe indiquant un son. L'hiéroglyphe de " hauteur " : △, devint le signe du son k (donc la lettre k), l'hiéroglyphe de " bouche " : ◯, devint le signe du son r, le son " sch " fut rendu par l'hiéroglyphe de " plus " : ▭ et le son t par l'hiéroglyphe de " pain " : ◠. De cette manière et d'autres manières semblables se développa un alphabet hiéroglyphique complet, composé de 24 signes consonantiques.

On aurait pu croire qu'une fois en possession de ces 24 signes, les Égyptiens allaient se débarrasser de leur écriture idéographique et syllabique pour ne plus écrire les mots qu'au moyen de lettres. Ce serait mal les connaître !

Ils ne le firent pas pour deux raisons. Tout d'abord, ce peuple s'accrochait à ses traditions avec une obstination extraordinaire. Ensuite, il était plus facile de rendre un mot entier ou une syllabe entière par un seul signe. L'écriture hiéroglyphique devint donc finalement un mélange d'*écriture idéographique*, de *signes syllabiques* et de *lettres*. C'est une des raisons pour lesquelles elle fut si difficile à déchiffrer. L'écriture hiéroglyphique comprend au total quelque sept cent cinquante signes différents.

Lorsque les Egyptiens cessèrent de graver la pierre pour se servir de la plume et du papyrus et lorsqu'ils employèrent l'écriture pour les lettres, les contrats, etc., les hiéroglyphes se simplifièrent progressivement et de façon notoire; l'écriture devint continue. Cette écriture cursive fut appelée plus tard l'*écriture démotique*, c'est-à-dire l'écriture du peuple.

La fin du mystère

Ce fut l'expédition de Napoléon Bonaparte en Égypte qui donna son impulsion à l'étude scientifique du passé égyptien et au déchiffrement des hiéroglyphes. Avec Bonaparte commence l'égyptologie.

Au point de vue politique l'expédition d'Égypte ne donna aucun résultat durable. Mais elle eut un profond retentissement *scientifique*. La flotte française n'amena pas que des militaires au pays du Nil, mais aussi toute une équipe de savants, de chercheurs et d'artistes.

Un Institut Égyptien fut fondé au Caire et aujourd'hui encore on admire la richesse des collections rassemblées par les savants français pendant les quelques mois de la campagne. Les principaux résultats de leurs recherches sont consignés dans un ouvrage en trente-deux parties, intitulé : " Description de l'Égypte ". La plus grande partie des découvertes des Français tomba aux mains des Anglais après la capitulation de l'armée française et forme maintenant la base des grandes collections d'antiquités égyptiennes du British Museum de Londres.

Ce furent des soldats français qui firent la plus importante des découvertes : en creusant des fortifications près de la petite ville portuaire de Rosette à l'est d'Alexandrie, ils exhumèrent une pierre de basalte poli de couleur noire. La pierre de Rosette tire son extrême importance de trois inscriptions différentes : un texte hiéroglyphique, un texte en autres caractères égyptiens, une écriture cursive comme on en rencontre d'ordinaire sur les rouleaux de papyrus, et enfin sous ces deux textes, une inscription en grec. Les savants n'eurent évidemment aucune peine à déchiffrer cette dernière. Il y est question d'une décision prise par une assemblée de prêtres à Memphis en 196 avant J.-C., sous le règne de Ptolémée V. Selon l'inscription, ce roi avait exempté ses sujets de certains impôts, ce qui avait accru leur bien-être. Pour le remercier de ce beau geste, les prêtres avaient décidé d'élever une statue du roi dans chaque temple et d'organiser chaque année des réjouissances en son honneur. Ils voulaient perpétuer cette décision en la faisant graver sur la pierre et en posant une de ces pierres commémoratives dans chacun des temples importants. C'est un exemplaire de ces plaques commémoratives que trouvèrent les soldats de Napoléon. Malheureusement, la pierre était fort endommagée.

La pierre de Rosette donnait aux égyptologues la traduction grecque d'un texte hiéroglyphique bien déterminé et un texte écrit dans l'ancienne écriture populaire

des Égyptiens. On avait donc trouvé la clé des hiéroglyphes, mais comment l'employer? Comment pouvait-on
reconnaître des signes d'écriture absolument inconnus
appartenant à une langue inconnue et complètement
éteinte, en n'ayant pas la plus petite idée de la *prononciation*
de cette langue? Seuls les *noms propres* pouvaient aider les
chercheurs; il y avait un nombre assez important de noms
propres dans le texte et ces noms se ressemblent toujours
un peu dans toutes les langues.

Le premier savant qui s'attaqua à la pierre de Rosette
dut s'avouer vaincu. C'était pourtant un des plus célèbres
orientalistes français. L'orientaliste et diplomate suédois
Johan David Åkerblad eut plus de succès. Le premier, il
atteignit un résultat vraiment positif et gagna ainsi le
surnom de " premier égyptologue ". Il examina tout
d'abord le second texte de la pierre de Rosette et en tira
successivement les noms de Ptolémée, Alexandre, Arsinoe,
Bérénice et six autres. Bientôt, Åkerblad connut assez de
l'ancienne langue populaire de l'Égypte pour en déduire
son alphabet, exact dans les grandes lignes; cet alphabet
fut très utile pour l'interprétation des hiéroglyphes. En
1802, Åkerblad publia son livre sur la pierre de Rosette,
qui a en grande partie préparé le déchiffrement des hiéroglyphes. Si Åkerblad avait été moins modeste et surtout
s'il avait joui de l'indépendance financière, il serait sans
aucun doute parvenu à résoudre complètement l'énigme de
la pierre de Rosette. Le médecin et naturaliste anglais
Thomas Young poursuivit l'œuvre d'Åkerblad; s'aidant des
résultats de son prédécesseur, il employa son extraordinaire
perspicacité à · interpréter certains hiéroglyphes bien
particuliers, entourés d'une ligne ovale dans le texte. Un
savant danois, *Zoëga*, avait déjà démontré auparavant qu'il
s'agissait là de noms de rois et de reines. Young put
déchiffrer deux lettres du nom " Ptolémée " et traduire
trois autres hiéroglyphes. Mais, à partir de ce point, il ne
fit plus que tâtonner.

Jean-François Champollion

Jean-François Champollion naquit en 1790 dans une
petite ville du Sud de la France. Son père était libraire et
jouissait d'une large aisance. L'enfance de Jean-François
eut pour cadre la France de la Révolution; la Terreur

battait alors son plein. A neuf ans, le garçon entra dans une école de Grenoble. Il fut bientôt un familier du préfet du département, homme très cultivé qui avait fait partie de l'état-major scientifique de Napoléon pendant l'expédition d'Égypte. Le plus grand plaisir du jeune Champollion était de contempler les objets historiques que son ami avait rapportés du pays des pharaons. Jean-François avait alors onze ans. Son jeune âge ne l'empêchait pas d'avoir pour l'étude des langues un don qui tenait du prodige. Dès ses seize ans, il commença la publication d'un ouvrage de grande envergure sur l'Égypte des pharaons. Il s'était déjà familiarisé, de sa propre initiative et sans aide aucune, avec de nombreuses langues orientales : l'hébreu, l'arabe, le syrien, le chaldéen, le sanscrit, divers dialectes persans et même avec certains parlers de la Chine et du Mexique. Ses longues veilles studieuses lui abîmaient la vue, mais Jean-François n'en avait cure.

Il fut nommé professeur d'histoire à Grenoble avant même d'avoir atteint ses dix-neuf ans; son frère aîné enseignait déjà à l'Université de cette ville. Toute sa vie, Champollion resta un partisan acharné de Napoléon et il ne fit rien pour cacher ses opinions. Des intrigants rapportèrent ses propos à la cour et, par ordre du roi, Champollion dut cesser son activité professorale.

Sa santé était fortement ébranlée par le long labeur et l'inquiétude continuelle des dernières années, mais maintenant, il se trouvait au seuil d'un nouveau monde où la paix de son âme serait à l'abri des orages de la politique. Il entrait dans le domaine infini de l'égyptologie, une science qui en était encore à ses premiers balbutiements.

Sa première réussite fut d'expliquer les sept hiéroglyphes qui composent le nom du roi Ptolémée ou — sous sa forme grecque — Ptolemaios. Après de longues heures de recherches et de déceptions, il découvrit que, dans le texte hiéroglyphique, le nom apparaît sous la forme Ptolmais.

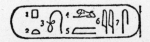

1 = p, 2 = t, 3 = o, 4 = l, 5 = m, 6 = ai, 7 = s

Il fut aidé par le nom de Cléopâtre qui apparaît dans une inscription hiéroglyphique sur un obélisque de l'île de Philae, au sud de la première cataracte; on possédait une traduction grecque de ce texte. Champollion se procura une copie de l'inscription; le nom de Cléopâtre, entouré dans le texte hiéroglyphique de l'habituelle ligne ovale y apparaissait sous la forme suivante :

1 = k, 2 = 1, 3 = e, 4 = 0, 5 = p, 6 = a, 7 = t (dur),
8 = r, 9 = a, 10 et 11 sont les signes qui indiquent un prénom féminin

Avec l'explication de ce nom, Champollion avait trouvé trois hiéroglyphes communs aux deux noms, c'est-à-dire p, o et 1; en outre, il avait découvert deux signes traduisant des variantes du son — t et sept autres hiéroglyphes. Encouragé par cette riche moisson, il poursuivit dans la voie désormais tracée et commença l'examen comparatif de tous les noms et titres royaux sur lesquels il put mettre la main. De cette manière, il fit des progrès continus, non sans trébucher à chaque pas sur de nouvelles difficultés. Tout d'abord, l'écriture hiéroglyphique n'a jamais été une écriture purement littérale. Le même hiéroglyphe représente un mot entier. Et là ne s'arrête pas la difficulté; le même hiéroglyphe peut, en différents cas, indiquer des sons différents; tout dépend du son qui le suit immédiatement. De plus, l'interprétation des hiéroglyphes n'était certes pas facilitée par une aimable invention des Égyptiens de la dix-huitième dynastie : en effet, ces mauvais plaisants introduisaient de petits rébus dans l'écriture. Par exemple, on peut trouver dans un texte un dessin représentant un homme qui tient un porc par la queue. "Suivre" se disait en égyptien *khès* et "porc" *teb*. Le rébus signifie donc *khesteb*, ce qui veut dire "lapis-lazuli". Enfin, certains des passages les plus renommés de la littérature égyptienne ne nous sont parvenus que sous forme de copies dues à la jeunesse scolaire à qui on imposait ce travail en guise d'exercices de calligraphie. On imagine facilement dans quel état sont ces textes! Ou plutôt, on ne peut s'en faire une idée — il faudrait pour cela l'œil d'un connaisseur. On ne peut croire avec quel manque de soin les petites mains ont griffonné certains passages. Il faut parfois s'estimer heureux de pouvoir *deviner* de quoi il est question.

Mais l'intuition géniale de Champollion, lui permit de vaincre les plus grandes difficultés. Regardons-le interpréter ces hiéroglyphes de Nubie :

Il reconnait immédiatement les deux derniers. Mais quid pour les deux premiers signes? Dans le numéro un il voit une représentation du disque solaire et grâce à sa connaissance approfondie du Copte, la langue religieuse des chrétiens d'Égypte, il sait que le soleil s'appelle *Ra*. Par un coup de génie, il comprend que l'hiéroglyphe numéro 2 signifie " naissance ", ce qui se dit *mas* en copte. Il obtient ainsi le mot *Ramases*, c'est-à-dire Ramsès! Dans un autre cartouche, il trouva un nom se terminant de la même manière; mais le premier signe représentait un ibis.

L'ibis était l'oiseau consacré au dieu Thot. " Thoutmes " lut donc Champollion avec la même assurance infaillible.

Il était maintenant sûr de son affaire. Transporté de joie, il rassembla ses notes, courut chez son frère, lança le paquet de manuscrits sur la table en criant : " Ça y est! ". Au même instant, il s'effondra sur le sol. C'était la crise nerveuse, inévitable après quinze ans d'un travail cérébral pénible et exigeant.

Le grand découvreur resta cinq longs jours dans une sorte de léthargie. On imagine avec quelle angoisse son frère, depuis toujours son soutien fidèle, suivit le cours de la maladie et avec quelle joie il vit Jean-François ouvrir les yeux et reprendre connaissance. Par la suite, Champollion put poursuivre ses recherches avec l'aide d'amis fidèles; il fit des voyages d'études aux musées de

Turin, de Rome, de Naples et d'autres villes italiennes où
se trouvaient des antiquités égyptiennes. Plus tard, il fut
nommé directeur de la section d'égyptologie du Louvre.
En 1828, il put enfin, pour le compte du Louvre, faire un
voyage au pays des pharaons. Il lui fut donc permis de
fouler ce sol si riche en souvenirs, ce dont il rêvait depuis
sa jeunesse. Pour voyager en Égypte sans encombre, il
était prudent, à cette époque, d'adopter autant que possible
les mœurs des indigènes. Champollion se laissa donc
pousser la barbe et devint presque un vrai musulman tant
il vivait à l'égyptienne. C'est avec une joie profonde qu'il
fit de longs voyages en bateau sur le Nil, le long des
minarets, des obélisques et des pyramides; il jouit du
spectacle des palmiers, des tamariniers, des sycomores, des
fellahs qui employaient les mêmes outils que leurs ancêtres
représentés sur les plus anciennes inscriptions picturales.
La plainte particulière des appareils d'irrigation primitifs,
entraînés par une roue qu'actionnaient des bœufs lui fit
une impression inoubliable. C'était comme si le ciel clair
de l'Égypte et de la Nubie était envahi de ces " plaintes
incessantes et mélancoliques ". Parfois, les voyageurs
pensaient croiser de vivantes illustrations de l'Ancien
Testament; des bergers menant leurs troupeaux, des femmes
portant des cruches sur la tête, la lueur des feux dans les
huttes d'argile au bord du fleuve.

Mais toutes les merveilles du vieux pays, de ce berceau
des civilisations n'étaient rien en comparaison du ravissement de l'érudit lorsqu'il se trouvait devant les
inscriptions. En comparaison de la joie qu'il ressentait
à percer leurs mystères pour la première fois. Il raccourcit
sa vie par les longs séjours dans les tombes des rois
d'Égypte. L'atmosphère y était malsaine, on y manquait
d'air; copier les longues inscriptions demandait de gros
efforts car ce travail devait se faire dans une lumière
insuffisante et souvent dans les positions les plus inconfor-
tables; il était épuisant de combiner et d'interpréter toutes
les découvertes. L'effort était trop grand, même pour ce
martyr de la science, prêt à tout lui sacrifier.

Champollion supporta mal le voyage de retour et le
passage sans transition du chaud climat d'Égypte au rude
hiver de sa patrie. En effet, il rentra en France vers la
Noël 1829 et la première conséquence de ce brusque
changement fut une sérieuse attaque de rhumatisme.

Quelque temps après son retour à Paris, la valeur de son œuvre scientifique fut officiellment reconnue par l'octroi d'une chaire d'égyptologie.

Vers la fin de l'année 1831, Champollion fut frappé d'apoplexie et de paralysie partielle. La plume lui était tombée des mains. Mais il eut encore assez de force pour terminer le manuscrit de son dictionnaire et de sa grammaire égyptienne et pour mettre de l'ordre dans l'imposante documentation qu'il avait rapportée d'Égypte. Au printemps 1832, Jean-François Champollion mourait à l'âge de 41 ans.

COMMENT ON TROUVE ET PRÉSERVE LES ANCIENS TRÉSORS

Les destructeurs

La religion des Égyptiens fut un important facteur de préservation. Le climat lui-même a contribué à faire du pays du Nil tout entier un musée qui n'a pas son pareil au monde. Mais nous aurions pu connaître aujourd'hui beaucoup plus de choses encore d'une des périodes les plus importantes de l'histoire de la culture, si des trésors irremplaçables n'avaient été détruits par le fanatisme ou l'avidité des hommes.

Les premiers chrétiens d'Égypte exerçaient leur culte dans des catacombes et des temples creusés dans la pierre; ils firent tout leur possible pour effacer des parois les souvenirs des " errements des païens ". Les musulmans se comportèrent de façon aussi catégorique. En effet, la religion musulmane a en horreur tout ce qui est, représentation figurée.

Ce qui fut épargné par le fanatisme religieux ne put résister à la cupidité humaine. De tous temps, les Égyptiens eux-mêmes ont considéré les vestiges de l'antiquité comme une source de revenus. Les demeures des anciens Égyptiens furent d'abord détruites. Comme les maisons des fellahs d'aujourd'hui, elles étaient construites en briques de limon séchées au soleil. Petit à petit, elles s'effritèrent sous la morsure du temps et lorsqu'elles furent devenues inhabitables, le fellah, toujours économe, les fit redevenir terre cultivable. Memphis, Thèbes et d'autres villes de l'Égypte ancienne sont ainsi " retournées à la terre ".

Mais l'agriculture égyptienne ne fut pas la seule à tirer profit de ces vestiges d'une gloire passée. L'industrie de la pierre réemploya les pierres des monuments. Il était bien plus facile de se servir des pierres des pyramides et des temples que d'extraire à grand peine des montagnes les matériaux nécessaires pour construire de nouveaux palais, de nouvelles routes et de nouveaux quais.

Les *momies* appartiennent également aux " richesses naturelles " de l'Égypte. Jusqu'au XVIIIe siècle, elles furent réduites en poudre et employées comme médicaments; on fit un négoce fructueux des " os des morts ".

Ce médicament miraculeux devait être fort recherché en Europe, car les fellahs momifiaient parfois les membres les moins aimés de leur famille pour les lancer ensuite sur le marché. De nos jours encore, le touriste qui visite l'Égypte a souvent l'impression que la main de momie que le brocanteur local lui propose parfois avec d'autres antiquités fabriquées à la main, a dû appartenir à la tante ou à la belle-mère de cet honnête commerçant. Ceux qui s'irritent de voir les trésors des temples et des palais égyptiens arrachés à leur milieu naturel, au ciel bleu de l'Égypte, pour aller s'entasser dans les musées poussiéreux d'Europe ou d'Amérique feraient bien de se souvenir de la triste aventure de l'Anglais Flinders Petrie. Il décida de laisser sur place un parquet aux peintures merveilleuses qu'il avait trouvé dans les ruines du palais d'Akhénaton et qu'il était parvenu à restaurer. Dix ans plus tard, lorsqu'il revint, des Arabes avaient détruit le parquet. Les coupables étaient quelques gardiens de tombes du village voisin qui avaient voulu se venger des gardes du palais d'El Amarna, parce que ces derniers recevaient des touristes des " bakchiches " plus importants que les iconoclastes n'en pouvaient escroquer.

Les archéologues accomplissent un véritable sauvetage

" Pour beaucoup de gens ", dit *Howard Carter*, découvreur de la tombe de Toutankhamon, " l'archéologue passe son temps à prendre des bains de soleil pendant que ses travailleurs indigènes triment pour lui, et, pour se distraire, il examine un panier de merveilleuses antiquités que l'on vient d'arracher à la terre ".

En réalité, au cours des fouilles, l'archéologue peine aux côtés de ses ouvriers, manie la pelle et la pioche et ne cesse de surveiller les travailleurs pour empêcher toute imprudence. Pendant des fouilles scientifiques, la première et la plus importante des règles est celle-ci : l'archéologue en personne doit ramener à la surface chaque trouvaille, même la plus insignifiante. Un geste un peu brusque peut causer des dégâts irréparables; par contre, un produit de conservation, la cire de paraffine par exemple, appliquée au bon moment, peut sauver de vieux bois si vermoulus que le moindre contact peut les faire tomber en poussière.

Pour chaque trouvaille, l'archéologie scientifique exige des croquis très précis des objets découverts et des circonstances dans lesquelles ils furent trouvés; c'est ainsi seulement que la trouvaille acquiert sa valeur scientifique. Il est alors possible de déterminer son âge et de la situer par rapport aux autres antiquités de même genre découvertes auparavant. " Il est incontestable ", dit Carter, " que notre connaissance de l'Antiquité égyptienne serait de moitié plus étendue si chaque fouille s'était déroulée selon ces méthodes scientifiques et avec la conscience professionnelle que montrent les archéologues d'aujourd'hui ".

Une autre règle élémentaire : dès qu'un objet est découvert, il faut en faire plusieurs croquis. Les antiquités doivent être immédiatement décrites et, autant que possible, restaurées pour qu'aucune donnée de valeur inestimable ne se perde par négligence. C'est pourquoi une expédition archéologique moderne emmène toujours des spécialistes ayant reçu une formation très soignée; ces spécialistes se chargent des photos, des croquis et d'autres parties du minutieux travail de conservation. On a, hélas, commis à l'égard des rouleaux de papyrus découverts dans les tombes égyptiennes de nombreuses erreurs scientifiques. En effet, ces feuilles de papyrus sont souvent si fragiles qu'elles tombent en poussière dès qu'on essaye de les dérouler. Plutôt que de les manier aussi brusquement, il aurait fallu envelopper ces rouleaux de linges humides et les laisser ainsi pendant quelques heures jusqu'à ce que l'humidité les imprégnât complètement. Ensuite, il est possible de dérouler soigneusement le papyrus et de l'étendre sur une plaque de verre.

C'est l'Anglais *Flinders Petrie* qui introduisit les méthodes de conservation strictement scientifiques. Ceci lui valut

le surnom de " père de l'archéologie égyptienne
scientifique ". Avant lui, la recherche des antiquités n'était
qu'une sorte de course au trésor, un travail de détective
amateur. Aujourd'hui, l'archéologue ne doit ni ménager
ses efforts ni reculer devant la difficulté. Il ne lui suffit pas
de manier la pelle et la pioche. Avec des soins minutieux,
il doit fouiller de ses mains la terre, des monceaux de
détritus et le contenu des tombes pour ne pas laisser
échapper le plus petit débris d'os ou de poterie.

Quelques expéditions archéologiques particulièrement réussies.

L'égyptologie scientifique nous a permis de suivre le
développement de la culture humaine depuis le quatrième
millénaire avant J.-C. jusqu'à l'extinction de cette très
ancienne culture. Il s'agit d'une évolution culturelle
continue dans ses grandes lignes et qui se prolonge pendant
quatre millénaires; elle n'a pas sa pareille au monde.
Presque tous les peuples civilisés ont pris part aux fouilles.
Certaines découvertes sont restées sur place, d'autres sont
au British Museum à Londres, au Louvre à Paris, dans les
musées de Bruxelles, Turin, Leyde, Berlin, New-York et
beaucoup d'autres villes.

L'Italien *Battista Belzoni* est considéré comme le pionnier
de l'égyptologie pendant la période qui suit immédiatement
l'expédition de Bonaparte. Au cours de fouilles pendant
les plus fortes chaleurs de l'été, il débarrassa le temple
funéraire de Ramsès II, près d'Abou Simbel, du sable du
désert de Nubie; il perça les mystères de la seconde
pyramide, près du Caire; malheureusement, lorsqu'il
parvint à la chambre funéraire, celle-ci avait été pillée. Il
rassembla les trésors artistiques de l'ancienne Thèbes; sur
la rive opposée, il fit des découvertes d'importance dans la
" Vallée des Rois " et dans les tombes des grands personnages; il y cherchait surtout des rouleaux de papyrus.
C'était un homme de haute taille et de grande vigueur
(pendant quelques années, il avait gagné sa vie comme
athlète professionnel); aussi s'attira-t-il une sympathie
sans bornes de la part de la population indigène. Même les
redoutables troglodytes qui s'étaient approprié les anciennes
demeures des morts, les tombes creusées dans le roc,
n'osèrent pas lui faire de mal. Il leur aurait pourtant été

facile de tuer l'étranger et de l'enterrer dans une de ces tombes qui l'intéressaient tant.

Dans la montagne près de Kurna, il trouva de longs couloirs funéraires bondés de momies datant d'une période relativement récente, de l'époque où les tombes d'aristocrates furent employées pour des défunts aux moyens plus limités. Bien que d'une force peu commune, Belzoni eut toutes les peines du monde à se frayer un chemin dans ces étroits couloirs; l'atmosphère en était oppressante; de toutes parts, des crânes, des bras et des jambes dégringolaient autour de l'archéologue.

La plus grande découverte de Belzoni fut la tombe de Séthi I, remarquable par ses merveilleux reliefs. Belzoni s'enfonça de cent mètres à l'intérieur de la montagne, parcourut des corridors magnifiquement décorés et atteignit enfin le précieux sarcophage du pharaon; il était d'albâtre blanc, les parois en étaient si fines que la lumière pouvait les traverser. Il put amener au jour cette œuvre d'art unique sans lui faire subir aucun dommage. Le sarcophage est aujourd'hui l'orgueil du Soane Museum de Londres. Belzoni a expédié aux Anglais des cargaisons entières d'antiquités égyptiennes, mais aucune de ses trouvailles n'égale le sarcophage de Sethi I.

En 1850, un nouveau chapitre s'ouvrit dans l'histoire des fouilles en Égypte lorsque le Français *Auguste Mariette* en prit la direction. Aux environs du Caire et à Thèbes, il mit à jour d'importantes quantités d'œuvres d'art et d'autres vestiges; il travaillait pourtant dans un endroit maintes fois pillé. Nous évoquerons plus loin sa retentissante découverte du mausolée des taureaux-apis sacrés près de Sakkara.

A trente kilomètres au sud du Caire se trouve le petit village de Dahshour. Aux environs, se dressent différentes pyramides dont deux, presque en ruines, étaient autrefois recouvertes de calcaire blanc. Un des successeurs de Mariette, *Jacques de Morgan*, s'attacha surtout à l'examen de ces monuments. En ce qui concerne la plus septentrionale des deux pyramides, les archéologues n'étaient pas encore parvenus à découvrir la tombe qui devait se cacher quelque part dans cette masse énorme.

En 1894, de Morgan trouvait l'accès à une salle souterraine, elle-même flanquée de toute une galerie de cryptes.

L'accès des tombes était difficile. Ce qui n'avait pas empêché les voleurs d'y pénétrer. L'entrée elle-même, dont de Morgan s'était servi, était sans aucun doute due aux détrousseurs de tombes.

La pyramide avait été construite par Sésostris III; mais ce n'était pas le pharaon qui y reposait; la pyramide servait de tombe à des reines de sa dynastie. En un sens, c'était une déception pour les archéologues. Mais ils eurent vite changé d'avis. En effet, on trouva dans les tombes obscures des chaînes, des bracelets et des colliers de toute beauté. Jamais encore on n'avait fait une découverte aussi précieuse en Égypte.

Dans la crypte d'une princesse, on découvrit un véritable trésor : des chefs d'œuvre de l'orfèvrerie égyptienne de la douzième dynastie. Et de Morgan fut tout aussi richement récompensé de ses peines dans la pyramide méridionale. Après des recherches acharnées, il finit par trouver la tombe du grand Sésostris, mais les pillards n'y avaient rien laissé.

Longtemps auparavant, on avait déjà fait d'importantes découvertes dans la nécropole située juste en face de Thèbes, sur la rive gauche du Nil.

Au cours des siècles, une trentaine de pharaons parmi les plus grands qu'ait connu l'Égypte furent ensevelis dans la Vallée des Rois, loin des bruits du monde. Aujourd'hui, il ne s'y trouve plus que deux d'entre eux : Aménophis II et Toutankhamon. Et aucune des tombes n'échappa aux détrousseurs.

Sous l'énergique gouvernement des souverains des 18e et 19e dynasties, les trésors des tombes furent relativement bien protégés. Mais tout changea sous la vingtième dynastie. Les pharaons de cette époque ne montrèrent que peu de puissance. Comme tous les autres fonctionnaires, les gardiens des tombeaux devinrent indifférents à leur mission et se laissèrent acheter; les pillards s'en donnèrent à cœur joie. Nous savons tout cela grâce à d'intéressants documents datant du règne de Ramsès IX; il s'agit de rapports d'enquêtes sur des vols commis dans les tombes.

Par la suite, la situation ne cessa de s'aggraver dans " la Vallée ". Il semble que l'on ait abandonné toute velléité de protéger les tombes et que l'on se soit borné à sauver les momies elles-mêmes. Elles furent traînées d'une tombe à l'autre. Les corps de treize pharaons défunts finirent par se retrouver dans la tombe d'Aménophis II, où ils purent enfin reposer en paix. Les momies d'autres rois furent mises en sécurité dans un autre endroit secret, une grotte creusée dans le roc; elles y dormirent pendant plus de trois mille ans sans être dérangées.

Après la disparition des momies des rois, les documents égyptiens ne disent plus un mot de la Vallée des Rois où se déroulèrent tant de scènes émouvantes. La Vallée avait vu ensevelir les rois avec une pompe presque inimaginable pour nous, hommes du XXᵉ siècle; mais elle avait vu aussi les raids nocturnes des voleurs. Aucun endroit sur terre n'a une histoire aussi fantastique que " le pays du silence ", comme les anciens appelaient cette vaste nécropole.

Les cryptes et les couloirs des falaises rocheuses furent vidés de leurs richesses; les dernières demeures des pharaons devinrent le refuge des renards, des chauves-souris, des hiboux du désert.

Pendant les premiers siècles de la Chrétienté, les tombes creusées dans le roc servirent d'abri aux anachorètes qui y trouvaient, aux confins du désert, la solitude qu'ils désiraient.

Les pieux ermites durent pourtant débarrasser la place des bandes de brigands qui infestaient toute la région. Les autorités essayèrent bien de maîtriser ces bandits, mais leurs efforts furent vains. Les pillards se retranchaient dans des cavernes qui étaient de véritables forteresses ou s'enfonçaient plus loin dans la montagne, là où on n'osait plus les poursuivre.

Belzoni fut donc le premier à pénétrer dans les grottes, montrant ainsi une audace encore inégalée. Il fut suivi par d'autres archéologues. Au milieu du siècle passé, une importante expédition allemande sous la conduite de *Richard Lepsius* (le plus grand égyptologue de la génération qui suivit immédiatement Champollion); étudia la " Vallée " de façon approfondie, tellement qu'on crut en avoir épuisé toutes les possibilités. C'est pourquoi la Vallée des Rois ne fit plus parler d'elle jusqu'en 1881, une date à retenir dans l'histoire de l'égyptologie. Depuis longtemps déjà, l'archéologue *Maspero* avait l'œil sur un guide arabe qui vendait des papyrus et d'autres antiquités qui semblaient provenir de tombes royales. L'homme venait du petit village de Kurna. Pendant trois mille années, les habitants de ce village s'étaient spécialisés dans le pillage des tombes; aujourd'hui encore, ils ont la réputation de ne pas dédaigner cette source de revenus lorsque l'occasion s'en présente. Maspero finit par rassembler tant de preuves contre le rusé Arabe qu'il le fit arrêter. Ceci fit beaucoup de bruit parmi les gens de sa tribu. Tout Kurna jura d'une même voix que cet excellent guide était la victime d'une abominable erreur judiciaire.

Heureusement, cet homme d'honneur persécuté se prit de querelle avec ses frères. L'un d'entr'eux déclara aux autorités que sa famille possédait un trésor secret, qui ne comprenait pas moins de quarante momies; elle l'avait découvert depuis six ans déjà. Un dirigeant du Musée du Caire se rendit sur place pour examiner la trouvaille et l'endroit où elle avait été faite. Près du sommet d'une falaise, s'ouvrait une caverne d'accès très difficile; de là des couloirs presque impraticables conduisaient à une grande salle, à l'intérieur de la montagne. A la lueur d'une bougie, l'enquêteur aperçut un grand nombre de cercueils; allant de surprise en surprise, il y lut les noms de quelques-uns des plus grands rois d'Égypte, Thoutmosis III, Séthi I et Ramsès II. On connaissait depuis longtemps leurs tombes, toutes complètement pillées, mais on n'avait jamais espéré retrouver leurs corps et voir leurs visages. Cette salle n'était donc pas une tombe mais une cachette; les inscriptions sur les cercueils et les linceuls prouvaient que les corps avaient été transférés dans ce refuge trois mille ans auparavant, au beau milieu d'une période de déclin et d'anarchie, par des fonctionnaires chargés des tombes royales; ceux-ci avaient voulu protéger les augustes défunts des profanateurs, de ces pillards dont l'audace et la brutalité ne connaissaient plus de bornes.

Les envoyés du Musée n'étaient pas au bout de leurs peines; ils devaient encore transporter les précieuses découvertes au bateau qui les emporterait vers le Caire. Il fallait faire vite et en avoir terminé avant que la population, furieuse d'être frustrée d'une telle source de revenus, ne déclanchât une émeute car, en ce cas, les archéologues européens auraient été en danger de mort.

Dix ans plus tard, l'Arabe qui avait indiqué la cachette, rendit aux égyptologues un autre service aussi précieux que le premier. Entre-temps, il était devenu membre du service archéologique égyptien. Son intuition et son flair lui firent découvrir une crypte pourtant bien dissimulée où l'on ne découvrit pas moins de 153 momies de prêtres et de prêtresses du temple d'Amon.

1898 vit de nouvelles découvertes dans la Vallée. On y trouva plusieurs tombes royales, entre autre celles de Thoutmosis I, Thoutmosis III et Aménophis II. Dans cette dernière, réposaient, outre Aménophis, treize autre momies royales que l'on avait mises en sécurité à l'époque de la 21e dynastie. Elles furent toutes transférées au Musée du Caire ; on laissa cependant la momie d'Aménophis dans son sarcophage. La tombe fut soigneusement fermée et on y plaça une garde. Quelque temps plus tard, une troupe de pillards s'introduisit dans la dernière demeure d'Aménophis ; les brigands étaient de connivence avec la garde, cela ne fait aucun doute. Ils tirèrent la momie de son sarcophage pour voler les joyaux que le défunt aurait pu porter. Le service archéologique retrouva la trace des profanateurs et les traîna devant le tribunal. Mais le tribunal était composé d'indigènes et devant un tel aréopage, quelle valeur peuvent avoir les preuves ? Les gens qui traitent les archéologues modernes de vandales parce qu'ils mettent les joyaux des tombes en sécurité dans les musées feraient bien de réfléchir à cette petite histoire !

En 1902, un milliardaire américain, *Davis* reçut du gouvernement égyptien l'autorisation d'entreprendre des fouilles dans la Vallée des Rois. Il y travailla pendant douze hivers consécutifs et découvrit entre autres la tombe de Hatshepsout et la caverne où le sarcophage et la momie d'Akhénaton avaient été cachés ; cette grotte contenait en outre une partie de l'ameublement funéraire de la tombe primitive à El Amarna.

En un sens, la tombe d'Akhénaton ne fut pas la découverte la plus intéressante de Davis ; il trouva aussi la tombe où sont ensevelis Juja et Tuju, les parents de la reine Tiy. Après avoir fait déblayer un énorme pierrier, Davis arriva devant une paroi montagneuse. Un escalier apparut. Il menait à une tombe dont un mur barrait l'entrée. Dans ce mur, une brèche témoignait du passage des pillards. Il fallait s'y attendre ! Davis entra dans la tombe, accompagné de Maspero. Lorsqu'ils allumèrent leurs chandelles dans la salle obscure, l'or scintilla de partout. La lumière tomba sur le revêtement d'or pur d'un sarcophage. Maspero y lut le nom de Juja.

Un examen plus approfondi révéla la présence dans le sarcophage de plusieurs cercueils gigognes. Ces cercueils étaient recouverts de plaques d'or et d'argent. Les pillards avaient arraché les couvercles des cercueils et des sarcophages et défait les bandelettes des momies pour s'emparer des bijoux et des parures.

Les deux défunts étaient de vieilles personnes respectables aux cheveux blancs; lui avait les cheveux longs et ondulés, elle portait les cheveux courts. Juja était un homme de belle stature mais Tiju semblait d'assez petite taille. Sa momie avait aux pieds deux jolies sandales d'or.

La tombe regorgeait de trésors et les profanateurs n'avaient emporté que quelques bijoux. Jamais encore on n'avait découvert une tombe royale qui, toutes proportions gardées, avait eu aussi peu à souffrir des impies. Ceci doit être attribué à un heureux hasard. La tombe fut ensevelie très tôt sous de telles quantités de pierres (provenant de tombes royales voisines) qu'il fallut le caprice d'un millionnaire féru d'archéologie pour qu'on déblayât cet énorme pierrier. On trouva dans cette tombe des chefs d'œuvre de l'ébénisterie égyptienne, tels que fauteuils, voiture et un petit coffret à bijoux serti d'ébène et d'or. On mit aussi la main sur un char finement sculpté, typique de l'époque des 18e et 19e dynasties. Au total, on y trouva environ deux cents objets, autant d'exemples du niveau élevé qu'atteignit l'artisanat égyptien sous la 18e dynastie. Ces objets sont maintenant la partie la plus importante des collections du Musée du Caire.

En 1914, la concession de Davis passa à un archéologue amateur anglais, *Lord Carnavon*, et à son collaborateur *Howard Carter* qui, lui, était un archéologue entraîné. Ils ouvrent une nouvelle période importante dans l'histoire de la " Vallée ". Lorsque Davis abandonna ses fouilles, il était persuadé que la Vallée des Rois avait été examinée dans ses moindres recoins et avait livré tous ses secrets. C'est ce que Belzoni prétendait déjà, presque un siècle auparavant. Carnavon et Carter étaient certains de trouver, sous les masses de pierres qui n'avaient pas encore été déblayées, sinon des tombes, au moins des rochers encore inexplorés. Mais ils savaient aussi que les travaux qu'ils étaient à la veille d'entreprendre exigeraient beaucoup d'efforts. Il fallait enlever environ 200.000 tonnes de débris avant de pouvoir commencer les fouilles. Ils supposaient que la tombe de Toutankhamon devait se trouver sous ces pierriers.

L'Egypte des pharaons.

Ce sphinx de granit rose, haut de deux mètres et long de cinq, porte sur la poitrine le cartouche du pharaon Menephtah. ▶

Dans une carrière de granit près d'Assouan, un pharaon inconnu a laissé inachevée l'ébauche de cette gigantesque statue d'Osiris. ▼

Du sommet des pyramides royales de Gizeh, on découvre les tombes des hauts fonctionnaires de l'Ancien Empire, et les petites pyramides réservées aux épouses et à la famille des pharaons. ◀

Le tombeau du fonctionnaire Thi, à Sakkara. De la chambre des offrandes, on aperçoit, par une unique ouverture, la statue du mort enclose dans la chambre funéraire.

Ils purent lancer leur expédition archéologique dans la Vallée des Rois à l'automne 1917. Au printemps 1922, ils n'avaient pas encore enregistré le moindre résultat qui valût la peine d'être retenu.

Puis, la chose arriva : un beau jour de l'automne 1922, les hommes de Carter avaient à peine pris la pioche qu'ils firent une découverte dépassant de loin leurs rêves les plus fous. Laissons parler Carter lui-même :

" J'essaierai ", écrit-il, " de raconter exactement tout ce qui s'est passé, sans rien oublier. Ce ne sera pas facile, car la découverte fut si soudaine que j'en eus presque le vertige ; et pendant les mois qui suivirent, il arriva tant de choses merveilleuses que j'avais à peine le temps de réfléchir ".

Lorsqu'il arriva sur le terrain, le matin du 4 novembre, il remarqua immédiatement que quelque chose d'inhabituel venait d'arriver. Les ouvriers lui racontèrent qu'ils avaient trouvé, sous les débris de pierre, quelques marches taillées dans le roc. " A ce moment, dit-il, j'osai presque croire que nous avions trouvé notre tombe. Le lendemain, il devint évident que nous nous trouvions vraiment devant l'entrée d'une tombe, mais les déceptions passées nous avaient laissé un souvenir très vif et nous n'osions pas encore nous laisser aller à la joie, sans aucune arrière-pensée. Cette tombe avait probablement été pillée de fond en comble, comme les autres. L'une après l'autre, apparaissaient les marches d'un escalier. Au coucher du soleil, l'escalier tout entier était déblayé. Et au pied de cet escalier, il y avait une porte scellée ".

Ce jour-là, Carter dut se contenter de percer dans la porte un trou suffisamment large pour y faire passer une lampe électrique. A la lumière de la lampe, il vit que le corridor menant de la porte à la crypte était presque bouché par les pierres et les débris. Spectacle réjouissant qui prouvait que la tombe avait été soigneusement protégée par les anciennes autorités égyptiennes.

Carnavon, le mécène de Carter, était en ce moment en Angleterre et il avait le droit d'être présent à l'ouverture de la tombe. Les travaux furent abandonnés jusqu'à l'arrivée de Carnavon à Louksor. Carter posta des hommes de confiance aux alentours de la tombe, fit recouvrir la voie d'accès et, pour plus de sécurité, la fit combler avec de gros quartiers de roc.

Le 23 novembre, Lord Carnavon était de retour à
Louksor. Lorsqu'on eut déblayé l'entrée, on put enfin
examiner de plus près les sceaux qui fermaient la porte
de la tombe; plusieurs d'entr'eux portaient le nom de
Toutankhamon. On fit aussi une autre découverte,
beaucoup moins encourageante : l'examen de la porte et
des débris entassés dans le corridor prouva que la tombe
avait été ouverte et que les sceaux avaient été soigneusement
replacés ensuite. Les pillards avaient donc fait leur œuvre
ici comme ailleurs! Une question se posait maintenant :
avaient-ils fait beaucoup de dégâts?

L'aube du 26 novembre se leva. Pendant la matinée, le
couloir fut débarrassé des ruines qui l'encombraient et on
se trouva devant une autre porte scellée. Comme la
première, celle-ci avait sans aucun doute été ouverte et
refermée. " Les mains tremblantes ", poursuit Carter, " je
fis une petite ouverture dans le coin supérieur gauche ".
Après s'être assuré qu'aucun gaz dangereux ne sortait de
la tombe, il poussa une bougie allumée à l'intérieur.
Tout d'abord, " dit-il ", je ne pus rien voir car l'air chaud
qui sortait de la crypte faisait vaciller la flamme de ma
chandelle. Mais lorsque mes yeux se furent accoutumés à ce
mauvais éclairage, je pus distinguer différentes choses,
des animaux étranges, des statues, de l'or — il étincelait
partout. Je restai un moment frappé de stupeur. Finalement,
Lord Carnavon ne put plus supporter cette incertitude et
il me demanda, la voix angoissée : " Voyez-vous quelque
chose? ". " Oui. Des choses magnifiques ". Ce fut tout
ce que je pus dire. Ensuite, ayant agrandi l'ouverture, nous
pûmes regarder tous deux dans la crypte et employer une
lampe électrique… "

" Je suppose que la plupart des archéologues ressentent
comme moi une impression de gêne, d'incertitude même,
lorsqu'ils pénètrent dans une salle qui, trois mille années
auparavant fut fermée et scellée par des mains pieuses.

" A ce moment, le temps perd toute sa signification.
Trois mille, quatre mille ans peut-être se sont écoulés
depuis qu'un homme a foulé ce sol et pourtant les traces de
vie entourent l'archéologue de partout : le seau encore à
demi-plein du mortier qui a scellé la porte, la lampe
rouillée, l'empreinte d'un pouce sur la paroi, la gerbe
de fleurs posée sur le seuil en un dernier hommage — on
croirait que le mort fut enseveli hier. L'air même que nous

respirons ne s'est pas renouvelé pendant ces millénaires; nous le partageons avec celui qui a posé la momie dans sa dernière demeure. Le concept du temps disparaît… "

" Dans toute l'histoire des fouilles, aucun archéologue n'avait encore contemplé un spectacle aussi merveilleux que celui révélé par la lueur de nos torches électriques, la première lumière à percer les ténèbres de cette tombe depuis 3.000 ans. Jamais, nous n'aurions osé rêver cela : une chambre entière — ou plutôt un véritable musée — bourré d'objets ".

" Les premières choses que nous vîmes furent trois grandes civières dorées. Leurs bras étaient sculptés en têtes de lions, d'hippopotames et de vaches, ces trois animaux étant les incarnations de la déesse Hathor. Lorsque la lumière les frappa, ces sculptures lancèrent des ombres fantastiques sur les murs. Nous en étions presque effrayés. Ensuite, notre attention fut attirée par deux statues de rois grandeur nature. Elles se dressaient comme deux sentinelles près du mur de droite; elles portaient une tunique dorée, des sandales également dorées; elles tenaient en mains une massue de combat et un bâton; elles portaient au front le cobra sacré, symbole de la puissance royale. Tout à coup, une idée nous frappa : " Il n'y a aucun sarcophage et pas la moindre trace d'une momie ". Puis, nous découvrîmes entre les deux sentinelles une autre porte scellée; nous comprîmes alors que cette salle n'était que l'antichambre de la véritable crypte. Derrière cette dernière porte devaient se trouver d'autres salles et dans l'une d'elles, nous allions découvrir le pharaon dans toute sa magnificence ".

Le lendemain matin, le chef de l'expédition examina la troisième porte scellée et découvrit qu'un trou y avait été percé : l'ouverture était juste assez grande pour qu'un homme mince pût s'y faufiler; l'ouverture avait été remaçonnée et rescellée par la suite. " Nous n'étions donc pas les premiers à pénétrer ici! " s'écrie Carter. " Les pillards nous avaient précédés, une fois de plus, et il ne nous restait plus qu'à constater l'étendue de leurs déprédations! "

" Nous aurions aimé ouvrir cette porte sans plus attendre, pour avoir enfin une certitude. Mais les nombreux objets précieux de l'antichambre étaient sans doute fort endommagés. Nous ne pouvions les en retirer avant d'avoir fait une liste complète de toutes ces découvertes et les avoir photographiées ; cela prendrait beaucoup de temps ".

Carter et Carnavon se plongèrent donc dans l'inventaire des merveilles de l'antichambre. Ils y étaient occupés lorsqu'ils firent soudain une autre découverte : ils découvrirent une autre porte scellée ; les pillards y avaient également percé une ouverture, mais ne l'avaient pas comblée en quittant les lieux. Les deux archéologues purent donc jeter un coup d'œil à l'intérieur d'une troisième salle, un peu plus petite que la première mais littéralement bourrée d'objets funéraires. Il y régnait un désordre défiant toute description. Le passage des pillards était évident. " Il ne fallait pas beaucoup d'imagination ", écrit Carter " pour deviner comment procédaient ces brigands ".

" L'un d'entr'eux s'est glissé dans la chambre ; il en a inventorié le contenu en toute hâte, mais d'une façon pourtant systématique ; il a vidé les coffrets ; par l'ouverture, il a ensuite passé à ses complices tout ce qui lui paraissait avoir de la valeur ; ceux-ci ont fait un choix parmi ce butin. "

L'inventaire de l'antichambre fut un vrai travail de patience, car il était très difficile d'enlever un objet sans endommager les autres. Tout était entassé de telle sorte qu'il fallut parfois bâtir, avec les plus grandes précautions, de petits échafaudages pour maintenir un objet ou un groupe d'objets en place pendant qu'on en enlevait d'autres. Certaines de ces merveilles étaient en excellent état de conservation, d'autres étaient si fragiles qu'il était impossible de savoir à l'avance si elles supporteraient leur propre poids lorsqu'on les extrairait de ce fouillis. Un problème se posait : fallait-il les traiter sur place ou attendre d'être au laboratoire ? Bien souvent, il fut nécessaire d'opter pour la première solution.

" Le travail *devait* être lent, d'une lenteur à briser les nerfs. Tout le temps, nous fûmes conscients de porter une grande responsabilité. L'archéologue ne possède pas les objets qu'il découvre, il ne peut les manier comme bon lui semble. Chaque découverte est un cadeau du passé au présent. L'archéologue n'est qu'un intermédiaire. Si par indifférence, nonchalance ou incompétence, il gâche les possibilités offertes par sa trouvaille, il se rend coupable d'un délit sérieux. S'il travaille avec trop peu d'attention ou avec trop de hâte, il peut laisser s'échapper une chance qui ne reviendra plus. Si vous pensez à cela, vous pouvez facilement imaginer nos sentiments tout le temps que durèrent les travaux. Le danger de vol ne cessa de nous inquiéter. J'ai dit plus haut que la tombe de Toutankhamon n'avait pas été épargnée par les pillards des siècles passés. Le sceau de la première porte prouve que la tombe fut déjà profanée quelques années seulement après les funérailles du pharaon. Les voleurs ont essayé d'enlever en premier lieu tous les objets d'or massif. Heureusement, ils durent agir très vite et beaucoup de bijoux ont ainsi échappé à leur attention. Mais nous ne saurons jamais au juste de quels trésors ils se sont emparés ".

" Sept semaines furent nécessaires pour évacuer la première salle et nous fûmes très heureux d'en avoir fini avec ce travail ".

Ils purent enfin percer les mystères de la dernière salle. On abattit prudemment un pan du mur de séparation. Une sorte d'autel barrait l'entrée; il était recouvert d'or et serti de magnifique faïence bleue. Cet autel remplissait presque toute la salle et, selon toute probabilité, entourait le sarcophage royal.

Une question de la plus haute importance se posait maintenant aux archéologues : les pillards avaient-ils pu s'introduire jusqu'au défunt? Carter et Carnavon, très émus, firent sauter les verrous du tabernacle et ouvrirent les portes. A l'intérieur, ils se trouvèrent devant un autre tabernacle, plus petit; les portes en étaient verrouillées et à ces verrous pendait un sceau intact! Il n'y avait plus de doute. Pour la première fois, on se trouvait devant le corps d'un roi d'Égypte dont les profanateurs n'avaient pas troublé le repos.

Mais la chambre du sarcophage offrit encore d'autres découvertes intéressantes. Une porte s'ouvrait sur une quatrième salle. " Au premier coup d'œil ", dit Carter, " nous fûmes convaincus que les plus grands trésors de la tombe se trouvaient là. Près du mur, juste en face de l'entrée, se trouvait le plus beau monument qu'il m'ait été donné de contempler. Il se composait d'un grand cercueil au revêtement d'or; le sommet était bordé d'une sorte de frise de serpents sacrés. Autour du cercueil se dressaient les statues des quatre déesses protectrices du mort. Ces quatre silhouettes charmantes levaient les bras en signe de bénédiction; leur attitude était si naturelle, leurs visages exprimaient tant de sympathie et de pitié que nous avions l'impression de les profaner par notre seul regard ".

Après de longs conflits avec le gouvernement égyptien, Carter put enfin ouvrir le sarcophage de Toutankhamon à l'automne 1925. Il trouva un cercueil de bois ; à l'intérieur, un autre cercueil semblable qui en contenait un troisième, le cercueil le plus précieux qui soit au monde : il était fait d'or pur, travaillé par la main d'un maître, et serti d'émaux de couleurs vives. Il pesait 200 kilogs, certains parlent même de 400 kilogs. L'examen anatomique de la momie révéla que Toutankhamon venait d'atteindre ses dix-huit ans au moment de sa mort.

Le cercueil fut transporté dans le plus grand secret au Musée du Caire où il arriva le premier jour de 1926.

Aucune découverte ne fut plus précieuse que celle du tombeau de Toutankhamon. La beauté parfaite des meubles et ses œuvres d'art dépassaient tout ce qui avait été trouvé jusqu'alors en Égypte. Grâce au tombeau du jeune pharaon, la culture égyptienne attira beaucoup plus d'admirateurs que par le passé ; on admit que cette culture avait exercé sur les peuples voisins une influence beaucoup plus profonde qu'on n'était tenté de le croire auparavant. Lorsqu'on voit les richesses qu'emportait dans la tombe un pharaon insignifiant dont le règne ne dura pas plus de six ou sept ans, on devine quelles splendeurs devaient meubler la tombe des puissants pharaons tels que Thoutmosis III, Aménophis II, Séthi I et Ramsès II.

Les découvertes de tombeaux et de temples se succédèrent au cours des années et permirent aux savants de se faire une idée toujours plus exacte de l'Antiquité égyptienne. Les collections d'œuvres d'art et d'objets qui nous font connaître cette vieille culture ne cessent de s'enrichir ; pour s'en persuader, il suffit de visiter le Louvre à Paris et la nouvelle section d'égyptologie du "Rijksmuseum van Oudheden" au Rapenburg de Leyde. Les collections belges sont réunies aux Musées royaux d'Art et d'Histoire à Bruxelles. En outre, le déchiffrement de l'ancienne écriture est en progrès constant. Il arrive encore fréquemment, par exemple, que l'on trouve de nouveaux débris portant des inscriptions hiéroglyphiques ou quelque fragment de papyrus — les égyptologues déchiffrent et combinent ces documents et nous voyons se lever petit à petit le mystère qui entourait l'histoire de l'Égypte ancienne.

Il ne faut cependant pas conclure que les inscriptions historiques rencontrées sur les temples, les tombeaux et les monuments égyptiens sont l'expression de la vérité la plus pure, à l'opposé des vieilles traditions. Au contraire. Ces anciennes inscriptions sont toujours plus ou moins suspectes d'idéalisation abusive des rois et d'autres personnages haut placés; c'était même leur raison d'être. C'est pourquoi les hauts faits des défunts sont racontés, comme nous l'avons vu, avec énormément d'emphase tandis que les échecs et les défaites sont minimisées autant qu'il est possible ou tout simplement passées sous silence.

Quelques pharaons du Nouvel Empire, surtout ceux des dix-neuvième et vingtième dynasties se sont même emparés des inscriptions commémoratives de souverains antérieurs en substituant leur nom à celui de leurs prédécesseurs, et cela sans le moindre scrupule.

Il faut d'énormes efforts, une perspicacité sans défaut et une érudition admirable pour pouvoir, comme le peuvent les égyptologues scientifiques de notre temps, corriger les erreurs de célèbres historiens qui, vivant il y a 2.000 ou 2.500 ans, étaient beaucoup plus proches des événements que nous ne le sommes nous-mêmes.

La cour du pharaon

Comme beaucoup d'autres monarques du passé et, jusqu'à notre époque, comme les empereurs de Chine et du Japon, le pharaon était considéré comme un dieu, le propre fils de Râ, le dieu-soleil. Son titre le plus fréquent était " dieu bon ". Une autre appellation était " per-ō " qui a pour sens premier " la grande maison " et qui désignait à l'origine le palais royal. Plus tard, le mot désigna le gouvernement royal, toujours associé au palais (de même, les Turcs appelaient leur gouvernement " la Haute Porte ".) C'est ainsi que le mot " pharaon " finit par signifier le maître souverain de l'État égyptien, le roi. Les pharaons s'entouraient d'une cour nombreuse. La liste des titres portés par les courtisans serait interminable. Les inscriptions des tombeaux nous apprennent que servir à la cour était un grand honneur pour les membres des classes dirigeantes. On rencontre sans cesse des formules comme celle-ci : " Il a servi le roi dans sa maison, il a vécu aux pieds de son seigneur, il était plus cher au roi que toute l'Égypte ".

Dès la plus haute antiquité, les amours des rois et des reines jouèrent un rôle important dans la vie de la cour. Le titre officiel d'une favorite était : " le grand amour qui nourrit de sa poitrine le dieu — c'est-à-dire le pharaon — le maître de l'Égypte du Nord et du Sud, celle dont Horus a touché la peau ". En témoignage de reconnaissance envers sa favorite, le roi lui offrait habituellement un riche tombeau. Une maîtresse royale était pourtant toujours une grande dame, l'épouse d'un Égyptien de haut rang. L'étiquette était très stricte à la cour des pharaons; par exemple le roi faisait un très grand honneur aux hauts personnages de sa cour lorsqu'il leur permettait de baiser son pied royal.

Les courtisans devant le pharaon.

Lorsque les courtisans paraissaient devant le pharaon, " ils levaient les bras en témoignage de respect, ils se réjouissaient et baisaient la terre devant son beau visage ". Et lorsque le " dieu bon " prenait une décision, les courtisans avaient coutume d'exprimer leur admiration devant la sagesse du roi, " de louer leur seigneur en embrassant la terre, en se traînant sur le ventre devant lui et en poussant des exclamations de joie ".

Sous le Nouvel Empire, il semble que ce " baiser à la terre " fut supprimé pour les prêtres et autres personnes haut placées et ne resta en usage que pour les serviteurs et les gens de moindre importance encore. Ceux qui n'étaient plus astreints à se coucher par terre faisaient au pharaon d'humbles révérences, laissaient les bras pendre à leurs côtés ou les élevaient comme pour la prière. Interpeller le roi était tout à fait contre les règles — on osait à peine ouvrir la bouche en sa présence. On ne parlait au roi qu'après une longue adresse préliminaire telle celle-ci par exemple : " O toi qui ressembles à Râ dans tout ce que tu entreprends! Tout ce que ton cœur désire devient réalité. Lorsque tu souhaites quelque chose pendant la nuit, ton souhait est réalisé au lever du jour. Nous avons assisté à tous tes merveilleux exploits depuis ton couronnement. Existe-t-il quelque chose que tu ignores? Lorsque tu dis à l'eau : " Monte au sommet de la montagne! " l'océan va où tu lui ordonnes d'aller. Tu vivras éternellement, et nous obéirons à tous tes commandements, ô roi, notre seigneur ! "

A cette époque comme aujourd'hui, le harem des souverains orientaux était, avec ses épouses rivales, ses princes, ses princesses et tous leurs favoris ambitieux, un véritable nid d'intrigues. La plupart des drames qui s'y jouèrent ne furent connus que de leurs acteurs mais quelques-uns sont cependant passés à la postérité. C'est ainsi que nous connaissons un de ces événements qui eut lieu sous la sixième dynastie. Le puissant roi Pépi I avait un confident très cher; ce courtisan fit graver ce qui suit sur les murs de sa tombe, avec le reste de sa biographie : " A l'époque où des mesures légales furent prises en secret contre Hetes, la grande épouse du roi, Sa Majesté me confia l'interrogatoire — à moi seul car j'étais cher au cœur de Sa Majesté et Sa Majesté prenait plaisir à ma compagnie. C'est moi qui ai rédigé le procès-verbal, moi seul, avec un seul autre juge. Jamais encore, une personne de mon rang n'avait pu apprendre les secrets du harem royal ".

Des récits plus circonstanciés des dernières années du règne de Ramsès III nous sont parvenus par la même voie. Ils parlent d'une grande conspiration dans le harem du pharaon. Cette fois encore, le roi évita de confier l'ennuyeuse procédure pénale aux juges habituels; il nomma un tribunal d'exception, composé d'hommes de confiance et investit cette cour de pouvoirs illimités sur la vie des coupables. On a retrouvé des notes sur papyrus racontant le déroulement des audiences; ces mêmes minutes étaient probablement destinées aux archives royales. Il en ressort que l'une des épouses royales avait conspiré avec d'autres femmes du harem pour renverser le pharaon, alors vieux et malade, dans le but sans doute de placer son propre fils sur le trône. Les conjurés avaient gagné à leur cause la plupart des courtisans jusqu'au premier camérier et au premier échanson du pharaon. Mais le plus grave était que le commandant des troupes égyptiennes en Nubie était également compromis dans la conjuration. Sa sœur, qui appartenait au harem de Ramsès,

*Une dame
du harem
à sa toilette.*

l'avait persuadé de participer au complot. Malgré toutes les précautions, le roi eut vent de l'affaire. Il eut bientôt en mains la longue liste des traîtres et tous, hommes et femmes, furent jetés en prison. Comme nous l'avons vu, le pharaon nomma une cour spéciale pour juger " la honte du pays " (c'est ainsi que les accusés sont appelés dans l'un des rapports écrits). Dans ses instructions aux juges, le roi, qui désirait éviter toute publicité superflue, écrit ceci : " J'ignore tout des mots qu'ont prononcés les accusés! Faites votre enquête! Que ceux qui ont le privilège de mourir de leurs propres mains meurent sans que j'en sache rien! Et que les autres coupables subissent leur châtiment sans que j'en sache rien non plus! ". Donc : surtout pas de scènes à sensation! Des verdicts prononcés à huis-clos, quelques suicides sans tapage et quelques exécutions discrètes, et puis voilà!

Les procès-verbaux des audiences sont courts et concis. D'un groupe d'accusés de moindre importance, ils disent par exemple : " Les épouses de quelques gardiens du harem qui avaient été complices de leur mari pendant la conspiration ont comparu devant le tribunal. Leur complicité fut établie et leur châtiment fut appliqué : six femmes ".

Plus loin, le protocole parle du prince que l'on voulait placer sur le trône à la place du vieux pharaon : " Il fut conduit devant le tribunal car il s'était joint à sa mère lorsque celle-ci se mit à comploter avec les autres femmes du harem. Il fut entendu, reconnu coupable et on lui laissa le soin de mettre lui-même un terme à sa vie ".

Avant la fin du procès, il se passa quelque chose qui montre éloquemment quelle dégradation attaquait déjà la société égyptienne à cette époque. Deux des juges, hommes de confiance du roi, durent soudain être jetés en prison. Ils étaient devenus de très bons amis des accusées et d'un autre membre important du complot et ils avaient organisé une petite orgie avec ces dames. Ils furent condamnés à l'ablation du nez et des oreilles.

Le droit dans l'Égypte ancienne

Un seul recueil de lois de l'Égypte ancienne est parvenu jusqu'à nous; il est en outre très incomplet. Il s'agit d'une inscription sur une énorme pierre commémorative que fit élever à Karnak le premier roi de la 19e dynastie, Horemheb. Hélas, et c'est le cas pour beaucoup d'autres pierres, le texte est si endommagé qu'aucun paragraphe ne nous est parvenu dans sa totalité.

Horemheb voulait surtout mettre fin aux abus de pouvoir des fonctionnaires et des soldats dans la perception des impôts. Il ordonna donc des peines sévères : elles allaient de " cent coups de bâton devant provoquer cinq blessures ouvertes " à l'ablation du nez et à l'exil dans la cité des sans-nez.

On a retrouvé de nombreuses minutes de procès de l'ancienne Égypte, mais nous n'avons que des données incomplètes sur la nature des peines. La torture était appliquée aux grands suspects pour leur arracher des aveux. Non seulement l'échine des délinquants, mais aussi leurs pieds et leurs mains faisaient connaissance avec le bâton. On appelait cela la "préparation à un examen complet."

Lors d'un important procès de pilleurs de tombes à l'époque de Ramsès IX, l'audience commença par la bastonnade des voleurs chez qui on avait trouvé des objets volés; ensuite, on leur enchaîna les mains et les pieds. On appliqua le même traitement à un batelier qui fut reconnu innocent par la suite. On interrogea de façon tout aussi impitoyable le fils d'un prêtre dont le père avait, de son vivant, participé au pillage des tombes. Un accusé était parfois soumis à la torture trois ou quatre fois, lorsqu'on avait des raisons de le soupçonner de mensonge.

Le châtiment d'un esclave.

La bastonnade était la peine la plus fréquente. Dans l'Égypte ancienne, comme de nos jours encore en Orient, on considérait qu'une bonne raclée était le meilleur moyen d'encourager les contribuables réticents à payer leurs impôts. Même les gens les plus haut placés n'échappaient pas toujours au bâton.

A l'école, le bâton était un moyen de correction très apprécié. " Un jeune garçon porte ses oreilles sur son dos : il n'écoute que celui qui le frappe ", déclare avec conviction un pédagogue de ce temps.

Si on la compare à celle de la plupart des autres peuples de l'Antiquité, la justice des Égyptiens était assez douce.

La haute trahison était punie par l'ablation de la langue. L'homme coupable de parjure était parfois condamné à mort, parfois on lui coupait le nez et les oreilles et on lui mettait ensuite la tête dans un carcan. Les juges qui avaient rendu un mauvais jugement subissaient également l'ablation du nez et des oreilles. Quelques délinquants politiques avaient le privilège d'éviter l'humiliation d'un procès en se suicidant. Ceci pouvait se passer en présence des juges ou dans la maison du condamné. Celui qui négligeait d'aider un homme en danger était battu et devait jeûner pendant trois jours. Le même châtiment était infligé à celui qui ne faisait pas tout ce qui était possible pour attraper un voleur. Celui qui tuait son père était d'abord mutilé puis brûlé vif. Celui qui commettait l'adultère recevait mille coups de bâton ; si une femme commettait ce délit, on lui coupait le nez. Celui qui violait une femme libre était mutilé de telle façon qu'il lui devenait impossible de récidiver. Celui qui faisait de la fausse monnaie, falsi-

Des débiteurs traînés devant le juge par leurs créanciers.

fiait des documents ou fraudait sur le poids des marchandises perdait la main droite ou les deux mains.

Celui qui se rendait coupable d'une fausse accusation recevait la punition qui aurait été infligée à l'accusé si la plainte avait été fondée.

L'exil était un châtiment sévère. A l'extrême nord-est du pays, sur la frontière palestinienne, se dressait une forteresse où l'on déportait, après leur avoir coupé le nez, les fonctionnaires coupables de violences envers leurs subordonnés. A l'extrême sud, en Éthiopie, se trouvait un autre camp de déportation ; les détenus mutilés travaillaient dans les mines d'or. Cette Sibérie égyptienne inspirait une telle terreur que le serment déposé par les témoins devant le tribunal était souvent formulé ainsi : " Si je mens que l'on me mutile et m'envoie aux mines d'Éthiopie ! ". D'autres formules de serment étaient : " Si je mens, je ne veux plus manger ni boire mais mourir ici ", ou encore " Si je ne tiens pas ma parole, jetez-moi au crocodile ".

Lorsqu'on parle du droit et de la procédure pénale de l'Égypte ancienne, il ne faut naturellement pas oublier qu'il s'agit d'une histoire de trois millénaires, une période très longue dans le développement d'un peuple. Quels énormes changements notre culture et notre conception de la vie n'ont-elles pas connus entre les croisades et le siècle de la vapeur et de l'électricité. Et pourtant, cette période n'est pas plus longue que celle qui sépare le début de l'Ancien Empire du début du Moyen Empire.

Le culte des animaux chez les anciens Égyptiens

A l'origine, les Égyptiens considéraient comme sacrés quelques animaux seulement, bien particuliers, auxquels ils adressaient des prières; mais pendant la période de décadence qui commence avec la chute du Nouvel-Empire, lorsqu'un animal était tenu pour sacré, tous les animaux de même race l'étaient aussi. Ceci explique les très nombreux animaux embaumés (ils vont du singe au hanneton) que l'on a retrouvés dans les tombes creusées dans le roc ou dans le sable autour des sépultures des hommes.

Le loup chevrier et le chat gardeur d'oie; les histoires d'animaux et les fabliaux existaient déjà dans la littérature égyptienne; bon nombre de papyrus en témoignent.

On a retrouvé aux environs de Sakkara d'innombrables momies de chats; il y en avait de telles quantités que les paysans de la région les ont employés comme fumier pendant des années. L'historien Diodore, qui vécut au début de notre ère, dit que " les Égyptiens aiment tellement leurs chats qu'ils les emmènent en voyage même s'il leur faut pour cela laisser des bagages indispensables à la maison ". Aujourd'hui encore, le chat est sacré au pays du

Nil. Cet amour des chats provient peut-être en partie de ce qu'il tient à distance les scorpions et les serpents et attrappe les rats et les souris. Un autre animal qui protégeait les maisons contre les rats et les serpents était le chat-pharaon, fort semblable à une martre; c'était le seul animal qui osait défier le crocodile et il était considéré comme sacré pour cette raison. Le plus important des nombreux animaux sacrés de l'Égypte était le taureau Apis, incarnation du dieu Ptah. A quoi reconnaissait-on l'Apis? Il était noir avec une tache blanche en forme de carré sur le front; sur le dos, il portait la marque d'un aigle blanc aux ailes déployées et, au flanc droit, une tache en croissant de lune. Il avait sous la langue une excroissance en forme de scarabée. Son temple le plus important se trouve à Memphis où il résidait dans le sanctuaire du dieu Ptah. La mort du taureau Apis était un deuil national pour l'Égypte; ce deuil ne cessait que lorsqu'on avait découvert un autre Apis. Le peuple entier jeûnait, s'abstenait de bains et de rapports conjugaux. Le cadavre du taureau était embaumé et déposé en grande pompe dans une hypogée. Lorsqu'on avait trouvé un autre taureau possédant les vingt-neuf signes sacrés, le nouvel Apis était embarqué au milieu de grandes festivités sur une gondole dorée et consacrée qui l'emmenait à Memphis; le deuil national faisait place aux réjouissances dans toute l'Égypte.

Les babouins étaient d'autres animaux sacrés; les anciens Égyptiens les représentaient toujours comme des adorateurs du soleil. Entre 1830 et 1840, un égyptologue anglais découvrit dans un ravin rocheux de la cité des morts, en face de Thèbes, une tombe remplie de singes momifiés; cette tombe fut découverte une seconde fois par la suite. On y trouva diverses momies et quelques restes de squelettes de singes. Davis découvrit une autre tombe de singes dans la Vallée des Rois. Cinq momies très bien conservées y gisaient côte à côte.

Dans certaines régions, des animaux aussi peu attirants que les serpents et les crocodiles étaient tenus pour sacrés. C'est probablement sous l'empire de la crainte que les Égyptiens révéraient le crocodile, le terrible Léviathan, comme est appelé le monstre du Livre de Job.

Un haut-lieu du culte du crocodile était la fertile Fayoum. Là se dressent les ruines de l'ancienne Crocodilopolis (" la ville du Crocodile ") où l'on adorait Sobek, le dieu des eaux à tête de crocodile. Sous la douzième dynastie Sobek y avait déjà son temple, tout près du lac Méri où vivaient les crocodiles qui lui étaient consacrés. Ces ruines sont les plus importantes ruines urbaines de toute l'Égypte.

Dans plusieurs régions, on a retrouvé de grandes tombes destinées à ces reptiles. Dans la célèbre " grotte des crocodiles ", à peu de distance d'El-Amarna, on a compté jadis les momies de crocodiles par milliers.

Pour les anciens Égyptiens, être dévoré par un crocodile sacré était la façon la plus enviable de perdre la vie. Celui qui était haché menu par les mâchoires du reptile était appelé avec une certaine envie " l'enfant chéri du dieu. " Souvent, l'un des monstres attrapait de petits enfants sur la rive. Et les mères des malheureuses petites victimes étaient heureuses " qu'ils aient été jugés dignes de servir de repas au dieu. "

Celui qui tuait un animal sacré, volontairement et en connaissance de cause, devait payer son crime de sa propre vie. Si la victime était un chat ou un ibis, le coupable devait mourir, même s'il avait tué par accident, involontairement. L'historien grec Diodore donne un exemple frappant du fanatisme avec lequel le peuple protégeait les chats sacrés et les vengeait à l'occasion. Un Romain avait causé la mort d'un chat sans l'avoir le moins du monde désiré. Le peuple se réunit, prit d'assaut la maison où résidait " l'assassin " et le battit à mort.

Le culte des animaux atteignit son point culminant pendant la période saïte et les périodes postérieures.

Le très érudit père de l'Église, Clément d'Alexandrie, parlant du culte des animaux chez les Égyptiens, s'émerveille devant leurs " temples splendides où scintillent l'or, l'argent, l'ambre et les pierres de l'Inde et de l'Éthiopie ". Mais lorsqu'on pénètre au cœur du sanctuaire, un des prêtres ouvre un rideau en psalmodiant un chant de louanges et nous fait rire devant l'objet de son pieux respect. Car on ne trouve pas dans ce sanctuaire le dieu que l'on aurait tant voulu y contempler, mais un serpent ou un chat, un crocodile ou une autre bête répugnante. C'est ainsi que le dieu des Égyptiens se révèle à nos yeux : un monstre qui se vautre sur des tapis de pourpre ".

Diodore raconte encore comment les animaux sacrés sont nourris " des mets les plus fins, de délectables patisseries, de gâteaux de miel, d'oie bouillie ou rôtie ". De temps en temps, leurs saintetés peuvent prendre un bain chaud ; après le bain, " on les oint des parfums les plus délicats, on fait brûler de l'encens tout autour d'eux ".

" On attache aussi beaucoup d'importance ", poursuit l'historien grec, " à la satisfaction de leurs besoins naturels. Pour chaque mâle, on réserve quelques petites femelles, les plus belles de leur race, et on les appelle " les maîtresses du dieu ".

Les peintures murales nous montrent aussi le culte des animaux des temples. Nous y voyons souvent des prêtres qui prient les animaux. Ils prient debout ou agenouillés. Parfois même, ils se prosternent dans la poussière aux pieds de l'animal divin.

La théologie memphite, sommet de la pensée religieuse pré-hébraïque

Le culte des animaux était surtout pratiqué à l'usage du peuple. Les théologiens égyptiens ne s'en préoccupaient pas ; ils étaient tout à la recherche du principe initial de la vie, de l'intelligence qui sous-tend l'univers. Le monothéisme d'Ankhénaton put s'appuyer sur de très vieilles doctrines. Nous n'en voulons comme preuve qu'une copie de la *Théologie memphite*, dont l'original remontait au début de l'Ancien Empire. On y trouve un exposé de la genèse du monde. Au début, il n'y aurait eu qu'un néant sans forme, liquide, plongé dans les ténèbres. Le dieu créateur Atoum (ce qui signifie " Le Tout-en-lui-même ") projeta la vie dans l'univers, en organisa les phénomènes physiques et conçut toutes les créatures.

La *Théologie memphite* parle du *cœur* et de la *langue* qui présidèrent à la création, parce que, selon les Égyptiens, le cœur était le siège de la pensée. Nous dirions l'intelligence ou le Verbe.

" C'est le cœur qui engendre les concepts accomplis et la langue qui annonce la pensée du cœur. Ainsi tous les dieux prirent naissance. En vérité, l'ordre divin se réalisa parce que le cœur pensa et que la langue ordonna...

" Ainsi justice fut rendue à celui qui faisait ce qui était désiré, et châtiment infligé à qui faisait ce qui n'était pas désiré. Ainsi la vie fut donnée à celui qui a la paix en lui, et la mort à celui qui a le péché en lui. Ainsi furent créés toute activité et tous métiers, l'action des bras, le mouvement des jambes, et l'activité de toutes les parties du corps conformément aux ordres conçus par le cœur et réalisés par la langue, ce qui donne sa valeur à toute chose ".

Ce texte étonnant prend toute sa signification, lorsqu'on se rappelle que la *Théologie memphite* précède de deux mille ans la civilisation hébraïque.

LA LITTÉRATURE ET LA PHILOSOPHIE DES ANCIENS ÉGYPTIENS

La littérature des anciens Égyptiens nous est beaucoup moins bien connue que leur art. Comment pourrait-il en être autrement? Qui dit littérature, dit papyrus et une fragile feuille de papyrus ne résiste pas au temps aussi bien que la pierre.

Des textes égyptiens sont cependant parvenus jusqu'à nous en quantité suffisante pour nous donner une idée de la richesse et de la variété de cette littérature.

Commençons par le commencement, c'est-à-dire par les manuels scolaires.

Les manuels scolaires

Ils témoignent d'une pédagogie très matérialiste. On y loue sur tous les tons les avantages matériels que le savoir apporte aux gens instruits. Ces écrits passent presque entièrement sous silence la valeur intrinsèque de la culture. Ils sont remplis de menaces et d'avertissements aux écoliers indociles qui " s'enfuient de l'école comme des poulains nerveux et jettent leurs livres aux orties " pour devenir soldats ou paysans ou, dans bien des cas, il est malheureux de devoir l'avouer, " pour courir à la recherche de tous les plaisirs ". Ils " traînent d'une rue à l'autre, attirés par l'odeur de la bière et travaillent à leur propre perte ". Ils fréquentent les auberges, y restent à jouer et à chanter " plutôt que d'étudier les glorieux poèmes historiques et religieux de leurs ancêtres ".

Parfois, le pédagogue menace ces garnements du fouet en peau d'hippopotame, parfois, il les adjure de prendre exemple sur lui-même. " Lorsque j'étais jeune comme toi, écolier comme toi, je dus rester les mains liées pendant trois mois; cela m'a discipliné les membres. Lorsqu'on me délivra de mes liens, je fis tout beaucoup mieux qu'auparavant. Je devins le premier de mes camarades, j'étais le plus fort en lecture et en écriture ".

Quel but poursuivaient les écoles? Éduquer l'élève pour en faire un " scribe ", c'est-à-dire un fonctionnaire, car la situation stable et sûre du " scribe " était l'idéal des Égyptiens.

Ils avaient, depuis la plus haute Antiquité, le respect du savoir, pas tellement pour le savoir lui-même, mais parce que le scribe, homme instruit, exerçait l'autorité sur toutes les autres classes de la société. Le scribe avait la possibilité agréable d'occuper une fonction de l'État alors que tous les autres devaient travailler à la sueur de leur front. "Le pauvre homme ignorant, dont personne ne connait le nom, est comme un âne lourdement chargé, poussé par le scribe, dit un des sages de l'ancienne Égypte. Le savant instruit est repu grâce à son savoir. Comme sa vie est heureuse comparée à celle du paysan! Lis et vois ce qui arrive à celui qui doit vivre de la terre : Le ver a détruit la moitié de sa récolte et l'hippopotame l'autre moitié. Les champs grouillent de souris, les sauterelles sont tombées sur la terre, les moineaux volent les graines. Malheur au paysan! Puis, le scribe arrive pour percevoir l'impôt. Ses serviteurs ont des bâtons. " Donnenous du grain! ", disent-ils. S'il n'y a pas de grain, ils battent le paysan et le jettent en prison. Sa femme et ses enfants sont enchaînés sous ses yeux. "

Un manuel scolaire donne également une description effrayante de la vie de soldat comparée à celle du scribe. Dès sa prime jeunesse, le militaire reçoit des coups de bâton : " On le couche par terre et on le bat comme s'il était du papyrus ". Puis viennent les campagnes dans le désert et dans les montagnes! " Il doit coltiner son pain et son eau sur son dos, comme un âne porte sa charge. Il ne boit que de l'eau pourrie. Face à l'ennemi, il est comme un oiseau pris au piège. Lorsqu'il revient à la maison, il est comme un arbre rongé par les vers. Il est malade, il doit rester couché. On lui a volé ses vêtements et ses serviteurs se sont enfuis. " Pour accéder à l'enviable situation de scribe, le jeune homme doit savoir se faire aimer de ses supérieurs. Ceci est le leitmotiv de presque toutes les " doctrines de la sagesse " apprises à l'école.

Mais les manuels contiennent également des textes d'une plus haute valeur morale qui dépassent de loin cette sagesse scolaire. Selon l'ancienne littérature, la maîtrise de soi était une qualité fort prisée en Égypte. Depuis les temps les plus reculés, le tact et la gentillesse, même vis à vis des ingrats, étaient considérés comme un devoir.

Les livres de la sagesse
Les premiers sages

L'un des premiers ouvrages de la littérature égyptienne est une " doctrine de la sagesse " qui aurait était écrite par un vizir du dernier roi de la troisième dynastie. L'œuvre n'est certes pas si ancienne, mais elle est cependant d'un âge respectable.

Ce sage apprécie avant tout l'intelligence pratique. Il faut garder le sens de la mesure, dit-il. Cela n'empêche pourtant pas que l'on puisse boire avec l'ivrogne et se mettre à table avec le noceur, si l'on sait se modérer — car il ne faut pas choquer les gens qui ne partagent pas vos opinions. Il faut savoir tenir sa langue auprès de ceux qui sont incapables de garder un secret. Il ne faut pas être présomptueux car aucun homme ne sait ce que le destin lui réserve. Cet homme sage conclut en disant que le jeune homme qui suivra ses conseils fera une brillante carrière. Voilà la " sagesse " de ce temps. Elle ne dépasse pas les contingences pratiques et la façon de réussir en se faisant des amis.

Un autre sage célèbre sous l'Ancien Empire était un vizir de la cinquième dynastie, du nom de Ptahhotep. Écoutons-le. " Lorsque tu es invité à un repas chez un homme qui est ton supérieur, prends ce qu'on t'offre. Ne fixe pas du regard les plats que ton hôte garde devant lui, occupe-toi de ce qu'il y a dans ta propre assiette ". S'il n'en était pas ainsi, l'hôte pourrait se fâcher !

" Tiens les yeux baissés jusqu'à ce qu'il plaise à ton hôte de te saluer, et ne parle que lorsqu'il t'adresse la parole. Ris quand il rit. Cela plaît à son cœur et il appréciera ton comportement. Si tu veux conserver l'amitié d'une famille qui te reçoit, garde-toi d'approcher les femmes de la maison. Les femmes ont causé la perte de milliers d'hommes. On est ensorcelé par leurs corps brillants, mais après le court instant de bien-être, elles ont perdu toute beauté : une seule minute de jouissance puis vient la mort qui est la fin de tout ! "

" Lorsque tu seras arrivé à l'aisance, marie-toi et aime ta femme plus que tout au monde. Donne-lui de la nourriture en abondance et de beaux vêtements — ce sont des remèdes pour son corps. Frotte-la de baumes parfumés et rends-la heureuse jusqu'à sa mort. La femme est un bon champ pour son propriétaire ".

" Si tu deviens riche et puissant après avoir été pauvre et insignifiant, n'oublie pas le passé ! Ne te fie pas à tes trésors qui sont un don de dieu. Il peut t'arriver la même chose qu'à ceux qui de riches devinrent pauvres car tu n'es pas meilleur qu'eux ".

Le livre de la sagesse d'Amenemope

Une autre doctrine de la sagesse qui date probablement du XXe siècle avant J. C., ou d'une époque un peu postérieure, présente un intérêt tout particulier. Nous avons ici à faire à l'un des monuments le plus remarquable de la culture égyptienne. L'ouvrage, conservé au British Museum depuis 1888 et publié en 1925, fut particulièrement difficile à traduire car nous ne possédons qu'une mauvaise copie du texte original.

L'auteur, Amenemope était un fonctionnaire relativement haut placé qui portait le titre de " scribe royal des blés ". Ceci donne à penser que les impôts étaient perçus sous forme de blé, qu'il existait partout des silos à blé appartenant à l'État et qu'un corps de fonctionnaires aux effectifs nombreux était chargé d'assurer les fournitures à ces magasins.

Amenemope écrivit son livre pour " son fils, le plus jeune de ses enfants " ; il lui donne des règles de vie utiles pour ses futurs rapports sociaux, mais aussi des leçons de morale afin que le jeune homme puisse échapper au mal et vivre heureux sur cette terre. Son père lui recommande surtout la modestie et la sensibilité : " Tends la main à l'homme que l'on provoque et, si la main de Dieu l'abandonne, nourris-le de ton pain ! Tu plairas à Dieu si tu réfléchis avant de parler à un homme en colère. Sois donc calme en présence de tes adversaires et incline-toi devant celui qui t'offense. Laisse s'écouler une nuit avant de lui parler ! Car il est comme une bourrasque, il va de l'avant comme le feu dans la paille ".

" Ne tire pas vengeance de celui qui te hait! Tu ignores les desseins de Dieu! Repose-toi sur le bras de Dieu et ton humilité et ta douceur abattront tes ennemis ".

" Ne convoite pas le bien d'autrui, mais sois juste dans tout ce que tu entreprends! Dieu offre le sens de la justice à ceux qu'il aime. "

" Sois bon lorsque tu perçois les impôts et n'emploie pas de mesures falsifiées lorsque tu pèses le blé; ainsi tu pourras dormir en paix et te sentir joyeux le lendemain matin. Mais ne te laisse pas tromper par le paysan et ne tripote pas à son avantage la liste des impôts lorsqu'il veut tricher sur sa contribution ".

" Ne déplace aucune borne lorsque tu mesures un champ, ne touche pas aux bornes du champ qui appartient à une veuve. Celui qui se rend coupable d'un tel acte est un oppresseur des faibles. Sa grange doit être détruite, ses biens doivent être enlevés à ses enfants et donnés à un autre homme. Ne convoite pas le bien du pauvre, n'apaise pas ta faim avec son pain. Les biens du pauvre sont amers à la gorge. Un boisseau de grain que Dieu te donne vaut mieux que cinq mille boisseaux arrachés par la violence. Ce blé-là pourrit dans la grange et ne rassasie pas. Un peu de pain chaque jour et un cœur content vaut mieux que la richesse et le remords. Ne recherche donc pas la fortune et ne te plains pas de la pauvreté! Le navire d'un homme avide et insatisfait est coulé par la tempête, mais le petit bateau d'un homme heureux jouit d'un vent favorable ".

" Sois pitoyable envers les pauvres et les étrangers! Si tu n'éloignes pas l'étranger de ta cruche d'huile, le contenu de cette cruche doublera plusieurs fois. Si tu possèdes un bac, exige le prix du passage de celui qui peut payer, mais ne réclame rien au pauvre. Dieu préfère celui qui honore le pauvre à celui qui porte aux nues les puissants de la terre ".

" Sois plein d'attentions envers tes semblables : ne ris pas de l'aveugle, ne te moque pas du nain, ne fais pas de mal au paralytique! Ne te moque pas d'un homme qui est dans la main de Dieu et ne sois pas grossier avec lui si, par hasard, il te choque. L'homme est fait de paille et d'argile, et Dieu est l'architecte. Chaque jour, il détruit et il construit, il appauvrit des milliers d'hommes, mais élève des milliers d'autres pour les faire régner sur leurs semblables. Sois donc humble! Celui qui courbe l'échine ne se brise pas les reins."

Le père recommande la loyauté : " Ne te vante pas auprès d'un autre homme. Dieu a cela en horreur. Ne sépare pas ton cœur de ta langue et tous tes projets réussiront, ton prochain te fera une bonne réputation et Dieu te protègera de sa main. Dieu hait l'hypocrite; rien ne lui déplaît plus que l'homme qui possède deux langues. Mais ne laisse pas non plus les autres lire dans ton cœur comme ils le veulent et ne te départis jamais de ta dignité! Ne sois pas l'ami du bavard! L'homme qui garde un secret dans son cœur est plus grand que celui qui le raconte partout et crée ainsi du malheur. "

Le vieux sage a une opinion typiquement égyptienne des rapports entre supérieur et subordonné : " Laisse ton supérieur te frapper et garde ton poing sur tes genoux; laisse-le t'insulter sans répondre un seul mot. Lorsque tu paraîtras devant lui le lendemain, il te donnera du pain d'une main généreuse. "

Par certains aspects, Amenemope fait penser à ses prédécesseurs. Mais chez les anciens, cet arrière-plan religieux qui est la base des conseils d'Amenemope manque presque entièrement. Le sage ne cesse de mettre en avant la volonté de Dieu et, ce qui est très important, il ne parle pas d'un dieu particulier, mais de Dieu en général, d'un être infini et moral dont il se sent dépendre et envers qui il se sent responsable.

Les plus anciens contes du monde

Aujourd'hui encore, les Égyptiens disposent d'un trésor de légendes et ils ne se lassent pas d'écouter leurs conteurs. Ces légendes montrent beaucoup d'analogie avec les célèbres contes arabes des " Mille et Une Nuits ". On serait donc tenté de croire que les Égyptiens doivent leurs légendes aux Arabes qui ont conquis leur pays. Ce ne fut pourtant pas le cas. Ils tiennent cette littérature de leurs propres ancêtres.

Le naufragé

Ce conte, une de plus anciennes légendes égyptiennes eut autrefois autant de succès auprès de la jeunesse que n'en a aujourd'hui l'histoire de Sinbad le Marin. Le héros, un marin, raconte lui-même comment il partit sur un grand navire vers le pays où se trouvaient les mines de cuivre du pharaon. " L'équipage, dit-il, se composait de cent vingt marins d'Égypte parmi les meilleurs. Le lion lui-même n'avait pas le cœur aussi courageux que ces marins ". Mais une terrible tempête se leva, le navire chavira et notre narrateur fut le seul survivant. Il avait pu s'accrocher à une planche et après trois jours de dérive, il aborda sur une île. Il y poussait quantité de fruits délicieux et le naufragé put apaiser sa faim. " Mais soudain ", raconte-t-il, " j'entendis un bruit de tonnerre, comme celui d'une vague géante. Les arbres s'abattirent sur le sol, la terre se mit à trembler et j'eus si peur que je me cachai la tête dans les mains. Lorsque je jetai enfin un regard aux alentours, je vis un grand serpent qui venait vers moi. Son corps brillait comme l'or au soleil ".

Le serpent prit le naufragé dans sa gueule et l'emmena dans sa caverne, sans lui faire aucun mal. Il parla amicalement au naufragé et lui dit qu'il devait rester quatre mois dans l'île, car tel était le bon plaisir des dieux. S'il supportait patiemment son sort pendant ces quatre mois, un navire viendrait d'Égypte et le reconduirait auprès de sa femme et de ses enfants.

A ces mots, le marin fut si heureux qu'il promit au serpent de demander au pharaon d'envoyer dans l'île un navire chargé de tous les trésors de l'Égypte. Mais le serpent éclata de rire et lui répondit : " Tu ne peux rien me donner de ce que je convoite, car je suis le roi du Pount. Tous les trésors odorants de ce pays sont à moi. Et, de plus, cette île s'engloutira dans la mer dès que tu l'auras quittée ".

Lorsque les quatre mois furent écoulés, un navire égyptien arriva dans l'île, ainsi qu'il avait été dit. L'aimable serpent prit congé du marin, lui souhaita bon voyage et lui offrit une pleine cargaison de myrrhe, d'huile parfumée, de canelle, d'ivoire, de fourrures, de lévriers, de singes et bien d'autres trésors. Le marin revint en Égypte sans encombre.

Le conte du prince condamné à mort

Ce récit est postérieur au précédent, il date d'environ 1500 ans avant J-C. Il y est question du merveilleux pays de Mésopotamie que les Égyptiens commençaient à connaître à cette époque, grâce aux expéditions de Thoutmosis III. Ce pays devint un pays de légendes, comme l'Inde le fut pour les hommes du XVIe siècle. L'histoire du prince condamné se rattache étroitement, comme nous le verrons, à plusieurs de nos légendes populaires. Quel long chemin elles ont parcouru! En combien de langues ont-elles été traduites avant d'atteindre l'Europe Occidentale! Voici le récit en question!

" Il était une fois en Égypte un roi qui n'avait pas de fils. Il en était très affecté et il priait les dieux de lui envoyer un fils. Après quelque temps, un fils lui fut donné. Trois fées vinrent le voir dans son petit berceau et, dès qu'elles virent le bébé, elles déclarèrent : " Son destin est de mourir à cause d'un crocodile ou d'un serpent ou d'un chien ".

Lorsque le roi entendit cette prédiction, il eut très peur pour le petit prince et il décida de l'emmener en un lieu où rien ne pourrait lui arriver. Il lui fit donc construire un château en plein désert. Quelques serviteurs de confiance reçurent la mission de veiller à ce que l'enfant ne quittât pas le château. Le prince grandit donc en toute tranquillité et en toute sécurité dans sa maison du désert.

Mais un beau jour, le jeune garçon vit un homme suivi d'un lévrier qui ne le quittait pas d'une semelle. Il demanda à l'un des domestiques : " Quel est cet animal qui court sur le chemin derrière cet homme? " " C'est un lévrier ", répondit le serviteur. Le garçon dit alors : " Fais en sorte que j'aie aussi un chien ". Le serviteur alla trouver le roi et lui apporta les paroles du jeune prince. Le roi lui dit : " Trouve un petit chien et apporte-le à mon fils de peur que son cœur ne s'attriste! " Le prince reçut donc un petit chien qui grandit avec lui.

Mais lorsque le petit garçon fut devenu un robuste jeune homme, il en eut assez de vivre cloîtré dans sa merveilleuse maison et il envoya un courrier à son père avec ce message : " Pourquoi m'enfermes-tu ici? Les fées ont prédit mon destin. Laisse-moi au moins jouir un peu de la vie! Dieu agit comme bon lui semble! " Le roi accéda au désir de son fils, lui donna un cheval, un char et toutes sortes d'armes et lui dit : " Va où tu veux! "

Le prince se dirigea tout d'abord vers la frontière orientale de l'empire et de là, il piqua à travers le désert en direction du nord, toujours suivi de son chien fidèle. Il arriva enfin en Mésopotamie.

Le roi qui régnait sur ce pays avait une fille unique, d'une beauté éblouissante, et il lui avait fait bâtir un palais sur un rocher escarpé, à une hauteur de cinquante mètres.

Ensuite, il avait convoqué tous les princes de la Syrie et leur avait dit : " Celui qui pourra arriver à la fenêtre de ma fille la recevra en mariage ". Alors, tous les jeunes princes avaient dressé leur tente aux environs du château de la belle princesse et chaque jour, ils essayaient de grimper jusqu'à sa fenêtre. Mais aucun n'y parvint — la roche était trop haute et trop escarpée. Mais un jour qu'ils tentaient leur chance comme à l'ordinaire, le prince d'Égypte arriva sur son cheval, son chien à sa botte. Les autres princes saluèrent le fier jeune homme et lui demandèrent d'où il venait. Comme il préférait leur cacher qu'il était le fils du pharaon, il répondit : " Je suis le fils d'un officier égyptien. Ma mère est morte et mon père s'est remarié. Ma belle-mère me déteste et m'a forcé à quitter la maison ". Les jeunes princes invitèrent alors le nouveau venu à se joindre à eux.

Ils lui racontèrent pourquoi ils essayaient d'escalader la roche. A ces mots, l'étranger voulut aussi tenter sa chance. Et, ô surprise, il atteignit la fenêtre de la princesse; lorsqu'elle le vit, elle fut si charmée de sa belle tournure qu'elle l'étreignit et lui donna des baisers.

Lorsque le roi apprit que l'un des jeunes gens avait réussi l'épreuve imposée, il demanda, avant toute autre chose, de quel prince il s'agissait. Et le messager répondit : " Le vainqueur n'est pas un prince, mais le fils d'un officier égyptien que sa belle-mère a chassé de la maison paternelle ". Le roi fut indigné et dit : " Devrai-je donner ma fille à un fugitif égyptien? Renvoyez-le dans son pays! " Mais lorsque les messagers du roi voulurent ordonner au jeune homme de s'en aller, la princesse le serra sur son cœur et dit : " Par Râ-Harakte! Si vous voulez le prendre, je ne mangerai ni ne boirai plus jamais. Je me laisserai mourir."

Lorsque ces paroles furent rapportées au roi, celui-ci envoya quelques hommes avec mission de tuer le jeune homme sous les yeux de la princesse. Mais elle leur dit : " Si vous le tuez, je serai morte aussi avant le coucher du soleil. Je ne veux pas lui survivre une seule minute. Dans une telle situation, le roi fut bien forcé de donner son consentement à leur mariage. Le jeune prince égyptien épousa la princesse et le père de celle-ci offrit au jeune couple un palais et des esclaves, des champs, des prés et d'autres bonnes choses.

Après la noce, le prince dit à sa jeune épouse : " Je suis condamné à mourir par la faute d'un crocodile, d'un serpent ou d'un chien ". " Alors ", répondit la princesse, " pourquoi gardes-tu toujours ce chien auprès de toi? Fais-le tuer! " " Non ", répondit-il, " je ne veux pas tuer mon chien fidèle, je l'ai reçu de mon père alors qu'il n'était qu'un jeune chiot ". Mais à partir de ce jour-là, la princesse ne cessa de se tourmenter au sujet de son mari et ne voulut plus le quitter une seule seconde.

Quelques temps après, le prince retourna vivre en Égypte avec sa jeune femme. Son chien les accompagnait. Un soir, lorsque le prince fut endormi, un gros serpent se glissa dans sa chambre et voulut le mordre. Mais sa femme se réveilla et fit signe aux serviteurs d'apporter une coupe de lait pour le serpent; la bête but tant de ce bon lait qu'il lui fut bientôt impossible de faire un mouvement et la princesse tua le serpent d'un coup de poignard. Ensuite, elle réveilla son mari qui fut tout étonné de voir le cadavre d'un serpent tout près de lui. Et sa femme dévouée lui dit : " Regarde, Dieu t'a rendu plus puissant que l'un de ses propres arrêts de mort. Il fera de même pour les deux autres ". Et la princesse fit des offrandes à Dieu et le loua.

Une autre fois, le prince faisait une promenade sur ses terres; son chien était avec lui. Tout à coup, le chien leva du gibier et se lança à sa poursuite, suivi du prince. Ils arrivèrent sur les bords du Nil, et un gros crocodile attrapa le jeune homme, et dit : " Je suis ton destin qui te poursuit… "

Le papyrus n'en dit pas davantage et nous ne saurons jamais comment le prince échappa aux menaces du destin — car nous pouvons être certains que l'histoire a une fin heureuse.

Le récit de la grande famine de sept ans

Cette saga est gravée en hiéroglyphes sur un gros bloc de granit, dans la petite île de Séhail, sur la première cataracte; cette île est célèbre par ses centaines d'inscriptions rupestres. L'inscription en question date de l'époque ptolémaïque, mais il est possible que la légende, sous sa forme originale, soit beaucoup plus ancienne. Les événements qu'elle raconte doivent en effet s'être produits au début de la troisième dynastie, donc environ 3.000 ans avant le Christ. Ce récit fait penser aux années de famine que connut l'Égypte au temps de Joseph.

Cette catastrophe nationale fut causée par le Nil qui resta sept ans sans sortir de son lit. Le pharaon écrivit au gouverneur de la Nubie qui habitait l'île Eléphantine. Dans sa lettre, il raconte la terrible famine : " Mon cœur est attristé, car le grain manque ; il n'y a plus aucun légume, et toutes les autres denrées nécessaires à la nourriture des hommes sont épuisées. Tout le monde vole son voisin. Les hommes aimeraient marcher, mais ils n'ont pas la force de se mouvoir. L'enfant gémit car il a faim, le jeune homme se traîne et les vieillards sont brisés par le désespoir. Leurs jambes ne peuvent plus les porter, ils tombent épuisés, et dans leur douleur, ils pressent les mains contre leur ventre affamé. La faim rend les fonctionnaires impuissants et ils ne sont pas en état de donner le moindre conseil. Tout court à la ruine. Que dois-je faire ? Dis-moi : Où sont les sources du Nil ? Quel dieu veille sur elles ? Car c'est le Nil qui a toujours rempli les greniers de grain ".

Le gouverneur alla vite trouver le roi et l'aida à consulter les livres sacrés du temple ; ils y lurent que le Nil prenait sa source entre deux grands rochers de l'île Eléphantine et que le dieu qui veillait sur elle s'appelait Khnoum ; un temple lui était dédié sur cette île où il recevait les offrandes de ceux qui voulaient obtenir ses faveurs. Dès que le pharaon eut appris tout cela, il se hâta vers le temple de Khnoum, fit des offrandes au dieu et le pria. Khnoum fut alors dans de meilleures dispositions et se révéla au pharaon ; il lui dit qu'il avait envoyé la famine parce qu'on avait négligé son culte.

" Mais maintenant ", poursuivit-il, " je vais faire monter les eaux du Nil et elles seront désormais toujours abondantes ; elles sortiront de leur lit et couvriront le pays tout entier. Les plantes, les buissons et les arbres ploieront sous les fruits, et toutes les plantes se multiplieront mille fois. Le peuple sera rassasié, vraiment rassasié, et les greniers se rempliront de nouveau. Le pays d'Égypte se dorera des récoltes mûrissantes, et le pays sera plus fertile que jamais ".

En reconnaissance pour cette promesse, le pharaon offrit de grandes propriétés au temple de Khnoum et il obligea chaque paysan, chaque pêcheur et chaque chasseur de son pays à payer au sanctuaire un certain impôt ; le pharaon envoya en outre de riches cadeaux : de l'or, de l'ivoire, de l'ébène, de l'encens et des pierres précieuses.

La poésie égyptienne

Faut-il le dire? La poésie égyptienne est tout à fait différente de la nôtre. Elle ressemble aux compositions rythmiques des Hébreux, à leur parallélisme caractéristique qui nous est connu grâce aux psaumes de David et au *Cantique des Cantiques* de Salomon. Dès l'époque du Moyen Empire, la poésie connut des règles strictes. Un papyrus de l'époque de Ramsès II est en ce domaine d'une importance capitale. On y trouve surtout une discussion littéraire comprenant des termes techniques et des expressions tels que nous en lisons encore de nos jours dans des critiques. Un maître dans le noble art de la poésie parle ici; il critique un mauvais poème et que lui reproche-t-il? "Le poème est chargé de phrases pompeuses". "Les descriptions du lieu de l'action ne sont pas authentiques; on peut rapidement se rendre compte que le poète n'y a jamais mis les pieds." Par ces mots : "L'écrivain ne comprend pas l'art de la poésie", le critique résume son jugement. "Il a présumé de son talent. Ses pensées sont insignifiantes et le poème rend un son faux. La pièce fourmille de fautes".

La plus ancienne poésie égyptienne que nous connaissons consiste en chansons de travail. Au cours des temps, elles furent fredonnées par les bergers, les porteurs de chaises et les rameurs. Actuellement encore, lorsque le fellah conduit ses bœufs ou accomplit tout autre travail léger, il chante les mêmes airs monotones que 5000 ans auparavant avec ce son nasillard mélancolique qui est particulier à l'Orient.

Nous trouvons ces chants de travail très anciens dans les tombes : ils y furent gravés pour expliquer les fresques. Sous l'image d'un laboureur au travail, on lit :

Un jour merveilleux !
L'air est frais,
Les bœufs peinent,
Le ciel est bleu à souhait —
Travaillons pour le souverain.

Et pendant la moisson, le fellah chante à ses bœufs :

Battez donc, battez
O mes bœufs, battez encore
Battez la paille
Faites-en de la nourriture

Et du pain pour votre maître !
Ne prenez aucun repos — il fait frais, aujourd'hui !

Le chant des porteurs est d'un rythme plus heurté; ils coltinent de lourds sacs de grain et les chargent dans les bateaux.

Devons-nous porter tout le jour
Le blé et la blanche épeautre ?
Les navires sont pleins à ras bord,
Et le grain coule sur le quai.
Pourtant, on nous presse de travailler encore —
Vraiment, nos cœurs sont de cuivre.

Ces petites œuvres sont composées pour être chantées, pour rythmer le travail. Écrites, elles perdent une grande partie de leur charme.

La plus remarquable collection de poèmes égyptiens se trouve au British Museum, sur un papyrus qui date probablement du XIIIe siècle avant notre ère. Beaucoup des pièces qui y sont consignées sont fort antérieures à cette date.

Toutes sont des chants d'amour. L'amoureux compare l'objet de sa flamme aux plus jolies fleurs et ne se lasse pas d'exprimer la torture que lui cause l'absence de l'aimée. Le texte parait un peu simplet; il est probable que l'effet dépendait surtout de la voix du chanteur et de son habileté à s'accompagner lui-même à la harpe.

Les poèmes sont peu sentimentaux, l'auteur s'y montre réaliste et réussit parfois des expressions très plastiques. Dans un poème d'amour, la jeune fille dit au jeune homme :

O mon aimé, qu'il est doux d'aller à l'étang,
de me baigner sous tes yeux, de te montrer ma beauté,
quand ma robe du lin le plus fin, d'un lin digne d'une
* reine,*
se mouille pour épouser chaque courbe de mon corps.
Je suis dans l'eau bien avant toi
et je reviens vers toi avec un beau poisson rouge
couché dans ma main.
Viens, et regarde moi !

Et le jeune amant soupire :

Ah, si seulement j'étais sa négresse
Qui est toujours à ses côtés !
Je pourrais voir enfin la couleur de ses membres !

Les poèmes d'amour sont souvent pleins d'une tendre ardeur :

Ah ! si tu pouvais venir vers ton aimée
Aussi vite qu'un cheval du pharaon
Choisi parmi un millier de coursiers,
Le plus valeureux des écuries !
Dès qu'il entend claquer le fouet,
Rien ne le retient
Et il n'est pas de chef de char qui puisse le retenir,
Ah ! que le cœur de l'aimée sait bien
Qu'il n'est pas loin.

Fort abondante aussi est la poésie moralisatrice :

Ne mange pas de pain,
Quand autrui souffre de la faim
Et que tu ne lui as pas tendu du pain.
L'un est riche, l'autre est pauvre;
L'homme qui, l'an dernier, était encore un richard
Est, cette année, valet d'écurie.
Le cours d'eau de l'année précédente
Coule maintenant sur une autre pente.
De grandes mers deviennent déserts arides,
Des bancs de sable s'effondrent dans les abîmes.

Les chansons à boire

Les Égyptiens passaient leur vie à se préparer à mourir et consacraient une grande partie de leur temps aux tombeaux et aux momies; on pourrait donc croire qu'un tel peuple était d'humeur sombre et morose. Et bien, non! Les Égyptiens, comme la plupart des peuples qui vivent sur les rives ensoleillées de la Méditerranée, étaient joyeux et insouciants; ils savaient apprécier la chanson gaie ou l'histoire drôle.

Leur joie de vivre s'exprime également dans leurs chansons à boire. Celles-ci sont toujours conçues comme un hommage au dieu du vin. Dans l'Égypte actuelle, le dieu du vin n'a plus un seul adorateur. Ceci est le fait des Arabes. Mahomet défend strictement à ses fidèles de tâter du jus de la vigne. Mais avant la conquête arabe, l'Égypte produisait et consommait beaucoup de vin. Les vignes du Fayoum étaient les plus appréciées. On organisait des beuveries et l'on y chantait, en s'accompagnant de la harpe, des chansons exaltant la joie de vivre. Mais, même dans ces chansons à boire, l'idée de la mort était toujours présente.

Scène de vendanges.

*Réjouis-toi et suis les déesses de ton cœur aussi longtemps
   que tu vis !*
*Couvre-toi la tête de myrrhe, mets de beaux vêtements
   de toile.*
   *Ne te torture pas le cœur avant que vienne pour toi
   le jour des chants funèbres !*
Car Osiris n'entend pas le cri des pleureurs,
Et les plaintes ne sauvent personne de la tombe.
Célèbre donc la joie du jour
Et ne te lasse pas de ces réjouissances !
Car personne ne pourra emporter ce qu'il aime,
Et ceux qui s'en vont ne reviennent jamais.

Il est assez étonnant de trouver de telles exhortations jusque dans la tombe d'un prêtre. Cette tombe se trouve dans la nécropole de Thèbes. " Vis ce jour dans la joie, Neferhotep, excellent prêtre aux mains pures !", dit l'inscription murale. " Mélange le baume et l'huile fine, et pare d'une couronne de fleurs de lotus ta bien-aimée, assise auprès de toi ! Que la musique et les chants sonnent à tes oreilles ! Écarte toute pensée sombre et ne pense qu'à la joie jusqu'au jour où tu seras emmené dans le pays du silence ".

L'Egypte des pharaons.

Le profil de Sethi I retrouvé sur la paroi de son tombeau, dans la Vallée des Rois.

Effigie royale de l'époque amarnienne ; reproduite ici à grandeur réelle, elle ornait sans doute le manche d'une harpe. (XVIIIe dynastie, vers 1360 av. J.-C.) ▶

Ramsès II, le grand bâtisseur de la XIXe dynastie, fit construire dans l'extrême-Sud de son royaume, en Nubie, le temple d'Abou Simbel ; les archéologues du monde entier s'efforcent aujourd'hui de le sauver, devant la montée des eaux du Nil due à la construction du barrage d'Assouan. ▶▶

Le temple de la reine Hatshepsout, dédié au dieu Amon, domine la nécropole de Deir-el-Bahari, près de Thèbes.

Les servantes présentent le vin et les aliments à leur maîtresse.

Des inscriptions comme celle-ci font penser à des exhortations semblables dans le neuvième chapitre de l'Écclésiaste : " Porte toujours des habits blancs et qu'il y ait toujours de l'huile parfumée sur ta tête. Jouis de la vie avec la femme que tu chéris pendant tous les jours de la fugitive et vaine existence que Dieu t'octroie sous le soleil; c'est là ta part dans la vie, le prix du labeur auquel tu te livres sous le soleil ".

LES SCIENCES DANS L'ÉGYPTE ANCIENNE

Ce furent les besoins de la vie pratique qui déterminèrent l'éclosion des sciences. Pour creuser des canaux, leur donner la pente voulue et en régler le débit, il fallait savoir arpenter le terrain, dresser une digue, etc. Ces connaissances sont basées sur les mathématiques. Les habitants du pays du Nil avaient également besoin d'un calendrier sûr pour déterminer les périodes de crue et prévoir les inondations. Et on ne pouvait élaborer ce calendrier sans acquérir d'abord des notions d'astronomie. Les anciens Égyptiens connaissaient toutes sortes de maladies qu'il fallait guérir; ainsi naquit une science médicale. Elle se basait sur des connaissances anatomiques importantes pour l'époque; les Égyptiens avaient acquis ce savoir en embaumant leurs morts.

Les mathématiques

Autrefois, on portait aux nues les connaissances mathématiques des anciens Égyptiens. Hérodote est le responsable de cette surestimation — car il s'agit bien d'une surestimation. Les opérations que l'on a retrouvées gravées sur les monuments ou écrites sur papyrus nous obligent à considérer leurs connaissances et leur habileté en mathématiques comme très moyennes.

En arithmétique, les anciens Égyptiens n'ont jamais fait mieux que de compter sur leurs doigts; ils ne connaissaient donc que l'addition et la soustraction. Ceci est prouvé par un grand papyrus de la période Hyksôs, une sorte de manuel d'arithmétique et de géométrie. Lorsqu'on voulait calculer combien font 9 fois 7, on procédait à peu près comme suit!

$$1 \times 7 = \qquad 7$$
$$2 \times 7 = \qquad 14$$
$$4 \times 7 = 2 \times 14 = 28$$
$$8 \times 7 = 2 \times 28 = 56$$

Ensuite, ils additionnaient d'abord les premier et dernier nombres de la première rangée verticale dont ils avaient besoin pour obtenir 9, donc 1 et 8. Puis, ils additionnaient les premier et dernier nombres de la dernière rangée verticale, donc 7 et 56. On employait la même table pour une division par 7. Par exemple, lorsque l'Égyptien voulait savoir combien de fois on pouvait diviser 77 par 7, il cherchait dans la verticale de droite les trois nombres qui ensemble font 77, soit 7, 14 et 56. Dans la verticale de gauche y correspondent les nombres 1, 2 et 8. Lorsqu'on additionne ces 3 chiffres, on obtient le nombre demandé. Cette façon compliquée de calculer provient sans doute du fait que les Égyptiens ne savaient pas travailler sur des nombres abstraits, sur des concepts, mais pensaient toujours à un objet concret lorsqu'ils effectuaient un calcul. Leurs opérations mathématiques font penser à la façon dont un contremaître, ignorant tout de l'arithmétique, s'y prendrait pour distribuer la ration de pain quotidienne à de nombreux ouvriers. Il ferait ranger les ouvriers sur un rang et donnerait à chacun un pain, puis un autre, puis encore un autre, etc, jusqu'à épuisement de la provision. Si à la dernière distribution, quelques hommes ne reçoivent rien, le contremaître n'a plus qu'une chose à faire : reprendre la dernière distribution et diviser les pains jusqu'à ce que chacun ait reçu une part égale.

Par contre, le scribe, le savant qui connaissait l'arithmétique, calculait d'avance sur le papier la quantité de pain allouée à chaque ouvrier. Cela lui prenait du temps, car il ne travaillait pas comme nous sur les concepts des nombres, il gardait toujours à l'esprit l'image des pains. N'empêche que les illettrés étaient fort impressionnés par ce scribe qui pouvait calculer la ration quotidienne de chaque travailleur, sans devoir prendre lui-même les pains en main, sans même devoir quitter sa chambre. Malgré la complication de leurs méthodes, les Égyptiens acquirent une connaissance assez étendue de l'arithmétique. Ils maniaient déjà les fractions.

En géométrie, ils ne poussèrent pas plus loin que les quadrilatères et triangles rectangles. Ils échouèrent sur les quadrilatères et triangles non-rectangles, car ils confondaient la hauteur des figures avec un des côtés. Mais dans la pratique, les pyramides du Caire plaident en faveur de leur géométrie.

L'astronomie

Les connaissances des Égyptiens en astronomie sont prouvées par leur invention du calendrier qui, avec quelques corrections, s'est maintenu jusqu'à nos jours dans une grande partie de l'Europe, sous le nom de " calendrier Julien ". Il fut corrigé par le calendrier grégorien. Des données astronomiques nous ont permis de calculer que le calendrier égyptien entra en vigueur 4241 années avant le Christ.

Pour calculer l'heure, les Égyptiens employaient des cadrans solaires ou des " horloges à eau " (clepsydres) qui étaient de grands récipients de pierre d'où l'eau s'écoulait à un rythme soigneusement calculé; une échelle horaire était gravée sur la paroi. Pour connaître l'heure pendant la nuit, ils employèrent plus tard des " horloges à étoiles ", c'est-à-dire des tables où la situation de certaines étoiles était indiquée pour chaque heure de la nuit.

Les Égyptiens ont jeté les bases de notre calendrier. Ils ont aussi une assez grande part de responsabilité dans la naissance des superstitions concernant les jours fastes et les jours néfastes qui se sont rattachés au calendrier. Certains jours, il fallait s'abstenir de chanter et de faire de la musique; d'autres jours, il était interdit de se laver; parfois on ne pouvait pas manger de poisson, parfois on ne pouvait pas quitter sa maison, parfois, on ne pouvait rien faire du tout. Le peuple du Nil a dû vivre dans la crainte permanente des malheurs que les jours néfastes pouvaient amener.

Mais la croyance en des jours néfastes avait une conséquence assez agréable : les Égyptiens ne fournissaient aucun travail pendant au moins un cinquième de l'année.

La médecine

A l'origine, les Égyptiens croyaient que la maladie était le fait d'un esprit malfaisant entré dans le corps du malade. Un traitement médical ne pouvait que diminuer ou faire disparaître les symptômes; le malade n'était vraiment guéri que lorsque le démon avait quitté son corps. Dans ce but, on employait l'exorcisme : un prêtre imposait les mains au malade et exhortait l'esprit mauvais à quitter le corps avec les excréments. Petit à petit, la médecine fit de tels progrès que l'on ne se servit plus de l'exorcisme que dans les cas désespérés.

Les Égyptiens ne cessaient de faire de la dissection et ils y gagnèrent des connaissances anatomiques qui plaçaient leur science du diagnostic à un niveau élevé.

3500 ans avant nos jours, ils comprenaient déjà la circulation du sang et savaient que le cœur en était le moteur. Nous lisons dans le " Papyrus Ebers ", le plus important manuel de médecine de l'Égypte ancienne : " Lorsque le médecin pose le doigt sur une partie du corps, il touche le cœur car celui-ci pénètre tous les membres, grâce à ses artères ". La théorie des artères joue un rôle très important dans la médecine des Égyptiens. D'après eux, la plupart des maladies trouvaient leur origine dans les vaisseaux sanguins : " Leur débit se ralentit, ils s'enflamment, etc. ". Ils avaient aussi remarqué que la fièvre accélérait les battements du pouls.

Par contre, on trouve chez eux des opinions assez fantaisistes. Ils croyaient par exemple que la faculté de penser avait son siège dans le cœur et prenait sa nourriture du corps.

Le plus vieil historien égyptien, le grand-prêtre Manethon, raconte qu'un fils du second roi de la première dynastie était déjà médecin et auteur de traités de médecine. Des papyrus postérieurs disent que certains remèdes datent de la première et de la deuxième dynasties et de l'époque des grands bâtisseurs de pyramides. Il est possible que ce soit vrai, mais il ne faut pas oublier que les prêtres avaient tendance à présenter leurs remèdes comme très anciens pour les rendre plus respectables. Hérodote nous assure que l'Égypte fourmillait de médecins. Lorsqu'on étudie de près les textes médicaux des Grecs, on y trouve des similitudes étonnantes avec la médecine égyptienne; ceci nous montre que la médecine grecque — y compris celle d'Hippocrate, " le père de la médecine " — est pour une grande partie originaire d'Égypte. Nous savons aussi que le roi perse Cyrus, dont la mère était malade, fit venir d'Égypte un ophtalmologue renommé, malgré la présence de médecins grecs à la cour de Perse.

La plupart des remèdes se composaient de plantes et témoignent de bonnes connaissances en botanique chez les Égyptiens. Mais, dans certains de leurs médicaments, on trouve des ingrédients qui soulèvent le cœur : des dents de porc finement pilées, de la viande et de la graisse pourries, les secrétions des oreilles de porc et d'autres ingrédients du même genre. Ils attribuaient un pouvoir thérapeutique aux excréments de l'homme et d'animaux variés.

Il est intéressant de comparer entre eux les différents remèdes que l'on pouvait choisir pour traiter diverses maladies, car on peut ainsi déterminer avec plus ou moins d'exactitude quelles maladies étaient les plus fréquentes dans l'ancienne Égypte. On remarque qu'alors comme aujourd'hui, les maladies des yeux étaient un véritable fléau national, ce qui doit être attribué au manque d'hygiène et au manque de protection contre les mouches. Comme c'est encore le cas de nos jours, les mères laissaient les mouches, facteurs de contamination, s'agglutiner sur les yeux des petits enfants, lesquels n'étaient évidemment jamais lavés.

On trouve dans le Papyrus d'Ebers divers remèdes contre le cancer et les maladies de la peau. Il existe des médicaments très variés pour les affections gynécologiques;

on trouve même dans le vieux volume des indications pour traiter les séquelles de l'avortement. Il nomme aussi des remèdes contre la chute des cheveux et la calvitie, des moyens pour empêcher les cheveux, ou même les sourcils, de grisonner. Il donne des recettes pour faire disparaître les rides, changer la couleur de la peau et embellir le corps. Les douleurs dentaires et d'autres affections stomatologiques étaient également traitées dans l'Égypte ancienne. Les momies ont aussi révélé au chercheur moderne certaines maladies et certains défauts physiques dont souffraient les anciens Égyptiens. Un des plus grands anatomistes anglais est parvenu à rendre leur souplesse aux tissus durcis des momies et à leur rendre ainsi leur forme première en employant une solution d'un certain sel mélangé à une quantité déterminée d'alcool. Après avoir traité les corps de cette manière, on les examina avec scalpel et microscope. Il apparut alors que les Égyptiens souffraient, il y a de cela quatre mille années, des mêmes maladies que nous en général. Les affections cardiaques étaient fréquentes; un pharaon au moins en mourut; le pharaon au cœur de pierre, si cruel que Moïse envoya des fléaux pour le tourmenter, avait la petite vérole. L'artériose-sclérose était déjà une maladie très répandue à cette époque. Le grand homme d'État et le grand capitaine qu'était Ramsès II en a souffert. Les maladies des reins étaient très fréquentes en Égypte. Dans quelques cas, la momie avait succombé à une pneumonie.

Parmi les précieuses collections égyptologiques de Copenhague, se trouve un vieux dessin qui nous montre le premier cas connu de paralysie infantile.

Les animaux aussi devaient payer leur tribut à la maladie. On a diagnostiqué sur des momies de singes la tuberculose, les rhumatismes et les tumeurs, probablement causées par la captivité dans un climat plus froid que celui où l'animal était né. La vie des pauvres animaux sacrés était encore plus malsaine. Ils étaient enfermés dans des temples où ne pénétrait pas le plus petit rayon de soleil et qui pouvaient être terriblement froids la nuit.

Les médecins égyptiens acquièrent très tôt des connaissances chirurgicales d'envergure, car certaines momies exhibent des fractures merveilleusement réduites. La chirurgie est l'une des plus grandes gloires de la médecine de l'ancienne Égypte, surtout dans le traitement des plaies et des fractures à différents endroits du corps. Certaines momies ont subi des opérations remarquables.

LA VIE ÉCONOMIQUE
DANS L'ÉGYPTE ANCIENNE

Agriculture, chasse et pêche

Les anciens Égyptiens cultivaient la terre à peu près de la même façon que les fellahs d'aujourd'hui. Lorsque les eaux du Nil s'étaient retirées des champs, le sol était travaillé au moyen d'une houe ou d'une charrue primitive tirée par des bœufs. Cet outillage élémentaire suffisait amplement, car le sol était très meuble. Ils cultivaient surtout l'orge, le froment et le millet. Après les semailles le paysan n'avait plus qu'à laisser ses moutons ou ses porcs piétiner le champ et à attendre la moisson. A ce moment, les porcs étaient de nouveau réquisitionnés, mais cette fois pour servir de machine à battre. Pour battre le blé, on employait aussi des ânes et des bovins. Au son d'un chant monotone, on faisait passer et repasser les animaux sur les blés coupés.

Les fruits et les légumes, comme les oignons, les concombres et les melons étaient cultivés sur une grande échelle. De même que le lin, indispensable à la fabrication d'énormes quantités de linceuls pour les momies.

La chasse semble être devenue très vite un plaisir pour les classes supérieures de la société. A travers les roseaux du Nil, le noble Égyptien glissait dans un canot fait de tiges de papyrus tressées et chassait les oiseaux au moyen d'une sorte de boomerang en bois. Plusieurs de ces armes de jet nous sont parvenues. Le chasseur était parfois accompagné de chats spécialement dressés qui ramenaient le gibier abattu.

D'ordinaire, on utilisait plutôt des filets pour attraper les oiseaux; ces filets étaient tendus dans les roseaux et, lorsqu'on tirait sur les deux extrémités, ils se refermaient brusquement, prenant le gibier au piège. Les victimes de cette tenderie étaient surtout des oies sauvages (l'oie sauvage rôtie était le plat de prédilection des Égyptiens). Les oies qui n'étaient pas consommées immédiatement étaient salées ou parquées dans des enclos et engraissées pour des festins futurs.

En ce temps-là, le Nil fourmillait d'hippopotames que l'on chassait au harpon. Les contrées montagneuses et le désert étaient peuplés de bouquetins, de gazelles, d'antilopes et d'autres gibiers qui, de nos jours, ont émigré au Soudan. On chassait ces animaux à la flèche, parfois même au lasso, pour pouvoir les engraisser un peu avant de les consommer. Aux temps les plus reculés, on chassait le gros gibier comme le lion et la girafe. Ramsès II possédait un lion apprivoisé qui le suivait au combat et se couchait la nuit devant la tente de son maître.

Le poisson était une partie importante de l'alimentation des Égyptiens, surtout celle des pauvres. Le poisson était toutefois considéré comme un animal plus ou moins impur. Les prêtres n'avaient pas le droit d'en manger.

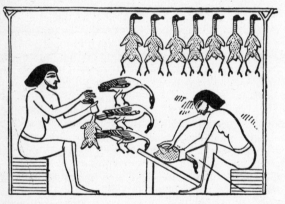

Le produit de la chasse : les oiseaux sont plumés puis suspendus à une barre.

Les mines

Pendant longtemps, le cuivre fut le métal le plus important. Ce ne fut qu'assez tard que les Égyptiens eurent l'idée de mélanger le cuivre à l'étain. Il fallut attendre le 3e millénaire pour voir les outils et les armes en bronze prendre place à côté de l'outillage en silex et en cuivre.

De toute antiquité, les Égyptiens exploitèrent des mines de cuivre dans la partie occidentale de la presqu'île du Sinaï, mais on ignore d'où ils tenaient leur étain. Le travail était terrible dans les mines du Sinaï, surtout en été lorsque

" les montagnes brûlent la peau ". Il était d'ailleurs exceptionnel que l'on y travaille l'été.

Dans le Sinaï, beaucoup de trouvailles témoignent encore des anciennes mines, tels que du minerai, des scories et des moules ; on y trouve également de nombreuses réminiscences du travail accompli là pour extraire la turquoise et la malachite, dont la demande était très forte. Aux environs des mines, on a trouvé sur les roches des centaines d'inscriptions et des reliefs égyptiens datant des périodes les plus reculées. Un des reliefs nous montre le pharaon qui, de la main gauche empoigne par les cheveux un chef bédouin vaincu pour lui fracasser la tête de la massue qu'il tient dans la main droite. Les inscriptions nous apprennent que les reliefs sont l'œuvre de fonctionnaires du roi. Il en existait beaucoup d'autres, mais une compagnie minière moderne a détruit ces irremplaçables monuments. Personne ne les avait touchés auparavant, tant la contrée était loin de tout.

Ce furent d'abord des vandales européens qui découvrirent que la recherche des antiquités était une activité fort lucrative. Vinrent ensuite les Bédouins et l'on continua à fouiller et à détruire les vestiges du passé. Flinders Petrie arriva en 1840, et il comprit de suite que le seul moyen de sauver les dernières inscriptions et les derniers reliefs était de les détacher des parois rocheuses et de les emmener au musée du Caire. Ainsi fut fait.

Dans la presqu'île du Sinaï se dressent les ruines d'un vieux temple égyptien qui contient d'intéressantes statues de rois.

Les vestiges de cette époque où l'État égyptien exploitait des mines dans la presqu'île du Sinaï doivent nous inspirer du respect pour le profond talent d'organisateurs que les Égyptiens montrèrent dans tous les domaines. L'organisation du travail était poussée très loin : les travailleurs étaient répartis en 17 groupes différents ; chaque groupe avait sa tâche bien déterminée ; les cadres se composaient de chefs de travaux groupés hiérarchiquement en 11 catégories. Il faut ajouter de nombreux fonctionnaires chargés d'amener au Sinaï les vivres et les autres denrées nécessaires et d'en enlever les produits de la mine. De longues caravanes, comprenant plusieurs centaines d'ânes lourdement chargés, maintenaient le contact avec la mère patrie. Il fallait cinq jours de voyage pour aller d'Égypte au Sinaï.

Les Égyptiens trouvaient de l'*or* dans les montagnes situées entre le Nil et la Mer Rouge. Cette région connut sa dernière "ruée vers l'or" au début de notre siècle. Des compagnies anglaises avaient investi des centaines de milliers, peut-être même des millions de livres sterling pour y rechercher de l'or, mais l'entreprise ne rapporta qu'une fraction des sommes qu'elle avait coûtées. Les anciens Égyptiens faisaient du bon travail partout où la présence de l'or était signalée.

Les mines les plus riches se trouvaient en territoire nubien, dix-sept jours de voyage à travers un désert brûlant. On y retrouve aujourd'hui des centaines de huttes de pierre munies chacune d'un moulin de granit qui servait à réduire en fine poudre le quartz aurifère. Ensuite, on lavait cette poudre sur des carreaux en pente pour séparer le quartz de l'or. Ces carreaux sont également conservés. "De nos jours, dit un égyptologue, l'endroit est calme, abandonné; rien ne laisse soupçonner à l'étranger que des hommes ont souffert ici comme nulle part ailleurs. Car les travailleurs qui extrayaient ici "l'or de la Nubie" pour le compte du pharaon étaient des prisonniers. Enchaînés, nus et gardés par des soldats nubiens qui ne connaissaient

Captives noires avec leurs enfants.

pas un mot d'égyptien, ces malheureux devaient travailler jour et nuit. Personne ne se préoccupait de leurs conditions d'existence. Le bâton du surveillant poussait inexorablement les malades, les femmes et les vieillards vers leur travail d'esclaves jusqu'à ce qu'ils trouvent la mort, épuisés par l'effort ou la chaleur. Mourir était le seul espoir qu'il leur restait.

D'anciennes inscriptions parlent des efforts inhumains qu'exigeait le voyage vers les mines de Nubie. Sur un monument nubien de cette époque, on lit que " des caravanes qui se rendaient aux mines d'or, la moitié des hommes périssaient de soif en route, tout comme les ânes qu'ils poussaient devant eux ".

Depuis la plus haute antiquité, l'*argent* était plus apprécié des Égyptiens que l'or. Ceci s'explique par le fait qu'on n'a jamais trouvé d'argent dans le sol d'Égypte. Plus tard, lorsque les rapports commerciaux avec d'autres pays devinrent plus étroits, l'argent perdit naturellement de sa valeur et dut céder la première place à l'or.

Les Égyptiens acquirent très tôt une grande habileté dans le travail de l'or et de l'argent. Les orfèvres de l'antiquité étaient passés maîtres dans l'art de sertir de minces plaques d'or, des morceaux de verre ou de pierres semi-précieuses de toutes couleurs.

Le beau calcaire blanc dont les Égyptiens revêtaient les pyramides et les mastabas était extrait des montagnes des environs de Sakkara. Cette région fournissait aussi l'albâtre. La vallée est fermée par un énorme mur de pierre, probablement un barrage destiné à rassembler les eaux de pluie pendant les mois d'hiver.

Les carrières de grès étaient fort actives, surtout celles de Silsileh, à 140 kilomètres au sud de Thèbes, où l'on rassemblait les matériaux destinés aux temples de Karnak, Louksor et autres lieux. On sait que les carrières de sable occupaient 3000 hommes lorsque le grand temple de Ramsès fut construit à Karnak. Séthi I raconte fièrement, dans une inscription, qu'il traitait ses travailleurs avec beaucoup d'humanité et leur donnait des rations " de pain, de viande de bœuf, de viande rôtie, de poisson et des quantités illimitées de légumes ". Sous l'Ancien Empire, on extrayait déjà près d'Assouan le granit nécessaire aux pyramides, aux sarcophages et aux statues. La pierre d'Assouan se retrouve dans presque toutes les ruines d'Égypte.

On peut voir aujourd'hui comment les énormes blocs de pierre étaient détachés. Tout d'abord, on creusait des trous dans la roche à des intervalles réguliers. Ensuite, on y enfonçait des coins en bois, on y versait de l'eau pour faire gonfler les coins et la roche éclatait sous cette pression.

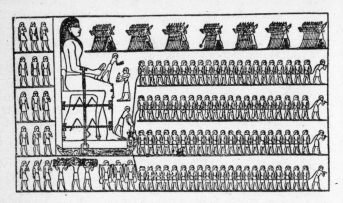

Le transport d'une statue colossale depuis la carrière jusqu'au temple. Le colosse est fixé sur un traîneau que tirent 172 hommes à l'aide de quatre câbles. Sur les genoux de la statue, un surveillant donne des ordres en criant et en frappant dans ses mains. Sur le pied de la statue, quelqu'un verse de l'eau sur le chemin, afin d'éviter que le traîneau ne s'enflamme par frottement. Sous la statue, on voit des hommes qui apportent de l'eau potable aux travailleurs et transportent des poutres. Ils sont suivis par des surveillants armés de bâtons. Au-dessus, des hommes portant des branches de palmier rendent hommage à leur seigneur. Le nombre d'hommes représentés ici n'est qu'une toute petite partie de la totalité. A l'époque de Ramsès II, 84.000 travailleurs environ étaient requis pour un tel transport.

LES BABYLONIENS ET LES ASSYRIENS

LE CADEAU DES FLEUVES JUMEAUX

Hérodote appelait l'Égypte "un don du Nil". De même, on pourrait appeler la Babylonie un don des fleuves jumeaux, l'Euphrate et le Tigre. Les deux fleuves prennent leur source dans les montagnes d'Arménie et lorsque, au printemps, les neiges commencent à y fondre, ils sortent de leurs lits, inondent la plaine et laissent un limon fertile. Pour éviter que le pays ne soit transformé en marécage et aussi pour amener de l'eau aux champs, ici comme en Égypte, il est nécessaire de rassembler les eaux des fleuves dans des canaux pour la conduire vers les champs. Sans un système d'irrigation bien organisé, le pays serait transformé en un désert aride ou en marécages malsains.

C'était une tâche de roi que l'organisation de ce système. On y attachait tellement d'importance que les canaux portaient souvent le nom du roi. Hammourabi fit creuser un canal auquel il donna ce nom : " Hammourabi est une bénédiction pour le peuple ". Actuellement encore, on peut voir quelle étendue fut un jour couverte par ce réseau de canaux. On ne peut voyager un jour dans ce pays d'ancienne culture sans rencontrer de trente à quarante anciens lits de canaux.

LA SUMER ARCHAÏQUE ET AKKAD

La Babylonie fut le plus ancien et le plus riche des États qui naquirent dans le pays créé par les fleuves jumeaux. A l'origine, selon toute probabilité, la Babylonie

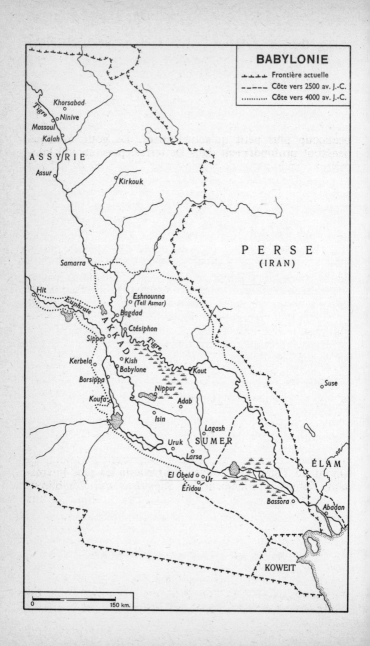

BABYLONIE

- ┴┴┴ Frontière actuelle
- ─ ─ ─ Côte vers 2500 av. J.-C.
- ········· Côte vers 4000 av. J.-C.

Tigre

Khorsabad

Ninive

Mossoul

Kalah

ASSYRIE

Assur

Kirkouk

**PERSE
(IRAN)**

Samarra

Hit

Euphrate

Eshnounna
(Tell Asmar)

Bagdad

Ctésiphon

Sippar

Tigre

Kerbela

Kish

Babylone

Kout

Borsippa

Nippur

Suse

Koufa

Adab

Isin

Lagash

Uruk

SUMER

Larsa

ÉLAM

El Obeid

Ur

Éridou

Bassora

Abadan

KOWEIT

0 ————————— 150 km.

comme l'Égypte était un ensemble de petits États, comprenant une ville et le territoire avoisinant.

Au XXe siècle, la découverte d'inscriptions sur des monuments et d'incroyables quantités d'archives, a permis de jeter les bases de l'histoire de l'ancienne Mésopotamie.

À l'époque où la première lumière se fait sur cette histoire, aux environs de 3000 avant J.-C., le pays était beaucoup plus petit qu'actuellement. Le golfe Persique pénétrait profondément dans les terres, presque 150 kilomètres plus loin que de nos jours, et l'Euphrate et le Tigre se jetaient séparément dans la mer. Si nous remontons encore plus loin dans le temps, jusqu'à 4000 avant J.-C., tout le pays jusqu'à Samarra était pris par la mer et les eaux recouvraient les endroits où, plus tard, s'élevèrent les villes de Babylone et Bagdad.

Dans la plus haute antiquité, le pays situé entre les embouchures des deux fleuves était un marécage couvert de forêt vierge, de broussailles et de véritables forêts de roseaux et de bambous. Sa végétation luxuriante attirait les peuples qui s'étaient établis dans les déserts de l'Ouest et les montagnes de l'Est. Il avait besoin d'être défriché, cultivé et irrigué et les hommes ne pouvaient y trouver un foyer et du pain que s'ils réussissaient à le dominer grâce à une collaboration organisée.

Le reste du pays était habité depuis plus longtemps, mais nous ne savons pas par quel peuple. Vers 3000 avant J.-C., de nouvelles tribus y pénétrèrent. Une des nombreuses vagues de peuples sémitiques y arriva, peut-être du désert de Syrie, le long de la vallée de l'Euphrate et envahit le pays qui, plus tard, fut appelé *Akkad*. Les Assyriens qui étaient sans doute originaires du Caucase, mais déjà fortement mélangés aux Sémites, habitaient plus loin, en amont du Tigre. Les nouveaux arrivants les plus intéressants furent certainement les *Sumériens* qui s'établirent aux embouchures des fleuves. Leur origine est encore une énigme. Beaucoup de choses prouvent qu'ils sont originaires des montagnes, peut-être de la Perse, et leur culture semble avoir les mêmes racines que celle du peuple qui, vers la même époque, fonda une société évoluée dans la vallée de l'Indus.

Vers 3000 avant J.-C., les Sumériens avaient créé ou emprunté dans leur nouveau pays une civilisation basée sur l'échange des denrées; vraisemblablement, ils avaient noué des relations commerciales avec des pays aussi lointains que la Syrie et l'Asie Mineure. Leur technique était basée sur la pierre, le silex surtout, le cuivre et l'argile cuite.

Des villes naquirent au pays des Sumériens, sans doute les villes les plus anciennes du monde. La plus célèbre de toutes était *Ur*, l'Our des Chaldéens ainsi que l'appelle l'Ancien Testament; elle était la ville d'origine d'Abraham dans le Sinear, c'est-à-dire Sumer.

Dans les villes de l'archaïque Sumer, le temple n'était pas seulement un lieu de culte, le siège du gouvernement et de la justice, mais le centre économique. On y rassemblait les récoltes et les troupeaux, on y débitait la viande des bêtes de boucherie, on y préparait les peaux et les fourrures. Dans les ateliers du temple, divers artisans travaillaient le bois et le bronze. Dans d'autres pièces, on rencontrait des architectes, des bâtisseurs de canaux, des gens chargés du système d'irrigation et de la distribution des eaux. L'ensemble du personnel au travail dans le temple constituait " les serfs de dieu ".

Une des plus anciennes inscriptions sumériennes connues. Elle remonte au début du 3ᵉ millénaire avant J.-C.

Le temple faisait aussi office de banque. On y pratiquait le dépôt (or, argent, blé) et le crédit. L'ébauche d'un système monétaire facilitait les opérations : les anneaux d'argent valaient deux fois les anneaux de cuivre. On a appelé ce système politico-économique " socialisme d'État religieux ". C'est probablement sa relative complexité qui rendit nécessaire l'invention de l'écriture pour les comptes et l'énumération.

Toutes les villes sumériennes, si elles ne furent pas effacées de la carte, furent du moins lourdement touchées par le Déluge vers 3000 avant J.-C.

Le premier personnage sumérien que nous connaissons avec certitude par des inscriptions votives est *Mesanne-padda*, le roi d'Ur. Il vécut vraisemblablement vers 2500 avant J.-C.

Les Sumériens développèrent un système de comptoirs commerciaux en Perse, en Asie Mineure et dans d'autres territoires. Nous avons observé que, la plus grande partie des richesses échouait dans les temples des villes. Les temples exploitaient le peuple sans pitié et conduisaient au désespoir la partie séculière de la population. Les temps étaient mûrs pour une révolution. Celle-ci se déclencha d'abord à Lagash où le roi *Urukagine*, vers 2360 avant J.-C. brisa la puissance des prêtres par un coup d'État et " fit renaître l'ancienne liberté ". Mais le bon prince Urukagine fut écrasé par Lugalzaggesi, le roi d'Umma; pendant qu'il était emmené en captivité, Lagash brûlait :

> *Les hommes d'Umma ont mis le feu*
> *Ils ont livré l'Antassura aux flammes*
> *Ils ont pillé l'argent, ils ont volé les pierres précieuses*
> *Ils ont versé le sang à Tirach, le Palais,*
> *Oui, ils ont versé le sang même dans le temple d'Enlil*
> *Et encore du sang dans le temple de Baba...*

Dans l'une des nouvelles villes sémitiques, un roi créa le premier grand État véritable, modèle des futurs royaumes babyloniens, assyriens, perses, héllenistiques et romains. Il est le premier grand conquérant de l'histoire. Son nom : *Sargon* (ne pas confondre avec le roi assyrien Sargon). Selon la tradition, il était un homme d'humble naissance qui se révolta contre son seigneur et fonda la ville d'*Akkad* ou Agade comme le pays fut appelé par la suite.

Sargon soumit d'abord le pays au Nord, le long des fleuves et les régions montagneuses de l'Est. A ce moment, il fut assez puissant pour conquérir Sumer et, plus tard, il soumit les princes de l'Élam, de la Syrie ainsi que la partie centrale de l'Asie Mineure jusqu'à la mer Noire. Il est possible qu'il régna sur Chypre. Ses victoires étaient vraisemblablement dues au fait qu'il possédait de meilleures armes que ses adversaires; ses soldats combattaient avec des armes de cuivre contre des tribus qui en étaient encore à l'âge de la pierre. Il est clair que les campagnes de Sargon et de ses successeurs possédaient un arrière-plan économique.

Sargon mourut après cinquante-six ans de règne, vers 2214, mais son royaume lui survécut pendant environ un siècle. Son petit-fils, *Narâm-Sin*, fut, lui aussi, un grand homme de guerre.

La postérité considérait ces souverains comme des héros surhumains. Mille ans après sa mort, les exploits de Sargon étaient encore glorifiés dans des poèmes que l'on a découverts en Égypte, ainsi que dans la ville des Hittites, Boghaz-Keui en Asie Mineure. Comme il est le Nemrod des Juifs, ces derniers aussi en ont conservé le souvenir.

Vers 2130 avant J.-C., le royaume de Sargon s'écroula sous la poussée des peuples barbares de l'Est, les *Goutiens* ou *Gouti*. Ils s'établirent en conquérants, abandonnèrent l'administration des États urbains à des gouverneurs *(patesi)* qui devaient leur payer tribut, mais gardaient une assez large indépendance. Le plus connu de ces patesi fut *Goudéa* de Lagash. Pendant longtemps, il fut la plus ancienne personnalité de l'histoire babylonienne dont nous connaissons le nom aussi bien que la silhouette. Nous possédons plusieurs magnifiques statues de Goudéa.

La richesse et l'expansion des villes sumériennes ne semblent pas avoir été freinées de façon notable par les Goutiens. Petit à petit, les envahisseurs s'assimilèrent complètement à la population de Mésopotamie, si bien que *Utuchengal*, le roi d'Uruk, put rejeter le joug étranger vers 2061 avant J.-C.

La vieille ville d'Ur reprit l'hégémonie pendant le règne glorieux de la troisième dynastie, règne qui dura un siècle à peine, mais fut le dernier âge d'or de l'histoire sumérienne.

Le plus grand des rois d'Ur fut *Shulgi*, aussi appelé *Dungi* (2033-1988). Il fut surtout un homme d'État et un organisateur. Il fit recenser tous les dieux locaux afin de leur construire des temples. Au sommet de la hiérarchie, se trouvait le dieu *Enlil* à qui était consacrée la ville sainte de *Nippur*, où se trouvait le trésor de l'État. Ce trésor comprenait des biens en nature — du blé, du bétail, des métaux — qui constituaient l'impôt; officiellement, cet impôt était payé au dieu Enlil. Les habitants des différentes provinces payaient l'impôt suivant les mêmes modalités et le versaient aux temples locaux qui devinrent ainsi une sorte de bureau de contributions et des caisses de district. Tous les payements étaient soigneusement inscrits sur des tablettes d'argile, de même que les chèques et les quittances. Dans certains temples, on a trouvé de véritables registres fiscaux.

De ce capital (en marchandises), une grande partie allait à la cour et aux fonctionnaires de l'État, mais une partie était réalisée et prêtée. Un intérêt était perçu sur les prêts ordinaires, mais des prêts sans intérêt étaient consentis à certaines personnes qui risquaient d'être vendues comme esclaves à cause de leurs dettes. Les temples étaient donc restées des banques, comme aux premiers temps de Sumer. Pour que le système fonctionne de façon harmonieuse, le roi Shulgi institua un service de courriers et une police qui maintenait l'ordre le long des routes commerciales. Il décréta également une loi valable pour tout le royaume. On ne connait que quelques parties du code de Shulgi, mais ces extraits nous prouvent que les célèbres lois d'Hammourabi sont l'aboutissement d'une longue évolution du droit.

Le pays des Sumériens était exposé à de nombreux périls et le royaume de Shulgi fut bientôt l'objet de sérieuses menaces. Loin en avant de l'Euphrate, une ville était née qui prit le nom de *Mari*. Sa richesse et sa puissance ne firent que croître et, lorsque le dernier roi d'Ur fut fait prisonnier au cours d'une guerre contre l'Elam (guerre où les Sumériens avaient pourtant l'avantage), le roi de Mari envahit Akkad et Sumer et s'empara du pouvoir. Ur put résister pendant une vingtaine d'années, mais dut finalement mettre bas les armes vers 1950 avant J.-C., et la ville fut rasée.

Le mauvais vent d'orage, pour changer le temps
Et pour extirper la loi, a fait s'élever un ouragan,
Il renversa de Sumer le vieil ordre réel
Le temps du bon souverain s'est enfui !
Maintenant, les villes du pays sont en cendres
Et vides sont les parcs, les enclos...

Ainsi s'exprimait une *lamentation* sumérienne qui ajoutait :
La mère ne veille plus sur ses enfants,

Le père n'appelle plus tendrement l'épouse
Non plus que la bien-aimée ne se réjouit sur la poitrine
    de l'amant...
Le roi est parti et ses enfants gémissent.

Le pays fut d'abord partagé entre les rois de Mari et
d'Elam. Par la suite, le royaume connut une période de
déclin, mais, aux environs de 1800 avant J.-C., le roi
sémite de Babylone parvint à conquérir la plus grande
partie de la Mésopotamie et à fonder un nouvel Empire
qui allait, plus tard, dépasser en magnificence l'imperium
de Sargon lui-même.

La ville d'Abraham

Nous avons tendance à nous représenter le patriarche
Abraham, qui sur l'ordre de Dieu quitta l'Ur des Chaldéens
et partit vers le pays de Canaan, comme un chef nomade
primitif.

Les fouilles effectuées en Irak par Léonard Woolley
en 1927 et 1928 ont montré que Ur, la ville d'Abraham,
n'était pas un misérable village de huttes d'argile et de
tentes de berger, mais une petite ville d'importance
mondiale, dont une grande partie de la population était
splendidement logée. Pendant son âge d'or, la troisième
dynastie, la ville s'étendait sur plus de quinze kilomètres
carrés. Les quartiers résidentiels ressemblaient fort à une
ville orientale de notre époque : de petites rues où seuls
les piétons et les ânes pouvaient se frayer un chemin.
Si les rues n'avaient rien de monumental, les maisons
— au moins celles de la bourgeoisie aisée — étaient
spacieuses et confortables et comprenaient souvent de
dix à douze étages. Chaque maison était construite autour
d'une cour carrée et carrelée au milieu de laquelle était
percé un écoulement d'eau. Les différentes pièces
s'ouvraient sur cette cour ; un escalier conduisait au premier
étage ou plutôt à une galerie qui surplombait la cour
sur ses quatre côtés ; cette galerie donnait accès aux
chambres. Les pièces du premier étage étaient couvertes
d'une toiture de bois, en claies faites de branches de saule
ou en argile cuite ; la toiture débordait un peu vers la cour
pour protéger également la galerie.

Nous pouvons croire qu'Abraham habitait une maison
de ce genre avant de quitter Ur en emmenant toute sa
famille et tous ses esclaves. Son habitation n'était donc pas

tellement différente de celle d'un Grec ou d'un Romain aisé, quelque deux mille ans plus tard.

Certaines familles possédaient une petite chambre funéraire dans une niche ou dans une cave en coupole; on y plaçait les corps des défunts. Il semble que ces cryptes se remplissaient très vite; à ce moment, il ne restait plus à la famille qu'à construire une nouvelle maison pour faire place à ses morts. C'est peut-être pour cette raison que les villes couvraient une telle superficie.

Ur a certainement possédé un port avec des entrepôts et des immeubles commerciaux, mais, jusqu'à présent, on sait peu de choses à ce sujet. Par contre, nous en savons beaucoup sur les temples d'Ur.

Le temple d'Ur se dressait au milieu de la ville et était bâti sur le modèle traditionnel des temples sumériens. Une grande place, surélevée de quelques mètres, formait le parvis; on y trouvait plusieurs temples secondaires et d'autres bâtiments. Après avoir traversé le parvis, on abordait un plateau plus élevé encore; là, dans toute sa splendeur, apparaissait la tour sacrée. La base de ces temples, ou *ziggourat*, avait une longueur de près de soixante-dix mètres et une largeur de cinquante mètres. Il comprenait trois étages d'une hauteur totale de vingt-trois mètres environ. Le premier étage avait une hauteur d'environ dix-sept mètres et comprenait des terrasses ouvertes sur ses quatre côtés; ces terrasses étaient plus larges sur les petits côtés que sur les grands, et l'étage suivant était de dimensions correspondantes, de sorte que le premier étage formait un carré presque parfait. Les terrasses étaient plantées d'arbres et de fleurs. (Cette méthode de construction, appliquée aux temples aussi bien qu'aux palais, se perpétua pendant 1500 ans, jusqu'à la Babylone de *Nabuchodonosor*, et a fait naître la réputation des " jardins suspendus "). A l'étage supérieur, se dressait un petit temple d'une seule pièce consacré au dieu lunaire *Nannar*, dieu tutélaire d'Ur.

Du rez-de-chaussée, trois escaliers de cent marches chacun conduisaient au premier étage où ils convergeaient en une porte monumentale. De là, l'escalier poursuivait jusqu'au sommet. On pouvait arriver aux terrasses en empruntant ces escaliers. Sur ces degrés monumentaux, s'avançaient les processions en l'honneur du dieu Nannar. En habits de toutes les couleurs, les bras chargés d'offrandes, les prêtres s'avançaient le long des escaliers, sous la direction du roi; le son des harpes (et sans doute d'autres instruments) montait du parvis d'où la population pouvait suivre la cérémonie à distance.

Il y a une similitude certaine entre un pareil spectacle et le rêve de Jacob : des anges qui montent et descendent d'une immense échelle conduisant au ciel.

Il ne nous est pas encore possible de savoir quelles influences religieuses sont à la base de cette méthode de construction des temples. Elles furent probablement les mêmes que celles que nous retrouvons dans les pyramides d'Égypte et dans les monuments précolombiens. Peut-être existe-t-il un certain rapport entre les cultes du soleil et de la lune. Mais, en ce qui concerne les Sumériens, leurs origines montagnardes fournissent peut-être l'explication. Beaucoup de peuples de l'Antiquité faisaient des montagnes le domicile de leurs dieux et quelques-uns de ces peuples leur rendaient un culte au sommet même de ces montagnes sacrées. Sur plusieurs bas-reliefs sumériens, les dieux sont représentés au sommet d'une montagne.

Les temples d'Ur et d'autres endroits nous ont donné une idée fort complète du niveau culturel des Sumériens, de leurs dons d'ingénieurs et d'artistes, et de leur richesse.

Et pourtant, on a fait des découvertes encore plus imposantes. En 1926-28, l'expédition de Woolley découvrit les *tombes royales* d'Ur.

Woolley pense que ces tombes datent de la période située entre 3000 et 2700 avant J.-C.; des recherches plus récentes incitent à les placer deux à trois siècles plus tard.

Il s'agissait d'une nécropole relativement grande où les tombes étaient placées les unes par-dessus les autres; on en compta environ six rangées. Les occupants des tombes sont aussi bien des citoyens ordinaires que des nobles, mais les tombes les plus riches furent pillées dans l'Antiquité, peut-être lorsqu'elles étaient encore toutes neuves.

Dans deux de ces sépultures gisaient *Abargi* et *Shubad*, qui, d'après Woolley, étaient roi et reine. La tombe du roi avait été pillée, mais celle de Shubad était intacte lorsque les archéologues y pénétrèrent. Ceux-ci trouvèrent en outre, dans un puits à l'extérieur de la tombe, une grande quantité de restes d'hommes, d'animaux et d'objets sacrifiés aux défunts.

Le torse de la reine Shubad était entièrement recouvert de parures d'or et de pierres précieuses et elle portait au front un merveilleux diadème. Elle portait aussi une épaisse perruque cerclée d'un lourd anneau d'or. A cet anneau étaient fixées trois chaînes dont l'une, formée de petits anneaux d'or, descendait sur le front; la seconde était de feuilles de hêtre et la troisième de feuilles de saule; les feuilles étaient d'or pur, bien entendu.

D'après les statues et les crânes découverts, un adroit spécialiste put modeler, avec la collaboration d'un anthropologue, la tête d'une femme sumérienne; la parure de Shubad était si bien conservée qu'elle put être placée sur le modèle; nous pouvons donc imaginer la reine dans toute sa splendeur.

Deux femmes gisaient à la tête et aux pieds de Shubad; la tombe comportait en outre de nombreux objets usuels et des parures d'or, d'argent, de cuivre, de pierres précieuses et de bois.

A l'extérieur de la tombe, on retrouva de nombreuses offrandes dans le puits déjà cité. Il s'y trouvait des voitures tirées par des ânes ou des bœufs; les toucheurs de bœufs et les conducteurs y étaient aussi présents. Un couple de têtes d'animaux en argent provenait sans doute d'un trône. On y trouva également des assiettes, des cruches et des armes. Sans oublier les dames de compagnie, les gardes du corps et les serviteurs de la reine. Les femmes, neuf au total, étaient mi-assises, mi-couchées contre le mur de la crypte et portaient toutes des parures presque aussi riches que celles de Shubad.

Le problème le plus important que soulèvent ces tombes est celui des sacrifices humains. Abargi avait reçu le sacrifice de plus de soixante hommes, tandis que Shubad devait se contenter d'environ cinquante.

"On ne connaît aucun document, observait Woolley, qui fasse allusion à ces sacrifices humains; les archéologues n'ont trouvé aucune autre trace de pareille coutume ni aucune survivance à une époque plus récente. Si l'on peut expliquer ces sacrifices par la divination des premiers rois, on constatera par ailleurs qu'à la période historique, même les plus grandes divinités n'exigeaient pas une telle offrande". Il semble que les victimes n'étaient pas des esclaves, mais des courtisans distingués qui suivaient leur roi ou leur reine dans la tombe. On ne trouve jamais de sacrifiés dans les tombes non-royales. L'explication est probablement la suivante : les rois étaient considérés comme des dieux qui, à leur mort, passaient simplement du monde terrestre dans le monde des autres dieux; c'était donc un privilège que de pouvoir les suivre. Dans d'autres religions également, être sacrifié aux dieux était un sort enviable.

La position des sacrifiés prouve qu'ils mouraient de leur plein gré. Rien n'a été dérangé dans les parures des femmes. Il est donc impossible que les victimes aient résisté à la mort ou aient connu l'agonie d'enterrés vivants. Woolley pense qu'ils entraient en procession dans la tombe, se couchaient dans l'attitude prescrite, prenaient alors l'un ou l'autre poison à l'action très rapide (peut-être de l'opium ou du hashich); ensuite, les assistants du maître des cérémonies mettaient la dernière main aux petits détails qui pouvaient ne pas être en ordre — avant qu'on n'enterre le tout. Les voitures, l'équipement, la présence de soldats et de dames de la cour montrent que les rois étaient censés partir pour un long voyage et changer de demeure. Mais tous les chercheurs ne pensent pas avec Woolley, que les tombes découvertes par lui sont des tombes royales. Certains croient plutôt qu'Abargi — dont le nom n'est pas mentionné dans les listes de rois — et Shubad n'étaient ni roi ni reine, mais bien deux personnes ayant joué le rôle des dieux à la fête annuelle de la fécondité dans le ziggourat.

La religion

Les Sumériens voyaient l'origine de toutes choses dans deux principes (ou forces) opposés : *Apsu*, principe mâle, le principe du bien, et *Tiamat*, principe femelle, le principe du mal. Apsu était le père de la mer et de toutes les plantes, tandis que Tiamat était la mère du limon et de tous les monstres. Tous deux étaient représentés par l'eau; en effet, pour les Sumériens, la mer, les rivières et les canaux formaient la première condition de la vie.

De la réunion de ces deux principes naissaient des dieux : en tout premier lieu, le dieu du ciel et la déesse de la terre. Ils avaient trois fils, les plus grands des dieux proprement dits : *Anu*, qui régnait sur le ciel, *Ea*, qui régnait sur la mer, et *Enlil*, qui régnait sur la terre. Ea avait créé l'homme à partir de l'argile, mais, comme Enlil était le dieu de la terre, Sumer et toute l'humanité étaient placées sous son pouvoir.

Sans Enlil, prince du ciel et de la terre,
Nulle cité ne serait construite, nul établissement fondé;
Nulle étable ne serait construite, nulle bergerie installée;
Nul roi ne serait élevé, pas un grand-prêtre ne naîtrait;
Nul prêtre, nulle grande-prêtresse ne seraient choisis
*   par celle qui prédit l'avenir;*
Les travailleurs n'auraient ni contrôleur, ni surveillant;
Les rivières, leurs eaux de crue ne les feraient pas
*   déborder;*
Les poissons de la mer ne déposeraient pas d'œufs
*   dans la jonchaie;*
Les oiseaux du ciel ne bâtiraient pas de nids sur la large
*   terre;*
Dans le ciel, les nuages vagabonds ne donneraient pas
*   leur humidité;*
Les plantes et les herbes, gloire de la campagne, ne
*   pourraient pas pousser,*
Dans le champ et la prairie, les riches céréales ne
*   pourraient pas fleurir;*
Les arbres plantés en la forêt montagneuse ne pourraient
*   pas donner leurs fruits...*

Les trois dieux avaient aussi créé le soleil, la lune et les planètes; des dieux divers étaient associés aux corps célestes. Cette idée fut reprise par les civilisations postérieures. La planète qui reçut plus tard le nom de Vénus (ou Aphrodite), la déesse de l'amour, chez les Romains (et chez les Grecs), était déjà associée chez les Sumériens à leur déesse de l'amour, Ishtar. Ce furent aussi les Sumériens qui, les premiers, ont introduit les divisions chronologiques que nous employons encore actuellement et ont nommé les jours d'après des dieux.

Enlil était mécontent des hommes et, avec l'approbation des autres dieux, il résolut de les punir de leurs péchés en leur envoyant une terrible inondation. Mais Ea, le dieu de la mer, était opposé à ce projet et en avertit son ami *Utanapishtim;* celui-ci bâtit donc un bateau qui le mettait à l'abri, lui, sa famille et ses animaux. Ensuite, les autres dieux regrettèrent également d'avoir envoyé le Déluge et se réjouirent de ce que le genre humain avait survécu à l'inondation.

Les Sumériens se faisaient une idée très sombre de ce qui les attendait après la mort. L'homme poursuivait son existence dans les enfers sous la forme d'un esprit; le dieu *Nergal* règnait sur les enfers, assisté d'une troupe d'esprits malfaisants. Les enfers étaient sombres et froids; les esprits des défunts erraient, vêtus de plumes, et se nourrissaient de boue et de poussière.

Personne n'atteignait au bonheur après la mort. C'est pourquoi les Sumériens rendaient un culte à leurs dieux sans autre espoir que d'acquérir des biens terrestres, comme la richesse et la santé. Leur foi comportait cependant quelques obligations morales : celui qui voulait s'attirer la faveur des dieux pour vivre agréablement sur la terre ne devait pas commettre de péchés.

Dans chaque société humaine, on trouve à côté de (ou plutôt sous) la religion officielle d'autres conceptions et d'autres mythes plus populaires. Les Sumériens n'échappaient pas à la règle. Ces mythes trouvaient une forme poétique dans les légendes bâties autour de héros semblables aux dieux. Le plus connu de ces héros sumériens était *Gilgamesh*, qui tenta de dérober aux dieux les fruits de l'arbre de vie pour les offrir aux hommes et les rendre ainsi immortels. Il échoua malheureusement dans sa tentative.

De leur vivant déjà, la plupart des rois étaient considérés comme des dieux. Ce fut le cas pour Goudéa qui, en théorie, n'était qu'un gouverneur aux ordres du roi des Goutiens, mais était en fait roi indépendant de Lagash. A la consécration du grand temple de Niourgirsou, Goudéa se déclara fils d'Anu, le dieu du ciel.

Des documents de l'époque relatent cette cérémonie. Tout Lagash vécut une semaine entière dans les réjouissances, dans des orgies sauvages, façon habituelle chez les peuples primitifs de fêter leurs dieux de la fécondité.

Mais les mythes et les légendes qui naquirent plus tard gagnèrent en variété et en profondeur sur la doctrine primitive et furent l'occasion de poèmes religieux d'une grande beauté.

HAMMOURABI LE LÉGISLATEUR

En 2350 avant J.-C., débuta une période de déclin, marquée par les guerres civiles et les expéditions des peuples montagnards du Nord. Elle dura jusqu'aux environ de 1750 avant J.-C., jusqu'au moment où le roi Hammourabi de Babel — en qui certains voient l'Amrafel de la Bible — réussit à rétablir l'unité du royaume et à faire de Babel — Babylone — sa capitale. Pendant plus d'un millénaire, Babel allait être la ville la plus importante du monde alors connue, comme plus tard Rome, et, au dix-neuvième siècle, Paris. Babel donnait le ton dans les sciences et les arts comme dans la mode, dans les bonnes et les mauvaises mœurs. La langue babylonienne devint la langue des diplomates, la langue de l'élite, dans toute l'Asie Antérieure et même en Égypte, comme plus tard le latin, le français et l'anglais.

Babel avait surtout une grande importance commerciale. La ville devint la plaque tournante des caravanes entre l'Inde et les ports de la Méditerranée, qui se trouvaient sur les côtes de l'Asie Antérieure. On y échangeait les produits de l'Orient et de l'Occident ; un tel troc rapportait de l'or.

Une des plus remarquables découvertes jamais faites fut celle de la " stèle d'Hammourabi ". En 1901, on trouva dans l'ancienne ville perse de Suse un puissant bloc de diorite, recouvert d'inscriptions cunéiformes qui y fut emmené au XXIIe siècle avant J.-C. comme butin de guerre venant de Babylonie. Le texte cunéiforme contenait le *plus ancien code du monde.*

Hammourabi avait fait placer ce monument où était écrit son grand recueil de lois dans le temple du dieu-soleil à Babel. On croyait que le roi tenait ces lois du dieu-soleil lui-même et cette scène est représentée tout en haut de la stèle d'Hammourabi. Hammourabi s'était fixé pour tâche, comme il le dit dans l'introduction de son code, " de discipliner les méchants et les mauvais et d'empêcher que le fort n'opprime le faible ".

Hammourabi exhorte le juge de rester impartial. Le faux témoignage était sévèrement puni.

Lorsque quelqu'un était accusé de meurtre ou de magie, il devait faire la preuve de son innocence en subissant l'épreuve de l'eau (c'est-à-dire que l'accusé était jeté à la rivière).

D'après les lois d'Hammourabi, les voleurs et les receleurs payaient leur forfait de leur vie dans la plupart des cas ; parfois encore, ils avaient les mains coupées ou devaient payer une amende ne pouvant excéder trente fois la valeur des biens volés. Celui qui accusait à tort quelqu'un d'avoir participé à un vol devait être mis à mort.

" Si quelqu'un pénètre par effraction dans une maison, il doit mourir et son corps doit être enterré sur les lieux mêmes de l'effraction. "

" Si le feu se déclare dans une maison et si l'un de ceux qui viennent éteindre l'incendie, jette un regard d'envie sur les possessions du propriétaire de la maison et s'empare de quelque chose, celui-là doit être jeté dans le feu ".

Un soldat qui se soustrayait à son devoir et reculait devant l'ennemi devait être mis à mort; celui qui le dénonçait pouvait s'approprier la maison du lâche. Dans le droit sumérien, le mariage était encore considéré comme " l'achat d'une femme ". Hammourabi dit du vol des femmes : " Si quelqu'un emmène la fille d'un autre par la force, contre la volonté du père et de la mère, et a des rapports avec sa victime, le voleur doit être mis à mort sur l'ordre des dieux ".

" L'épouse qui hait son mari et lui dit : " Tu n'es pas mon mari ", doit être jetée à la rivière pieds et poings liés, ou doit être précipitée du haut de la tour d'enceinte ".

La polygamie était tolérée jusqu'à un certain point. Chaque homme pouvait avoir une seconde épouse lorsque la première ne lui donnait pas d'enfants. De même, dans l'ancien Israël, Lea et Rachel apportèrent deux autres femmes en dot le jour de leur mariage. Comme beaucoup d'autres peuples orientaux, les Babyloniens considéraient comme un malheur le fait de mourir sans laisser de descendance.

Nous possédons deux intéressants contrats de mariage entre un homme, que pour la facilité de l'exposé nous appellerons Abraham, et une femme (Sarah) et son esclave (Hagar). Le premier dit ceci : " Sarah et Hagar sont devenues toutes deux femmes d'Abraham. Si Sarah et Hagar disent à leur mari : " Tu n'es pas notre mari ", elles devront être précipitées du sommet de la tour. Mais si Abraham dit à ses épouses : " Vous n'êtes pas mes épouses ", elles devront disparaître de sa maison. Hagar devra laver les pieds de Sarah, porter sa chaise dans la maison de Dieu, coiffer sa maîtresse et en tout veiller à son bien-être. Elle n'ouvrira pas ce qui est fermé et, chaque jour, elle moudra la farine pour le pain de Sarah ". La deuxième femme devait distraire la maîtresse de maison, l'aider à sa toilette et la suivre dans ses caprices et ses états d'âme. " Lorsque Sarah sera déprimée et de mauvaise humeur, Hagar devra aussi être déprimée et de mauvaise humeur. Si Sarah est gaie et enjouée, Hagar doit également être gaie et enjouée ". Le contrat de mariage d'Hagar commence ainsi :

" Abraham a pris comme épouse Hagar, la sœur de Sarah ". (On les considérait comme sœurs, bien qu'elles ne l'étaient pas en réalité, parce qu'elles étaient toutes deux épouses du même homme). Ensuite, vient la liste de toutes ses obligations envers Sarah. " Tous les enfants qu'Hagar a portés et portera sont les enfants des deux sœurs. Si Sarah dit à sa sœur Hagar : " Tu n'es pas ma sœur ", Hagar devra quitter la maison. Mais si Hagar dit à Sarah : " Tu n'es pas ma sœur ", Hagar sera vendue pour de l'argent. "

Avant Hammourabi, un homme n'avait aucune difficulté à se séparer de sa femme. " Tu n'es pas ma femme ", lui disait-il simplement en public, et il lui donnait un petit dédommagement rendant le divorce effectif. Si par contre, la femme voulait se séparer de son mari et lui disait : " Tu n'es pas mon mari ", on la punissait pour insubordination et on la jetait à la rivière. Hammourabi apporta une réforme fondamentale dans ce domaine. Les droits du mari furent limités, tandis que la femme recevait, dans certains cas, le droit légal au divorce. En premier lieu, le mari n'était plus autorisé à répudier sa femme pour cause de stérilité. Il est vrai que, dans ce cas, il avait le droit de prendre une deuxième femme, mais il devait continuer à entretenir la première.

Hammourabi donna à la femme le droit de réclamer le divorce de son côté, lorsque le mari quittait le domicile conjugal sans raison valable, lorsqu'il était banni ou lorsqu'il la négligeait grossièrement. Voici la lettre de la loi pour ce dernier cas : " Si une femme se montre récalcitrante envers son mari et lui dit : " Tu ne peux pas me toucher ", on devra rechercher les raisons pour lesquelles elle refuse à son mari d'exercer les droits conjugaux. Si elle a des raisons valables, par exemple si son mari erre deçi delà et la néglige gravement, elle aura le droit de reprendre sa dot et de retourner chez son père. Par contre, si elle a quelque chose à se reprocher, si elle abandonne sa maison et néglige son mari sans raison, cette femme devra être jetée à l'eau ". Le pouvoir des parents sur leurs enfants fut aussi limité par Hammourabi. On lit dans les anciennes lois sumériennes :

" Lorsqu'un fils dit à son père : " Vous n'êtes pas mon père ", on doit le marquer au fer rouge du signe des esclaves, l'enchaîner et le vendre. S'il dit à sa mère : " Vous n'êtes pas ma mère ", on doit lui marquer le front au fer rouge, le chasser de sa maison et de la ville. Si un père dit à son fils : " Tu n'es pas mon fils ", le fils doit quitter la maison paternelle. Si une mère dit à son fils : " Tu n'es pas mon fils ", il doit abandonner la maison et ses biens ". Les parents avaient donc le droit de renier leurs enfants sans autre forme de procès.

Le code d'Hammourabi décrète qu'il faut des raisons valables pour pouvoir renier un fils. Le juge devra mener une enquête.

Les enfants adoptifs, donc les enfants nés des femmes qui n'avaient pas le droit d'en avoir, avaient un sort beaucoup plus pénible, même sous la législation d'Hammourabi : " Lorsque le fils d'une fille publique ou d'une prêtresse du temple dit à son père adoptif : " Tu n'es pas mon père " ou à sa mère adoptive : " Tu n'es pas ma mère ", on doit lui couper la langue. Si un enfant de cette sorte retourne auprès de sa mauvaise mère, on doit lui arracher un œil ".

L'adoption jouait un rôle important dans la vie des anciens Babyloniens; c'était un moyen de se procurer de la main d'œuvre bon-marché et, après la mort, un parent qui devait veiller à ce que votre âme reçût les offrandes prescrites dans les formes voulues.

Celui qui séduisait la fiancée d'un autre devait, selon les lois d'Hammourabi, perdre la vie. " Lorsque la femme de quelqu'un est surprise avec un autre homme, tous deux seront enchaînés et jetés à l'eau, si le mari ne fait pas grâce à sa femme et si le roi ne fait pas grâce à son sujet " (c'est-à-dire au complice de l'adultère).

" La femme mariée qui aura fait assassiner son mari pour les beaux yeux d'un autre homme sera empalée ".

Dans les cas les plus graves de mauvaises mœurs, les complices étaient brûlés sur le bûcher ou condamnés à l'exil.

Le législateur accorde une attention toute spéciale aux cabarets. Ils étaient souvent tenus par des femmes — et servaient donc à d'autres fins.

Les prostituées, qui se trouvaient sous le contrôle de l'État, avaient le droit d'ouvrir une auberge et de fréquenter les cabarets. Mais si une prostituée du temple — une femme qui se livrait à la débauche religieuse — entrait dans un cabaret ou ouvrait un établissement de ce genre, elle passait à la débauche profane et courait ainsi le risque de finir sur le bûcher.

Dans les châtiments infligés pour coups, blessures et autres dommages physiques, on retrouve le vieux principe du droit des anciens Israélites : " Oeil pour œil, dent pour dent ! ". Celui qui blesse l'œil de son prochain, recevra le coup qu'il a donné. Celui qui casse la jambe de son prochain, aura, lui aussi, la jambe brisée. Ces peines sévères n'étaient d'ailleurs appliquées que lorsque la victime était une personne de qualité. Dans les autres cas, l'agresseur était puni d'une simple amende.

Il faut remarquer que le principe de " l'œil pour œil, dent pour dent " était aussi applicable aux médecins maladroits coupables d'une faute professionnelle. Même celui qui bâtissait une maison s'exposait aux rigueurs de la loi : " Lorsqu'un architecte bâtit une maison de façon si négligente qu'elle s'écroule, et que le propriétaire trouve la mort dans la catastrophe, l'architecte doit être mis à mort. Si le fils du propriétaire est tué, le fils de l'architecte doit être mis à mort. Si un esclave du propriétaire est tué, l'architecte devra donner à son client un esclave pour remplacer l'esclave perdu. "

Étant le recueil des lois d'un peuple commerçant, le code d'Hammourabi comporte de nombreuses clauses économiques et sociales. Il fixe le salaire des ouvriers agricoles et autres, limite la durée de l'apprentissage, détermine le prix de location des animaux et de l'outillage, prévoit des indemnités aux accidentés du travail, s'occupe des contrats commerciaux d'association, de commission, de société, fixe l'intérêt annuel de 20 à 33,33 %, réglemente le dépôt en banque, etc...

Le code d'Hammourabi révèle également l'existence de trois classes sociales : les hommes libres, les esclaves parmi lesquels non seulement les prisonniers de guerre mais aussi les citoyens réduits à la condition servile pour dettes, une classe de transition groupant les esclaves affranchis et les hommes libres provisoirement asservis pour dettes.

Hammourabi voulait empêcher l'exploitation du faible par le fort; c'est pourquoi il fixa des prix maxima pour les produits de première nécessité comme le blé, les dattes, l'huile et la laine. Mais la *promulgation* et l'*application* d'une loi sont deux choses différentes. Nous sommes certains que, dans de nombreux cas, les travailleurs de ce temps touchaient à peine la moitié du salaire qui leur était accordé par la loi. A cette époque, la loi de l'offre et de la demande semblait déjà avoir plus de puissance que tous les décrets du gouvernement.

Les lois d'Hammourabi montrent sous de nombreux aspects des similitudes surprenantes avec la loi de Moïse, qui fut élaborée cinq siècles plus tard. La différence essentielle entre les deux systèmes est la suivante : les lois d'Hammourabi ont un caractère purement juridique, tandis que la loi mosaïque a un caractère religieux et insiste nettement sur l'aspect éthique du droit.

Les lois d'Hammourabi ne se préoccupent pas des incidences religieuses des délits. Les peines dépendent des dommages causés. Ces lois ne prescrivent pas l'amour du prochain et ne font aucune place au sentiment de la culpabilité personnelle. L'intention de nuire n'est pas mentionnée. Mais, d'autre part, ce code tient compte, à certains moments, des sentiments du malfaiteur ou de l'accusé et des circonstances extérieures à l'instant où le délit fut perpétré. Ces cas étaient cependant exceptionnels. En règle générale, il existe une norme invariable dans la détermination du châtiment; les lois acquièrent ainsi un caractère si impitoyable qu'elles sont cause d'injustices, à nos yeux. Mais bien que de nombreuses lois d'Hammourabi nous semblent cruelles et injustes à nous, hommes modernes, nous ne devons jamais oublier que pour l'époque, elles représentaient un énorme progrès.

Le grand législateur s'efforçait toujours d'appliquer le droit de façon plus humaine, d'assister les socialement faibles et de leur assurer une existence digne d'un homme. Ses lois accordaient une grande attention à la protection de la veuve et de l'orphelin, des enfants mineurs exposés aux sévices d'un père tyrannique, des femmes sans défense vis à vis de leurs suborneurs. Il veillait aussi à ce qu'il fût impossible de faire justice soi-même. Celui qui voulait tirer lui-même vengeance d'un tort subi, perdait son droit à la justice des tribunaux.

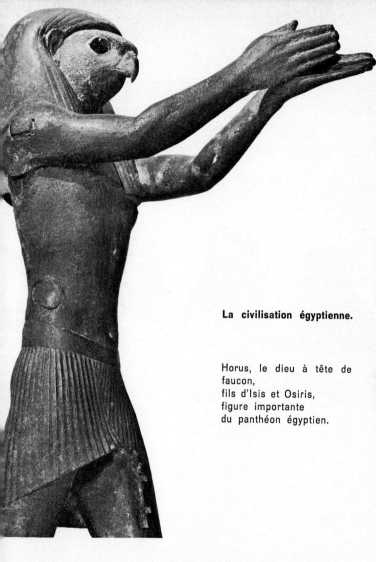

La civilisation égyptienne.

Horus, le dieu à tête de faucon,
fils d'Isis et Osiris,
figure importante
du panthéon égyptien.

Trois musiciennes peintes sur la tombe d'un prêtre d'Amon de la XVIIIe dynastie. Leurs instruments — flûte double, luth et harpe — se rencontrent encore aujourd'hui, à peu près semblables, dans les campagnes égyptiennes.

Peinture murale du tombeau de Toutankhamon : le successeur du pharaon accomplit les rites funéraires.

La vie quotidienne des Egyptiens se révèle dans ces objets de tous les jours : des sandales de roseau teint, une pelote de lin avec ses aiguilles de cuivre, un peigne en bois, un pot à onguent en pierre, un petit balai, un miroir de bronze et un corbillon de roseau.

La vendetta et la justice personnelle étaient donc des délits vis-à-vis de la loi. A ce point de vue, le code d'Hammourabi surpasse les lois juives. Une fois ces choses interdites, les tribunaux purent devenir ce qu'Hammourabi voulait qu'ils devinssent, c'est-à-dire un recours pour tous les citoyens respectueux des lois, en particulier les faibles et les opprimés.

Le code d'Hammourabi gardait encore son importance longtemps après la chute de l'empire babylonien. Le droit de Babylone connut une renaissance sous l'Empire perse. Il survécut ensuite dans le droit musulman et peut-être dans le droit romain.

Le père du pays décide de toutes les activités nationales. Lorsque la cour de Babel ou une expédition militaire a besoin de vivres ou d'autres articles de diverses sortes, Sa Majesté elle-même donne à ses gouverneurs l'ordre d'envoyer du grain.

On a retrouvé une assez importante correspondance des rois de la Babylonie ancienne ; les lettres parlent souvent de retards dans le paiement des impôts et montrent que l'impôt n'était guère populaire auprès des habitants des vallées du Tigre et de l'Euphrate. Les successeurs d'Hammourabi employaient dans leurs lettres aux contribuables récalcitrants, des tournures aussi patriarcales que : " Comment n'avez-vous pas honte d'agir ainsi ? "

Le roi ne dépendait pas entièrement des impôts pour son entretien et pour celui de sa cour. Il possédait personnellement de grands troupeaux de bovins et de moutons et plusieurs lettres montrent combien le roi s'intéressait à ses troupeaux. Par exemple, il donne mission au gouverneur déjà nommé d'envoyer des hommes pour aider à la tonte des moutons, ou plutôt pour arracher la laine du dos des moutons, car c'était ainsi que l'on procédait à cette époque.

Sa Majesté inspectait elle-même ses troupeaux et veillait elle-même à ce qu'on lui fournisse du bois des forêts qui couvraient les contrées marécageuses du Sud ; elle assurait également le transport de ce bois.

Pour prévenir la famine, les années où la récolte était mauvaise, le roi fit bâtir un énorme grenier à Babel et y constitua d'importantes réserves de blé.

Et c'est à bon droit qu'Hammourabi disait de lui-même : "Je suis le bon pasteur; j'ai rassemblé mon troupeau dispersé et je l'ai fait paître dans l'abondance".

Parmi les textes cunéiformes qui nous sont parvenus de l'ancienne Babylone, on trouve un grand nombre de lettres particulières qui nous permettent, pour la première fois dans l'histoire du monde, de nous faire une idée de la vie de l'homme de la rue. Il y a, par exemple, la lettre qu'un homme, occupé aux travaux d'un canal, envoie à son père. Il commence en exprimant le vœu que les dieux protègeront son père et le garderont en excellente santé : " Comment vous portez-vous? Écrivez-le moi ". Il raconte ensuite qu'il travaille à un barrage et il ajoute : " Il est impossible de trouver de la viande à l'endroit où je me trouve actuellement. Je vous envoie de l'argent. Envoyez-moi du poisson pour la valeur de cette somme, ou quelqu'autre bonne chose à manger! ". Voici maintenant la plus ancienne lettre d'amour du monde :
"Ainsi parle Ginil-Mardouk à sa bien-aimée : Que les dieux te conservent à mon amour! Écris-moi pour me donner de tes nouvelles! Écoute! Je suis allé à Babylone. Je ne t'y ai pas vue et j'en fus très attristé. Fais-moi savoir la date de ton retour pour que je puisse retrouver la joie! Reviens au mois d'Arachsama (novembre). Puisses-tu vivre éternellement pour me rendre heureux! "

Il y a la lettre d'un jeune homme à sa sœur. Le jeune homme vient de se fiancer, il est heureux et fier d'avoir su gagner l'amour de sa fiancée. " Elle m'a réellement fait grand honneur ", écrit-il. Mais il craint que sa sœur ne voie pas les choses sous le même angle. " Si tu refuses de recevoir ma fiancée, tu n'es plus ma sœur! "

Un autre document est plein d'intérêt. Dans cette lettre, le destinataire est prié de ne pas faire valoir ses droits aussi impitoyablement, mais de traiter les autres avec un peu plus d'amitié. Ce destinataire reçoit le nom d' " ami des hommes ", sans doute dans l'espoir qu'il ne fera pas mentir l'apostrophe! Voici les rétroactes de l'affaire. Un homme pauvre devait du grain au destinataire de la lettre, et lorsqu'il lui fut impossible de payer sa dette à la date prévue, son créancier lui prit son unique servante, " la jeune fille qui s'occupe de sa maison et moud la farine de son pain ". Le pauvre débiteur s'est donc adressé à l'auteur de la lettre pour qu'il exhorte l'impitoyable créancier à rendre la jeune fille.

Une autre lettre nous fait pénétrer dans une prison babylonienne. L'auteur est un homme, arrêté à la suite d'une erreur judiciaire; il écrit à son maître. Le pauvre prisonnier est sur le point de mourir de faim. " Envoyez-moi des oignons et de l'ail, sinon je vais mourir ", supplie-t-il. " Et un habit, que je puisse couvrir ma nudité! "

" Si le portier qui transmet ma lettre ne reçoit pas un cadeau, lui aussi, les chiens vont me dévorer ". Mais son maître devait lui faire remettre en mains propres tout ce qu'il lui enverrait. " Auparavant déjà, vous m'avez envoyé des cadeaux, mais personne ne me les a remis! "

Aussi longtemps qu'Hammourabi et d'autres souverains énergiques régnèrent sur le pays des deux fleuves, il fut assez puissant pour repousser les attaques soudaines des peuples barbares. Mais les Babyloniens, comme d'autres peuples de haute culture jouissant d'un certain bien-être, eurent vite tendance à s'amollir. Les marchands de Babylonie préféraient payer tribut à des conquérants étrangers que de risquer une guerre qui aurait pu nuire à leur commerce.

Vers la fin de l'ancien empire babylonien, le nombre des paysans libres diminua de façon notoire, cependant que les terres fertiles étaient englouties par la Couronne, les temples et le grand capital. La condition des paysans libres déclina progressivement jusqu'au servage. La puissance défensive du pays en fut diminuée et l'empire babylonien commença à craquer de toutes parts. Aux environs de 1530 avant J.-C., il subit une défaite contre les Hittites et d'autres conquérants étrangers. Par la suite, les Babyloniens s'affaiblirent de plus en plus et le pays passa sous l'autorité d'un peuple voisin, les Assyriens. Babel resta cependant le centre de la vie culturelle dans tout le pays du Tigre et de l'Euphrate.

L'EMPIRE ASSYRIEN

Comme les Babyloniens, les Assyriens étaient un peuple sémitique. Leur empire reçut le nom de leur dieu principal, *Assur*, et leur première capitale fut appelée de même. Mais plus tard, *Ninive* devint le centre de l'empire

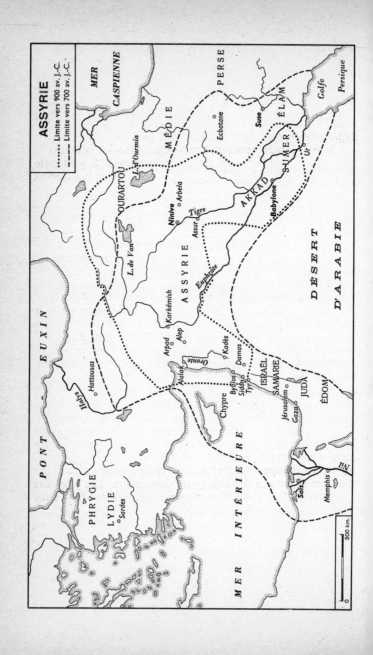

ASSYRIE

.... Limite vers 900 av. J.-C.
‒ ‒ ‒ ‒ Limite vers 700 av. J.-C.

MER CASPIENNE

PERSE

MÉDIE

Golfe Persique

Ecbatane

L. d'Ourmia

OURARTOU

Suse ÉLAM

SUMER

Ur

AKKAD

Arbela

L. de Van

Ninive Tigre

Assur

Babylone

PONT - EUXIN

Hattousas

Karkémish

ASSYRIE

Euphrate

Hbys

Arpad Alep

Kadès

Oronte

DÉSERT D'ARABIE

Alalak

Damas

Chypre

Byblos
Sidon
Tyr

ISRAËL

SAMARIE

JUDA

ÉDOM

Jérusalem

Gaza

PHRYGIE

LYDIE

Sardes

MER   INTÉRIEURE

Saïs Memphis

NIL

0   300 km.

assyrien, qui, dès le milieu du deuxième millénaire avant
J.-C. commença à prendre une importance mondiale;
il devint plus important encore que l'empire égyptien à
son plus beau jour. Les conquérants assyriens soumirent
Babylone, la Syrie, la Palestine et pour un temps, l'Égypte.
L'un de leurs rois les plus assoiffés de conquêtes fut
Téglatpileser, qui vécut aux environs de 1100 avant J.-C.

" Je n'ai jamais rencontré mon égal dans les combats ",
déclare-t-il avec solennité sur ses monuments. Il y raconte
en outre qu'il a soumis les pays de 42 rois et qu'il a étendu
son empire jusqu'aux rives de la Méditerranée et aux
montagnes d'Arménie. Jamais encore, autant de peuples
n'avaient payé tribut à l'Assyrie. Dans une inscription,
Téglatpileser ajoute qu'il a reçu " des présents du roi
d'Égypte ", entr'autres un crocodile et des singes.

Il consacrait son énergie extraordinaire à la mise en
valeur de son pays et à l'organisation de l'agriculture et de
l'élevage.

Les Assyriens étaient une peste pour les autres nations.
Ils employaient une nouvelle méthode pour imposer leur
joug aux peuples vaincus. Ils déportaient les classes
dirigeantes des pays conquis en Assyrie, tandis qu'ils
peuplaient leurs nouveaux territoires de colons assyriens.
Leur façon de faire la guerre était horrible. Dans une
inscription, le roi *Assur-natsir-apla II*, qui mourut vers 860
avant J.-C., se vante des hauts faits suivants : " J'ai fait
brûler beaucoup d'ennemis. A d'autres, j'ai laissé la vie.
J'ai coupé les bras ou les mains de certains d'entr'eux.
A d'autres, j'ai coupé le nez et les oreilles. J'ai crevé un
œil à de nombreux hommes ". Une autre de leurs tortures
était d'écorcher vif un homme, de lui arracher la langue
ou de lui couper les lèvres. Ses victimes étaient traitées
d'une manière qui dépasse toute description. Les têtes des
cadavres étaient entassées en pyramides ou pendues dans
les arbres, comme des trophées.

Aux triomphes des rois assyriens, les rois vaincus
devaient tirer la voiture royale et devaient très souvent
porter sur le dos la tête coupée d'un de leurs compatriotes.
Ensuite, on leur passait un anneau dans le nez ou à travers
les lèvres et on les envoyait aux travaux forcés. Ou encore,
on les enfermait dans une cage avec des chiens ou des
porcs et on plaçait la cage aux portes de la ville pour que
le peuple puisse cracher sur les vaincus.

La cruauté du peuple assyrien se retrouve dans le droit assyrien. Au cours des fouilles d'Assur, au début de ce siècle, les archéologues allemands ont découvert des textes de lois qui datent d'environ 1300 avant J.-C.; ces lois sont de près de cinq mille ans postérieures aux lois d'Hammourabi et sont pourtant nettement moins évoluées. Le droit assyrien prévoit de très nombreux délits punis de flagellation. D'autres peines : percer les oreilles et les tirer en arrière au moyen d'un cordon; l'ablation des lèvres, du nez, des oreilles et des doigts; la mutilation du visage. La castration sanctionnait toutes sortes de délits de mœurs.

Le châtiment le plus répandu pour les malfaiteurs était le pal. Ceux qui avaient commis des délits très graves étaient écorchés vifs. Le droit matrimonial des Assyriens montre une parenté avec le droit familial des Hébreux. Chaque homme avait l'obligation d'épouser la veuve de son frère, même s'il était déjà fiancé ou marié à une autre femme. La procédure du divorce était beaucoup plus simple en Assyrie qu'en Babylonie. " Lorsqu'un homme abandonne sa femme, il peut lui donner quelque chose, *si cela lui plaît*. Si cela ne lui plaît pas, il n'est pas obligé de lui donner quelque chose, mais, en ce cas, il doit quitter la maison les mains vides ".

L'épouse qui ne donnait pas d'enfant à son mari n'avait — au contraire de Babylone — aucun droit à sa succession; elle n'avait même pas le droit de garder ce que son mari lui avait offert de son vivant. Lorsqu'une femme mariée était prise en flagrant délit de vol dans la maison d'autrui, son mari devait lui couper les oreilles s'il acceptait de rembourser les biens volés. Mais si le mari refusait de rembourser, la victime du vol devait se rendre maître de la voleuse et lui couper le nez.

Nous voyons une application du principe " œil pour œil ", " dent pour dent " dans un document juridique de la fin de la période assyrienne; selon ce document, un homme qui a tué une esclave appartenant à un autre homme est obligé de donner sa propre esclave et les enfants de celle-ci au maître de la victime, pour " laver le sang de cette manière. S'il ne donne pas son esclave, on doit le tuer sur la tombe de la morte ".

Lorsqu'une femme est prise en flagrant délit d'adultère par son mari, celui-ci a le droit de tuer sa femme et son complice ou, s'il le préfère, de couper le nez de sa femme, de castrer le coupable et lui mutiler le visage. Mais lorsque le mari trompé pardonne à sa femme, il doit aussi pardonner au complice. Le viol d'une femme mariée est puni de la peine de mort.

Les femmes mariées ne pouvaient sortir que voilées. Le voile était le symbole du droit exclusif d'un mari sur son épouse. Mais une fille publique devait sortir le visage découvert. Si elle se montrait voilée, elle s'exposait à recevoir cent coups de bâton. Ou encore, on lui enduisait le visage de goudron.

Assurbanipal à la chasse.

Le plus puissant de tous les rois assyriens postérieurs à Assurnatsir-apla, fut *Sargon II* qui vécut vers 700 avant J.-C. ; il fut le seul maître des territoires situés entre la Méditerranée à l'ouest et le Tigre à l'est, les déserts d'Arabie au sud et les montagnes d'Arménie au nord.

Assurbanipal fut le dernier dans la longue lignée des conquérants ; il régna de 668 à 630 avant J.-C. Les Grecs abâtardirent son nom en Sardanapalos et firent circuler les récits les plus insensés au sujet de ce puissant monarque, récits qui leur avaient été transmis par les Perses. Ces propos calomnieux faisait de Sardanapalos un mou qui vivait dans son palais, " tout à fait comme une femme ". Il passait son temps à " filer la laine pourpre la plus fine ". De telles fantaisies furent réfutées de la façon la plus simple par des tableaux de chasse dans la Salle des Lions du palais d'Assurbanipal, où nous le voyons, plein de force virile, chevaucher un lion et enfoncer l'épieu dans la gueule de l'animal sauvage.

Assurbanipal n'était pas seulement un chasseur acharné, mais aussi un guerrier puissant, un architecte et un promoteur des sciences et de la littérature. Grâce à lui, la postérité possède une masse de données très précieuses dont nous pouvons tirer une connaissance très étendue de la civilisation des pays de l'Euphrate. Il a notamment fait établir une énorme collection de textes cunéiformes sur des tablettes d'argile. On a découvert plus de 20 000 de ces tablettes dans les ruines de Ninive. Elles sont actuellement au British Museum. Sur ces tablettes, les inscriptions cunéiformes sont très serrées ; de plus, elles sont microscopiques. La plupart des signes ne peuvent être lus qu'avec une loupe. Un profond désir de savoir poussa ce puissant impérialiste à fonder *la plus ancienne bibliothèque d'État connue dans le monde*. Dans ses inscriptions, il prétend pouvoir déchiffrer les textes sumériens les plus difficiles et affirme que son passe-temps favori était la lecture des tablettes de pierre " plus vieilles que le Déluge ".

Mais cet Assyrien n'était pas assez civilisé pour vaincre sa cruauté native. Au contraire, il raconte avec fierté comment il " massacra comme des agneaux " les habitants d'une ville conquise.

Assurbanipal ne craignit pas non plus de troubler le repos des morts dans les pays soumis. Après une victoire sur les Élamites, il fit enlever de Suse les sarcophages des rois défunts et fit porter leurs dépouilles à Ninive. " Ainsi, les esprits des morts furent sans repos ", dit ce maniaque de la vengeance.

La bibliothèque d'Assurbanipal consiste, pour une grande part, en copies d'anciennes œuvres babyloniennes que le roi, ami des lettres, avait rassemblées. L'honneur d'avoir sauvé de la décadence les créations spirituelles de la culture babylonienne lui revient. Mais l'intérêt d'Assurbanipal pour ces collections ne signifie pas que son époque ait beaucoup innové sur le plan culturel. La correspondance officielle de la bibliothèque d'Assurbanipal est d'une grande importance. Grâce à ces lettres très diverses, on peut dire, sans exagérer, que nous connaissons mieux les événements intérieurs du royaume assyrien que ceux des nombreuses périodes postérieures de l'histoire. De même que les lettres du temps d'Hammourabi, cette correspondance témoigne qu'en toutes circonstances, on pouvait s'adresser au roi lui-même. Un batelier qui devait transporter une statue colossale représentant un taureau ailé écrivit : " Au roi, mon seigneur, votre serviteur

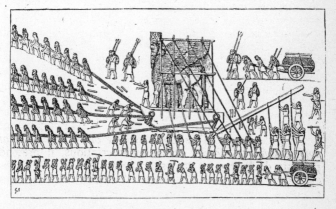

Le transport d'un taureau ailé assyrien.

Assurbani : salut au roi, mon maître. Assurmuki m'a chargé de transporter le grand taureau et les chérubs [1]

―――――――

[1] Génies ailés à tête humaine, corps de lion et pattes de taureau.

de pierre. Les bateaux ne sont pas assez solides et, de plus, ils ne sont pas encore prêts. Mais si l'on a la bonté de nous faire un cadeau, nous ferons en sorte qu'ils soient prêts, et puissent remonter le fleuve ''.

Bakchich!

De nombreuses lettres traitent de l'importation de chevaux et de mulets d'Asie Mineure pour les écuries royales. On demande parfois au roi si ces nobles animaux doivent être installés à l'écurie ou s'ils doivent être envoyés au pâturage.

Comme sa vie, la mort d'Assurbanipal fut entourée de légendes. Les Perses et les Grecs racontèrent qu'il fut le dernier roi d'Assyrie. Lorsque le roi ne put plus offrir de résistance aux ennemis qui envahissaient son pays, il se serait enfermé dans son palais de Ninive où il se serait fait brûler vif avec son harem et tous ses trésors. En réalité, Assurbanipal mourut paisiblement, bien assis sur ce trône qu'il aimait tant. La catastrophe survint par après, au cours du règne du second successeur, *Sarakos*, qui fut vaincu par les Mèdes, un peuple originaire des hauts plateaux d'Iran. En 612, ils occupèrent Ninive. Pour ne pas tomber aux mains de ses ennemis, le roi chercha lui-même la mort dans les flammes. Les vainqueurs s'offrirent une vengeance terrible sur le peuple qui avait été si longtemps un fléau pour l'humanité. Hommes, femmes, enfants — presque tout ce qui portait le nom d'Assyrien — furent exterminés. Ninive, Assur, les fiers palais et les temples furent abandonnés aux flammes et disparurent de la surface de la terre. En un tour de main, l'empire assyrien fut précipité du sommet de son orgueilleuse puissance dans le néant; la civilisation assyrienne fut enterrée sous la poussière et la cendre. L'anéantissement de Ninive fut si total que, lorsqu'une armée d'environ 10 000 Grecs (parmi les officiers se trouvait l'historien Xénophon) passa, plus de 200 ans plus tard à cet endroit, elle ne découvrit plus aucune trace de la ville dont l'emplacement était pourtant bien connu.

L'EMPIRE NÉO-BABYLONIEN

Pendant la période de déclin en Assyrie, après la mort d'Assurbanipal, la Babylonie redevint un royaume indépendant. Les Chaldéens, un autre peuple sémitique, conquirent le pays et fondèrent l'*Empire néo-babylonien*. Ensuite, ils aidèrent les Mèdes à abattre l'empire assyrien et, après la chute de Ninive, ils soumirent la plus grande partie de l'ancien territoire assyrien.

A partir de 604 avant J.-C., les Babyloniens connurent une nouvelle ère de bien-être, sous le courageux guerrier et grand architecte *Nabuchodonosor II*. Il orna Babel de magnifiques constructions. Le temple qu'il fit élever à Bêl-Marduk était célèbre. Selon l'usage babylonien, s'élevait à côté du complexe du temple une haute tour divisée en plusieurs terrasses. La tour de Bêl possédait sept terrasses, consacrées au soleil, à la lune et à cinq autres planètes connues à cette époque. Elles faisaient une grande impression, car elles étaient recouvertes de tuiles multicolores. La plus belle était la terrasse dorée du soleil. La terrasse argentée de la lune brillait au sommet de la tour.

Les ruines de cette fière tour existent encore de nos jours et ont profondément frappé l'imagination des Arabes qui habitent aux alentours.

Ils y voyaient les vestiges de la " Tour de Babel ", construite par les premiers hommes. Une inscription découverte récemment prouve que le roi Nabuchodonosor avait donné l'ordre d'élever cette tour jusqu'au ciel. Il y raconte, en effet, que la tour du temple existait déjà avant lui, mais elle ne se composait que de deux terrasses.

Nabuchodonosor n'était pas seulement un grand roi, il était aussi un homme pieux. Les prières adressées à Marduk, le grand maître du monde, et à son fils sont si pures et d'un ton si élevé que la littérature mondiale n'a que peu d'œuvres égales à leur opposer.

Nabuchodonosor se fit construire un brillant palais. Selon le désir de son épouse, il fit entourer le palais d'un jardin aménagé en terrasses, les " jardins suspendus de Babylone ", qui, comme les pyramides, comptent parmi les " sept merveilles du monde ". Lorsque la Bible et les écrivains classiques parlent de la magnificence de Babylone, ils font surtout allusion à la Babylone de Nabuchodonosor, qui a fait sur eux une impression inoubliable. Les murs, les temples, les palais et les maisons particulières qui furent exhumés de nos jours datent en grande partie de cette époque.

Dans ses inscriptions, Nabuchodonosor se réjouit tout particulièrement d'avoir rendu sa fière capitale inexpugnable par de solides fortifications. " Celui qui viendrait avec de mauvaises intentions " ne pourait jamais y pénétrer.

Lorsque le roi dictait ces paroles orgueilleuses, il ne se doutait pas que le seul parmi ses successeurs à qui ces fortifications auraient vraiment pu venir à point ne fît aucun effort pour se défendre et laissa tomber, sans réagir, sa capitale inexpugnable aux mains d'un souverain étranger. Sans un coup de sabre, Babel ouvrit ses portes devant le conquérant perse *Cyrus*. Cyrus monta donc sur le trône de Babel et tous les princes vassaux du royaume babylonien se hâtèrent vers l'Euphrate pour baiser les pieds du nouveau souverain et lui payer tribut.

Hérodote enjolive le récit de la chute de Babel. Selon lui, les Babyloniens, tout à fait sûrs de l'inexpugnabilité de leur ville et confiants dans les importants approvisionnements qu'ils avaient rassemblés, se seraient trouvés au beau milieu de réjouissances déchaînées à l'arrivée de l'ennemi. Mais Cyrus avait détourné les eaux du fossé d'enceinte afin que les Perses puissent le passer à gué; tandis que les Babyloniens étaient encore occupés par la danse et les fêtes, les Perses se rendirent maîtres de la ville. Dans la tradition juive aussi, la chute de Babylone survint au cours d'une grande fête. Le récit que Cyrus lui-même fait de la conquête de la Babylonie mentionne une fête religieuse à Babel, mais place cet événement avant la venue des Perses. Une ruse de guerre était bien superflue, car les Babyloniens le reçurent à bras ouverts. Le conquérant magnanime épargna à Babel le sort de Ninive. Pendant plusieurs siècles, la ville resta la capitale de l'Orient, tristement célèbre par son goût du luxe et ses mœurs dépravées. Mais, peu à peu, d'autres villes atteignirent une prospérité égale. Babel fut abandonnée et tomba en décadence. Et les paroles du prophète Isaïe se réalisèrent : " Les autruches y demeureront, les satyres y feront leurs danses. Les chacals hurleront dans les palais et les loups dans ses maisons de plaisance. "

Parmi les documents néo-babyloniens, la collection des lettres occupe une place importante. Dans ces lettres, nous pouvons lire comment les pères en voyage saluent leur famille; ils demandent comment chacun se porte à la maison, font saluer les amis et connaissances et donnent

de bons conseils pour les affaires du ménage. Un père de
famille très attentif, raconte à son épouse affectionnée
qu'il se porte bien, grâce aux dieux et qu'il a écrit à un
commerçant d'envoyer une certaine quantité de froment
à la maison. Il termine sa lettre par cette exhortation :
" Ne sois pas négligente, mais soigneuse dans ton ménage!
Prie les dieux de m'aider, et envoie-moi rapidement des
nouvelles par un voyageur! ". Ceci est sans aucun doute
une lettre modèle dans son genre, sans un seul mot superflu!

Une autre lettre exprime l'impatience. Un homme
raconte à sa femme les difficultés de son voyage. Malgré
tous ces ennuis, il se porte bien, mais il s'étonne que sa
femme ne lui ait pas encore écrit. " Pourquoi, dit-il,
n'ai-je aucune nouvelle de toi et n'ai-je encore reçu
aucune réponse à toutes les lettres que je t'ai envoyées? "
" Je t'ai cependant écrit : " Depuis le moment où je
commence mon long voyage, tu dois me faire connaître
tout ce qui arrive dans ma maison! " Pourquoi, pendant
tout le mois, n'ai-je reçu aucune lettre? " En conclusion,
il s'informe de la santé de sa famille et de ses connaissances.
Espérons qu'il aura enfin reçu une réponse.

LA CIVILISATION ASSYRIENNE
ET BABYLONIENNE

COMMENT CONNAISSONS-NOUS
L'ANTIQUITÉ ASSYRIENNE
ET BABYLONIENNE

Il y a un siècle, on ne connaissait des empires babylonien et assyrien que ce que d'autres peuples du passé avaient raconté. Les voix des deux peuples s'étaient tues — pour des siècles, pensait-on. Si quelqu'un avait dit alors que l'on trouverait dans les ruines de ces villes des bibliothèques entières pleines de récits étonnants sur les peuples qui y avaient vécu et de là avaient régné sur le monde, on aurait considéré semblable prophétie comme une folle fantaisie. Il était vraiment impossible de lire des inscriptions écrites dans des langues qui étaient mortes depuis déjà 2 000 ans! Mais l'impossible est devenu réalité!

Les fouilles

On pourrait dire que nulle part ailleurs les archéologues n'ont connu des triomphes semblables à ceux remportés sur le sol assyrien. Non pas que les découvertes dans les ruines de Ninive et d'autres villes assyriennes aient plus de valeur intrinsèque que celles d'Égypte, d'Asie Mineure, de Grèce et d'Italie. Mais la différence entre ce que nous savons maintenant et ce qui était connu avant les fouilles est beaucoup plus grande ici que dans n'importe quelle autre civilisation. Ninive et ses villes-sœurs ont été si complètement anéanties qu'il ne restait plus que des ruines anonymes de l'orgueilleux empire qui, pendant des centaines d'années, avait imposé sa loi aux peuples de l'Asie Antérieure. Cet intéressant chapitre du développement de l'humanité semblait vraiment condamné à l'oubli. Seule la Bible donnait quelques renseignements épars sur ce redoutable peuple de conquérants, et entretenait un vague souvenir. Mais lorsque les ruines commencèrent à parler, elles parlèrent une langue beaucoup plus claire que celle de l'Égypte.

En Babylonie, les ouvrages architecturaux les plus anciens que l'on ait trouvés, datent du début du troisième millénaire avant le Christ. Ces bâtiments n'ont pas autant d'intérêt dans l'histoire de la culture que ceux d'Égypte. En Babylonie, la pierre était rare; les temples eux-mêmes étaient construits en briques, beaucoup plus périssables que la pierre naturelle et se prêtant moins à la décoration. On a trouvé les documents les plus valables concernant l'histoire de la Babylonie en dehors des frontières de ce pays, dans les ruines de l'ancienne ville perse : Suse. Cela vient du fait que les Élamites ont emmené, de leurs razzias, une grande quantité de monuments babyloniens, entr'autres la pierre sur laquelle était gravé le célèbre code d'Hammourabi.

Dans les ruines de Babylonie même, une seule espèce de documents se présente en grande quantité : des accords commerciaux et des lettres d'affaires sur des tablettes d'argile. On a conservé de nombreuses tablettes d'exercices d'écriture et de calcul employées dans les écoles des temples, des manuels de grammaire, de mathématiques et d'astronomie, des tablettes où sont gravés des chants, des prières, des exorcismes et des mythes. Les vestiges d'Assyrie où l'on disposait de pierre de construction sont plus variés. Les derniers rois couvraient leurs palais de plaques d'albâtre décorées de sculptures en relief et ornées d'inscriptions qui racontaient leur vie et leurs exploits.

Avant les fouilles, on voyait les rapports historiques entre la Babylonie et l'Assyrie de façon exactement contraire à celle d'aujourd'hui. A ce moment, l'histoire de l'empire assyrien était cachée sous les ruines de ses villes. En effet, le royaume tout entier avait été anéanti par un grand désastre, puisqu'il avait été rayé de la surface de la terre. Par contre, les villes babyloniennes avaient survécu à la catastrophe, et, après la période perse, entretenaient avec les Grecs des contacts encore plus étroits qu'auparavant. Les historiens grecs, surtout Hérodote, pouvaient donc nous donner un récit assez complet des vicissitudes ultérieures des Babyloniens, basé sur la tradition du peuple babylonien lui-même. Au contraire, les Grecs n'avaient de l'Assyrie que des renseignements épars et souvent tout à fait inexacts.

Grâce à cette catastrophe qui, en 612 avant J.-C., toucha toutes les villes assyriennes, les sources de l'histoire assyrienne sont restées intactes jusqu'à nos jours. Comme, plus tard, à Pompéi, le fléau frappa si vite que tous les palais et les temples sont demeurés à peu près intacts sous les tas de décombres.

En outre, dans l'Antiquité, les villes babyloniennes avaient déjà été saccagées à maintes reprises par les peuples voisins belliqueux, surtout par les Élamites et les Assyriens qui enlevèrent les monuments culturels les plus précieux. Puis vint la chute.

De nos jours, les fouilles ont sorti ce monde de l'oubli. Le premier coup de bêche fut donné par un Anglais, *C.J. Rich*, un employé de la Compagnie de l'Asie Orientale à Bagdad. Il était encore très jeune lorsque, en 1811, il visita les ruines de Babylone pour la première fois. Ces vestiges d'une époque depuis longtemps révolue éveillèrent en lui un intérêt passionné. Ici comme à Ninive et en d'autres endroits, il dessina des cartes et exécuta des fouilles. Dix ans plus tard, il mourait du choléra. En comparaison des trouvailles des années suivantes, ses collections ne sont pas très importantes, mais elles ont cependant une place d'honneur au British Museum, car elles sont le début de l'énorme moisson recueillie au cours des temps.

Les premières grandes découvertes réelles en territoire *assyrien* furent faites par le Français *Paul-Émile Botta*. En 1843, il commença, avec l'aide de l'État français, des fouilles dans les environs de l'ancienne Ninive. Ici, la bêche heurta les vestiges du palais que Sargon II, le conquérant de Samarie, avait fait construire plus de 700 ans avant J.-C. Botta eut à lutter contre des difficultés incroyables dues au climat malsain et à une population méfiante, superstitieuse et avide, et le gouverneur turc semblait aussi soupçonneux que le peuple lui-même.

Néanmoins, ce serviteur infatigable de la science réussit à dévoiler, chambre après chambre, le puissant palais de Sargon, un édifice qui ne couvrait pas moins de dix hectares. Les murs étaient ornés de dessins et d'inscriptions retraçant la vie et l'histoire des Assyriens; des animaux colossaux montaient la garde à l'entrée. L'architecture assyrienne, tout à fait inconnue auparavant, se révéla soudain à la postérité. Le palais déterré impressionna très fort les savants d'Occident, mais aussi les autochtones. Ceux-ci avaient peuplé ce pays pendant plus de 1 000 ans et personne n'avait jamais entendu parler d'un palais souterrain. Et voici qu'un homme arrivait d'un lointain pays de l'Ouest, un homme dont les ancêtres étaient encore à demi barbares à l'époque où le palais des rois assyriens fut construit! Cet homme se dirigeait sans hésiter vers l'endroit qu'il avait choisi et disait : " Voici le palais et voilà l'entrée! ". Et là-dessus, il faisait sortir de terre, comme par magie, de merveilleux monuments que les Arabes et leurs ancêtres avaient eus journellement sous les pieds sans se douter de rien! Quel merveilleux coup du hasard : le souvenir de ce peuple qui domina autrefois tout le monde civilisé demeurait vivant chez une nation aussi lointaine et relativement jeune. Et ce furent des étrangers qui durent montrer aux habitants du pays lui-même les lieux où s'étaient élevées les grandes villes de leur passé.

Un choix des objets trouvés fut envoyé à Paris dans des circonstances particulièrement difficiles; ils sont maintenant au Louvre les témoins silencieux de la grandeur passée. Quantité d'autres curiosités assyriennes irremplaçables destinées au même musée se trouvent malheureusement au fond du Tigre. On les avait déposées, avec le butin de fouilles simultanées en Babylonie, sur deux radeaux qui versèrent dans les flots boueux du fleuve.

Peu après l'importante trouvaille de Botta, l'Anglais *Austen Henry Layard* découvrit un autre grand palais : celui du roi assyrien *Salmanasar III*. Le palais avait presque un siècle de plus que le précédent et était situé à Nimroud, capitale de l'empire avec Assur et résidence du puissant chasseur Nemrod. Les fouilles que Layard entreprit ici —

en partie avec l'aide du gouvernement britannique —
eurent des résultats surprenants. Les murs du palais étaient
recouverts de grandes plaques d'albâtre ornées de reliefs
qui dévoilaient à la postérité étonnée des tableaux de la vie
assyrienne. Partout, on trouva des inscriptions qui ne
purent d'ailleurs être déchiffrées que beaucoup plus tard.

Ensuite, Layard se mit à la besogne dans les ruines
de l'ancienne Ninive; ici aussi, il découvrit, entr'autres
choses, un palais royal. Il avait été construit par le despote
bien connu de l'ancien testament, Sennachérib, qui mourut
en 680 avant J.-C. Lorsqu'on poursuivit les fouilles pour
le compte du British Museum, on trouva également les
ruines du palais construit un peu plus tard par Assurbanipal. La découverte la plus précieuse fut évidemment
la grande bibliothèque d'Assurbanipal. Parmi ces tablettes
d'argile, on rencontra plus tard les célèbres récits
babyloniens de la création du monde et du Déluge.

Entre-temps, les archéologues français et anglais avaient
fait en Babylonie des découvertes intéressantes. On y
trouva des objets d'art vieux de 5 000 ans et témoignant
d'une haute civilisation. On découvrit également les ruines
de l'Ur des Chaldéens, domicile du patriarche Abraham.
Dans ce pays de marécages où la chaleur torride et les
essaims de moustiques répandaient les fièvres, le travail
était encore plus difficile et plus dangereux qu'en Assyrie.

En 1888, les Anglais et les Français furent concurrencés
par l'Amérique dans leurs travaux d'archéologie. En effet,
l'université de Philadelphie envoya une expédition en
Babylonie. Les résultats furent surprenants. Il était dit
que les Américains feraient une découverte qui, en son
genre, ne serait pas " the biggest in the world ", mais
bien " the oldest ". Pour autant que l'on sache, le temple
que les Américains ont découvert dans l'ancienne ville
babylonienne de Nippur est le plus ancien du monde,
tout au moins en ce qui concerne les fondations. C'est
à l'ombre de ce temple consacré à Bêl que le prophète
Ézéchiel eut une vision; il voyait des êtres dont " le bruit
des ailes était pareil au bruit des grandes eaux ".

Les ruines de ce remarquable sanctuaire avec ses tours
en forme de pyramide ont été recouvertes, au cours des
millénaires, par une telle quantité de boue et de poussière,
que la construction repose maintenant à trente mètres
de profondeur. A Nippur encore, on a découvert de

cinquante à soixante mille tablettes d'argile recouvertes de textes cunéiformes. La plupart appartiennent aux archives du temple et concernent la comptabilité ou l'administration. Par contre, d'autres peuvent être considérées comme littérature. Elles comprennent des tableaux chronologiques et des prières, des hymnes, des exorcismes et autres textes religieux. Une grande partie de ces tablettes date du troisième millénaire avant le Christ et appartiennent donc à la plus ancienne littérature connue. Grâce à cette découverte, il fut possible d'établir le niveau élevé atteint par la civilisation sumérienne, il y a 4 000 ans.

Des objets transportables mis à jour à Nippur, la plus grande partie fut transférée au musée ottoman de Constantinople selon les prescriptions légales, mais le sultan permit à l'université de Philadelphie de prendre sa part du trésor.

Ensuite les Allemands firent leur apparition en Mésopotamie, sur le terrain des fouilles. Ce fut en 1899. Ils eurent la chance de trouver un des plus intéressants secteurs d'investigation, pratiquement inexploré ; en effet, il s'agissait de Babylone elle-même, la grande métropole à qui Hérodote, que l'exagération n'effrayait pas, attribuait une superficie égale à celles de Londres et Paris réunis. A ce moment, cette reine des cités antiques reposait encore sous ses monceaux de ruines.

Les archéologues allemands ont dévoilé la culture babylonienne au moment de son plus grand essor.

Avant ces fouilles, on s'était demandé pendant longtemps comment les Babyloniens décoraient leurs murs de briques grossières. Il leur était impossible d'employer des carreaux d'albâtre car ils ne disposaient pas de ce matériau, introuvable dans leur pays.

Les archéologues allemands donnèrent la réponse : les Babyloniens décoraient leurs murs de carreaux de pierre émaillée ; ces pierres multicolores dessinaient des figures : des lions majestueux, des taureaux puissants et des dragons fantastiques.

Outre l'ancienne Babylone, les archéologues allemands découvrirent d'autres ruines babyloniennes presque intactes, Assur, la plus ancienne capitale de l'empire assyrien. Malgré des circonstances défavorables, on y entreprit des fouilles qui donnèrent des résultats extraordinaires. Ces travaux ont jeté quelque lumière sur le mystère qui, jusqu'alors, entourait la culture et les origines de l'empire assyrien.

En vérité, on n'a retrouvé que les fondations du célèbre temple d'Assur. Mais elles suffisent à prouver l'âge imposant de ce sanctuaire.

A côté des temples et des palais, les fouilles d'Assur et de Babylone ont révélé des maisons particulières; il y en a suffisamment pour que l'on parle de quartiers. L'architecture des palais s'y retrouve sur une petite échelle : épais murs de briques, sans fenêtre, chambres donnant sur une cour à ciel ouvert. Mais les plus importantes découvertes des Allemands à Assur sont peut-être les innombrables inscriptions relevées sur des objets de pierre et d'argile cuite. Elles sont d'une valeur inestimable pour l'archéologie, la linguistique et l'histoire des religions.

Des cargaisons entières de textes cunéiformes et d'autres documents sur l'histoire du pays des deux fleuves furent envoyées aux musées de Londres, Paris, Berlin, Constantinople et Philadelphie.

Les inscriptions cunéiformes ne furent d'abord que des curiosités. Mais le génie des hommes leur a permis de percer le mystère de ces anciens textes. Ce fut le début de l'*assyriologie*.

Ce que l'on savait auparavant des Assyriens et des Babyloniens était dû à des Grecs curieux qui avaient parcouru l'empire néo-babylonien avant que la culture ne disparût complètement de ce pays. Mais les historiens grecs devaient la plus grande partie de leur connaissance des Assyriens et des Babyloniens aux Perses qui, depuis toujours, sont considérés comme plus amateurs de légendes que de vérité historique. De plus, les Perses auraient gravement manqué à la courtoisie orientale s'ils n'avaient accédé aux désirs des étrangers qui les interrogeaient sur ces temps reculés. Et si leurs récits n'avaient qu'un rapport très lointain avec la vérité, quelle importance?

Hérodote nous dit avec optimisme que les Perses apprenaient dès leur plus jeune âge à s'en tenir à la stricte vérité et ceci rend sa crédulité encore plus risible. Ce devait être aussi l'avis de ses informateurs qui n'avaient manifestement jamais appris une chose pareille. Mais les Perses étaient trop bien élevés pour marquer la moindre surprise lorsque cet Occidental leur présenta une aussi belle analyse de leur caractère national.

Les informations données par Hérodote et les autres Grecs sont de loin inférieures à ce que l'Ancien Testament nous conte du pays les deux fleuves et de son peuple. Mais ces récits ne décrivent naturellement les Assyriens et les Babyloniens que dans leurs rapports avec *Israël* et *Juda* et ne peuvent donc nous donner une vue d'ensemble.

La Mésopotamie a cependant eu son propre historien, le prêtre *Bérose*, qui vécut à l'époque d'Alexandre le Grand. Il était babylonien, mais écrivait en grec. Bérose disposait des archives politiques et religieuses de la Babylonie. Il aurait donc pu nous donner une relation digne de foi, non seulement de l'histoire de son pays, mais aussi de celle du pays voisin. Mais, hélas, son œuvre nous est parvenue en très mauvais état.

L'interprétation de l'écriture cunéiforme

Le déchiffrement de l'écriture cunéiforme est l'une des plus belles victoires de l'esprit humain.

Ces signes étaient tracés sur des tablettes ou des cylindres d'argile lorsque l'argile était encore fraîche; c'est ce qui donne à cette écriture son caractère particulier. Les Assyriens et les Babyloniens n'écrivaient donc pas sur du papyrus, mais sur — ou plutôt dans — de l'argile. Leurs bibliothèques étaient de véritables amas de tablettes. Lorsqu'un Babylonien avait terminé une lettre, il mettait au four la tablette encore humide. " Brûler une lettre " avait en ce temps-là d'autres effets qu'aujourd'hui; la lettre brûlée devenait indestructible...

L'écriture cunéiforme fut à l'origine une écriture *idéographique*, tout comme les hiéroglyphes des Égyptiens. Cela ne fait aucun doute. On peut suivre l'évolution de nombreux signes cunéiformes à partir de véritables dessins, par exemple ceux d'un poisson, d'un oiseau, d'un visage, de l'eau.

Ce furent probablement les Sumériens qui inventèrent les signes de l'écriture cunéiforme. Ces caractères furent ensuite repris par les habitants sémites des pays de l'Euphrate qui les adaptèrent à leur propre langue.

Au fil du temps, l'écriture idéographique devint *syllabique*, en Mésopotamie comme en Égypte. Mais les Babyloniens ne poussèrent jamais plus loin que la syllabe.

L'écriture mésopotamienne connut donc une simplification dans le sens; en même temps se dessina une évolution dans l'aspect extérieur de l'écriture, évolution semblable à celle qui fit des hiéroglyphes égyptiens une écriture cursive. Mais l'écriture cunéiforme a perdu toute parenté avec l'ancienne écriture idéographique, ce qui ne fut pas le cas pour la cursive égyptienne. L'écriture cunéiforme apparaît au profane comme une collection de traits en forme de coins, rangés de façon apparemment arbitraire.

Ce ne fut pas sur le sol de Babylone ou de l'Assyrie que l'on trouva la clé de l'écriture cunéiforme, mais en *Perse*. En effet, les Perses ont hérité cette écriture des Babyloniens et l'ont progressivement simplifiée pour ne garder qu'une quarantaine des cinq cents signes originaux.

Des siècles durant, les voyageurs qui visitaient la Perse s'arrêtaient aux ruines de l'ancienne cité de Persépolis et beaucoup montraient un intérêt tout particulier pour les signes mystérieux gravés sur les murs et les colonnes. Les indigènes y voyaient des formules magiques dont le sens serait un jour révélé aux hommes.

Un jeune professeur allemand, *Georg Friedrich Grotefend*, allait être le premier à percer le mystère. Dès son enfance, sa plus grande joie avait été de résoudre des rebus et des énigmes similaires; il travaillait depuis longtemps sur des copies d'inscriptions cunéiformes, lorsqu'en 1802, âgé de vingt-sept ans, il parvint à un résultat décisif, vingt ans donc avant l'exploit de Champollion.

Deux inscriptions permirent à Grotefend de trouver la clé de l'énigme. Elles avaient été découvertes sur le portail d'un palais royal de Persépolis. Grotefend conclut donc qu'elles donnaient les noms et les titres des rois qui avaient fait bâtir le palais. D'après l'ancien usage, les noms des rois perses devaient venir en premier lieu et être suivis de leurs titres traditionnels : " Grand souverain, roi des rois ".

Les figures suivantes vous permettront de suivre l'interprétation de Grotefend; les mots sont séparés par les traits obliques en forme de fer de lance. Nous voyons que le deuxième et le quatrième mot sont identiques, dans la première comme dans la seconde inscription; ils doivent donc signifier " roi ".

Nous voyons en outre que, dans les deux cas, le cinquième mot commence par le même signe que les deuxième et quatrième mots, mais il comporte une terminaison que

Grotefend supposa être celle du génitif pluriel. Selon Grotefend, le cinquième mot devait donc signifier " des rois ", et le troisième " grand " ; il lisait donc du deuxième au cinquième mot, dans les deux textes " Roi grand, roi des rois ". Quant aux deux premiers mots, il devait s'agir du nom des rois !

Connaître ces noms était beaucoup plus intéressant que d'interpréter les autres mots, car, grâce à eux, on connaîtrait également la prononciation des signes formant les noms des rois. Grotefend découvrit que le nom donné par le premier mot de la première inscription revenait au sixième mot de la seconde, avec quelques signes supplémentaires ; il admit que ces signes étaient la marque du génitif, et que ce mot était suivi du mot " roi ", lui aussi au génitif.

Grotefend conclut que le roi cité dans la seconde inscription était le fils du roi cité dans la première. Si cette hypothèse était exacte, et elle apparut telle par la suite, le huitième mot de la seconde inscription devait signifier " fils ". Il retrouva ce mot à la neuvième place dans la première inscription. Par conséquent, le mot précédent pouvait bien être le nom du roi à qui était consacrée la première inscription.

Grotefend fit, en outre, une autre découverte d'importance ; le père du roi de la première inscription ne *portait pas le titre de roi*, contrairement au père du roi dans la seconde inscription.

A ce moment, Grotefend disposait donc de trois mots en écriture cunéiforme désignant trois personnages de l'histoire perse, unis par des liens familiaux ; l'un était le père, l'autre le fils, le troisième le petit-fils. Le fils et le petit-fils étaient rois, mais le père ne l'était pas. Il était donc possible d'établir le diagramme généalogique suivant, où les numéros représentent les places que prennent les trois noms dans les deux inscriptions :

$$2$$
$$1 \quad et \quad 4$$
$$3$$

Qui étaient ces trois hommes? Tout d'abord, Grotefend pensa naturellement au premier roi de Perse, Cyrus, dont le père, Cambyse, n'était pas roi, mais à qui succéda son fils, appelé aussi Cambyse. Le diagramme aurait donc été :

$$2 \text{ Cambyse}$$
$$1 \text{ et } 4 \text{ Cyrus}$$
$$3 \text{ Cambyse.}$$

Mais cela ne pouvait être exact, car le nom 2 est différent du nom 3 dans les deux inscriptions. Artaxerxès ne pouvait pas non plus être le premier nom dans les inscriptions cunéiformes, car ce nom comporte trop de lettres. Par contre, cet autre diagramme était satisfaisant à tous les points de vue (même en ce qui concerne la longueur des différents noms) :

$$2 \text{ Hystape}$$
$$1 \text{ et } 4 \text{ Darius}$$
$$3 \text{ Xerxès,}$$

car le père de Darius, Hystape, n'était pas roi. Cependant, Grotefend ne s'attendait pas à trouver la forme " Darius " ; en effet, cette forme était employée par les Romains qui l'avaient prise chez les Grecs, lesquels n'étaient pas des modèles de précision lorsqu'il s'agissait de rendre des noms étrangers.

La forme grecque était Dareios. Mais Grotefend trouva un auxiliaire beaucoup plus précieux dans la forme hébreuse du nom : Darejavesch. La forme perse était en effet : Darjavausch.

Par la suite, le célèbre linguiste danois *Rasmus Rask* parvint à traduire le septième mot de la première inscription ; on put alors lire les neuf premiers mots : " Darius, roi grand, roi des rois, roi des pays, fils d'Hystape ".

La traduction complète fut donc :
" Darius, grand roi, roi des rois, maître des pays, fils d'Hystape, Achéménide qui fit bâtir ce palais d'hiver ".

Et celle de la deuxième inscription :
" Xerxès, grand roi, rois des rois, fils du roi Darius, Achéménide ".

Finalement, Grotefend parvint à connaître la prononciation des différentes lettres. Il décomposa les noms propres et donna à chaque signe cunéiforme une valeur phonétique. Il fit quelques fautes mais, en général, son interprétation est encore considérée comme la bonne à l'heure actuelle. Les trois noms doivent donc être lus comme suit :

K. S I.A.R. S .A.

D .A. R . IA . VA .OU . S .

De haut en bas les trois noms de rois perses qui, en grec, se lisent : Xerxès, Dareios et Hystapes.

V . I. S .T.A.S.P.

Les hypothèses de Grotefend furent corroborées vingt ans plus tard. Il y avait au Louvre un merveilleux vase d'albâtre où était gravée une courte inscription, en partie cunéiforme et en partie hiéroglyphique. Personne n'était encore parvenu à déchiffrer l'une de ces inscriptions. Grâce à la clé découverte par Grotefend, un savant français reconnut le nom de Chschjarscha (Xerxès) en caractères cunéiformes, et Champollion traduisit les hiéroglyphes de ce même nom. Les deux linguistes les plus géniaux du siècle s'étaient donc tendu la main.

Mais la Société Royale des Sciences de Göttingen n'avait que peu de confiance dans les travaux de Grotefend et n'osa pas les publier. Les découvertes de ce pionnier restèrent donc peu connues et ceci eut une conséquence étonnante : un autre chercheur, un officier anglais attiré par la science, *Henry Rawlinson*, parvint à déchiffrer des inscriptions cunéiformes perses, sans connaître Grotefend. Vers 1830, son service militaire l'emmena en Perse, et pendant son séjour, il s'intéressa à certaines inscriptions qui avaient retenu, dans le passé, l'attention de maints visiteurs. Ces inscriptions étaient gravées sur une haute paroi rocheuse, près de Behistoun, sur l'ancienne route militaire qui reliait Babylone à la Médie Centrale.

Nous savons aujourd'hui que ces inscriptions rupestres sont dues à Darius. Le roc fut égalisé et poli jusqu'à une hauteur de cent mètres; un énorme relief fut sculpté à la partie supérieure; il représente le roi, assis sur son trône, le pied sur la nuque d'un prétendant au trône. Devant le roi s'inclinent neuf chefs de troupes rebelles, enchaînés les uns aux autres. Sous les sculptures, une inscription raconte le combat de Darius contre les rebelles et son expédition chez les Scythes. Le texte est reproduit dans les trois langues principales du royaume de Darius : le vieux-persan, la langue de Suse et la langue de la Babylonie.

Jeune et plein d'énergie, Rawlinson entreprit de copier les différents signes. C'était un travail d'une difficulté inouïe qui exigea des années. Deux Français qui avaient fait le voyage dans la même intention, avaient dû rentrer chez eux, déclarant les inscriptions inaccessibles. Mais Rawlinson atteignit son but. Ensuite, il essaya d'interpréter les signes cunéiformes perses. Et il y parvint également dans les grandes lignes. Les textes comprenaient le nom, les titres et la généalogie de Darius. Sans le savoir, Rawlinson confirma les théories de Grotefend. Il corrigea aussi certaines erreurs commises par son prédécesseur.

Puis de nombreux autres linguistes perfectionnèrent les interprétations de Grotefend et de Rawlinson. Ils percèrent aussi le mystère de la langue de Suse, langue à l'écriture cunéiforme un peu plus ancienne et qui avait probablement été parlée par Cyrus; ils parvinrent à ce résultat grâce à de nouvelles découvertes d'inscriptions trilingues.

Lorsqu'on songe aux difficultés inouïes rencontrées par les pionniers, il n'est pas étonnant d'entendre de nombreux érudits douter de notre connaissance *réelle* de cette ancienne langue, éteinte depuis si longtemps. Qu'est-ce qui nous assure que le roi Nabuchodonosor, connu par la Bible, s'appelait en babylonien Nabu-kudurri-usur, que le véritable nom de Téglatpileser était Tuklati-apil-Escharra et que les contemporains de Xerxès avaient le courage de l'appeler Ch-sch-jar-scha?

La preuve fut faite en 1857 lorsque la Société Royale des Orientalistes de Londres soumit à Rawlinson et à trois autres chercheurs un cylindre d'argile assyrien qui venait d'être découvert et les pria d'en renvoyer une traduction sous pli scellé et sans s'être concertés. Les quatre traductions montrèrent tant de similitudes que le doute ne fut plus possible. Il n'empêche qu'aujourd'hui encore, l'assyriologie et l'égyptologie présentent des énigmes linguistiques qui attendent toujours une solution.

Les inscriptions racontant les hauts faits des différents rois sont évidemment parmi les plus précieuses pour l'étude de l'histoire assyro-babylonienne. Il est cependant nécessaire de soumettre ces documents à une critique serrée car les rois en question, fidèles à la tradition orientale, minimisaient défaites et autres revers lorsqu'ils ne les passaient pas simplement sous silence.

Lorsqu'on compare les quatre inscriptions concernant une guerre de Salmanasar III — une campagne datant de 854 — on voit le nombre des ennemis tués varier entre 14 000 et 29 000. Deux inscriptions d'un combat moins important donnent, l'une 300 ennemis tués, l'autre 3 400!

Les documents historiques acquis par les fouilles ne nous ont pas donné une histoire cohérente des Assyro-Babyloniens, mais une chaîne évolutive où manquent plusieurs maillons. En tous cas, nous possédons, à l'heure actuelle, de nombreux points certains autour desquels nous pouvons grouper les découvertes archéologiques et les personnages de l'histoire.

C'est surtout à Rawlinson que nous devons les riches documents cunéiformes que le British Museum met à la disposition du monde entier. Rawlinson prit l'initiative d'un grand ouvrage comprenant des reproductions très soignées des plus importants textes cunéiformes.

LA VIE ÉCONOMIQUE EN MÉSOPOTAMIE

Agriculture, pêche et chasse

Les Grecs considéraient la Babylonie comme une terre promise pour l'agriculteur. Hérodote raconte que, à la récolte, les semences donnaient de deux cent à trois cent fois leur poids; il est inutile de rappeler que de telles déclarations sont souvent exagérées au-delà de toute limite.

Même sur les terres fertiles de Babylonie, le paysan pouvait s'estimer heureux lorsque son champ donnait soixante-dix fois le poids du blé semé. De toutes manières, ces récoltes étaient six à sept fois supérieures à celles des Grecs.

Les auteurs romains s'extasient sur cet Eden aux greniers inépuisables et aux forêts de palmiers où les vignes s'enroulent aux troncs des arbres et plient sous le poids des grappes.

Nous pouvons deviner l'importance de l'*élevage* lorsque nous voyons quel rôle il a joué dans l'économie du pays et de ses rois.

Le code d'Hammourabi fixe déjà les devoirs de vétérinaires spécialisés, responsables devant la loi des soins donnés aux animaux malades.

Le Tigre et l'Euphrate eux-mêmes apportaient de grandes richesses. Ces fleuves grouillaient de poissons de toutes espèces, surtout des carpes et des anguilles. On y pêchait d'énormes poissons. Dès la plus haute antiquité, le droit de pêche était limité par la propriété; pêcher dans les eaux d'un autre était un délit. Le droit de pêche était sans doute considéré comme une récompense pour le riverain, tenu à entretenir la section de canal qui traversait ses terres.

L'Assyrie était beaucoup moins fertile que la Babylonie, mais par contre, elle était un véritable paradis pour le chasseur. Les rois babyloniens et assyriens prenaient en général un plaisir fou à la chasse, comme leur ancêtre Nemrod, " le grand chasseur devant l'Éternel ".

Vers 2000 avant J.-C., il y avait encore des lions en Assyrie et aussi en Babylonie. Ceci est prouvé par de nombreux paragraphes du code d'Hammourabi, le suivant par exemple : " Si quelqu'un loue un bœuf ou un âne et si un lion tue cet animal dans la campagne, le propriétaire sera seul à supporter la perte ". En ce qui concerne les éléphants, il n'en est plus fait mention après l'époque d'Assurbanipal (vers 900 avant J.-C.).

L'âne sauvage était le gibier favori; ces animaux pouvaient rivaliser de vitesse avec la gazelle.

Le cheval, par contre, ne provenait pas de Mésopotamie même. Peu après Hammourabi, on commença à l'employer comme animal domestique. On sait que le cheval était inconnu pendant le règne d'Hammourabi, car le code ne parle que d'ânes et de bœufs, de moutons et de porcs. L'appellation babylonienne pour le cheval était " âne de la montagne ". Ce qui nous indique le pays d'origine de cet animal. Il fut introduit par les peuples aryens. Pendant de nombreux siècles, les Babyloniens n'employèrent pas le cheval comme animal de selle, mais comme animal de trait, surtout en temps de guerre. Par la suite, l'usage du char de guerre se répandit dans toute l'Asie antérieure, en Égypte, en Crète et en Grèce. A partir du XVIᵉ siècle, il cause une révolution dans l'art de la guerre.

Un peuple de marchands

L'agriculture était la base de la culture babylonienne. Mais le raffinement de cette culture était dû aux richesses que rapportait le commerce. Dès avant les prophètes de la Bible, Babylone était " le pays des marchands ". Alors que les Égyptiens ne connaissaient encore que le troc, les Babyloniens réglaient déjà leurs opérations commerciales avec des morceaux d'or et d'argent d'un poids déterminé. Ces unités de poids des métaux précieux devinrent progressivement des unités monétaires. D'autres peuples orientaux empruntèrent aux Babyloniens leurs termes désignant les mesures et les poids. Ces emprunts pénétrèrent jusqu'en Grèce. A chaque achat, à chaque convention pour un loyer ou un fermage, on devait établir un contrat écrit, signé par les deux parties contractantes et par des témoins. On a retrouvé à Babylone des bibliothèques entières de documents semblables, par exemple les archives commerciales de la firme Egibi et Fils et à Nippur les fichiers de Maraschschû et Fils.

Les documents judiciaires et commerciaux retrouvés en Babylonie témoignent d'une vie économique étonnamment intense. Dans l'ancienne Babylonie déjà, on pouvait créer des sociétés, se porter garant pour un emprunt, faire faillite et ne payer à certains créanciers que 50 % de leur dû, à d'autres 25 % ou moins encore. Dès cette époque, on pouvait ouvrir un compte en banque et payer par chèques. Les documents judiciaires qui nous sont parvenus montrent que la justice d'alors adorait déjà les textes interminables et circonstanciés. Presque toutes les conventions commerciales et légales sont scellées par des serments aux dieux. A l'origine, le serment consistait en une invocation des dieux : on les suppliait de punir le signataire qui briserait le contrat. "Que Marduk raccourcisse les jours qui lui restent à vivre ". Ce serment attirait donc une véritable malédiction sur le parjure.

Une intéressante convention entre un père et sa fille, vivant à la fin de l'empire néo-babylonien, commence ainsi : "Je suis malade. (C'est le père qui parle). Mon frère m'a chassé de chez lui et mon fils m'abandonne à mon sort. Accueille-moi chez toi, donne-moi ton amitié et entretiens-moi jusqu'à ma mort, c'est-à-dire donne-moi de la nourriture, de l'onguent et des habits! Je t'offrirai tout mon bien, même ma part de ce que je possède en commun avec mon frère ". Et le contrat ajoute : "Tabtoum (c'est le nom de la fille) a entendu son père et l'a pris dans sa maison. " Il est décidé que le père pourra disposer de son bien pendant le reste de sa vie, mais il ne pourra en donner une partie ni en mettre une partie en gage.

Ce furent les Babyloniens qui apprirent la façon de faire des affaires à tous les peuples d'Asie occidentale, Phéniciens y compris.

Les découvertes d'El-Amarna et de Boghaz-Keui prouvent que la langue babylonienne était la langue du monde entier. Comme les pharaons, les rois de la Babylonie prirent l'initiative de grandes expéditions commerciales. Il y a plus de 5 000 ans, un roi de Babylonie envoyait des caravanes jusqu'aux rives de la Méditerranée pour y chercher le bois de cèdre et les pierres, et jusqu'aux territoires voisins de la Mer Rouge pour y prendre le cuivre et l'or. Un peu plus tard, les rois font écrire de longs récits de leurs expéditions commerciales dans de nombreux pays, plus particulièrement dans les " montagnes des cèdres " (c'est-à-dire au Liban), en Palestine et en Égypte.

Dès le xvᵉ siècle avant J.-C., les pays de l'Euphrate entretenaient des rapports commerciaux avec Chypre où l'on extrayait le cuivre. Les Babyloniens commerçaient également avec les Indes; leur unité de poids, le minan, dut être empruntée aux populations de l'Inde. On suppose que le coton des Indes fit son apparition en Mésopotamie sous le règne du roi Assyrien Sennachérib, donc aux environs de 700 avant J.-C. Écoutons ce roi : " Mon peuple coupa la laine de l'arbre qui porte la laine et s'en fit des vêtements ".

Il est probable que la Mésopotamie faisait un commerce maritime intense, depuis l'embouchure de l'Euphrate. Cet itinéraire était en effet beaucoup plus facile que la longue route terrestre à travers des territoires sauvages et inhospitaliers, peuplés de brigands.

Que donnaient les Babyloniens en échange des produits étrangers? Des céréales, des dattes, de la laine, de l'huile de sésame, des poteries, des vanneries, des caisses et des nattes de roseau. L'asphalte comptait aussi parmi les produits les plus précieux de la Babylonie et de l'Assyrie. Comme le naphte, employé pour l'éclairage, l'asphalte affleurait à la surface du sol à certains endroits. On utilisait souvent l'asphalte au lieu de chaux dans la construction; ou couvrait les bateaux d'asphalte pour les rendre étanches.

Les lettres d'El-Amarna et de Boghaz-Keui montrent que les relations diplomatiques entre les rois asiatiques et les pharaons n'avaient pas pour seule cause l'amitié personnelle et les liens familiaux; l'intérêt de leurs sujets respectifs y jouait également un rôle. Par exemple, un roi de Mésopotamie septentrionale prit la peine d'écrire à Akhénaton pour se plaindre de ce que les caravanes de son pays étaient pillées en territoire égyptien, et pour réclamer une compensation. Dans une autre lettre, il proteste contre l'attaque et l'assassinat de marchands de Mésopotamie par des brigands de Palestine. Il considère toute violence envers ses sujets comme une offense personnelle. Les marchands de cette époque (il y a 3 500 ans!) pouvaient donc compter sur l'appui de leur souverain, lorsqu'ils voyageaient à l'étranger. En fait, ne devrions-nous pas chercher l'origine du droit international à cette époque?

LES RELATIONS SOCIALES
EN MÉSOPOTAMIE

La puissance royale, les capitalistes
et les petits cultivateurs

Lorsqu'on étudie les documents judiciaires du pays des deux fleuves et que l'on y voit les hommes divisés en nobles, en gens du commun et en esclaves, on pense inévitablement que l'organisation de cette société jouait en faveur des classes supérieures et qu'elle avait bien besoin d'un Hammourabi, défenseur des pauvres et des humbles. Mais combien de rois furent aussi proches de leur peuple que l'était Hammourabi? Après le Législateur, il ne fut plus permis à n'importe qui de " contempler le visage du roi ". L'étiquette était aussi sévère en Assyrie et en Babylonie qu'à la cour du pharaon, et un courtisan ne craignait pas de s'appeler lui-même " le chien du roi ".

Les musiciens de la cour royale.

Dans une lettre au roi assyrien, Asarhaddon, un haut fonctionnaire sollicite un emploi à la cour pour son fils, et, voulant mettre le souverain dans la disposition d'esprit voulue, il tresse d'interminables guirlandes de phrases obséquieuses sur son dévouement à la couronne. Il commence par exalter, en langage fleuri, le gouvernement du roi qui, à l'entendre, est une vraie bénédiction; " les vieux dansent, les jeunes gens chantent, les femmes et les jeunes filles contractent mariage et nous donnent de beaux enfants. Depuis longtemps, le roi, mon maître, montre son amour pour Ninive, pour le peuple de Ninive et aussi pour les plus distingués de ses sujets lorsqu'il leur dit : " Amenez vos fils à la cour! Qu'ils paraissent devant moi! " Laisse donc mon fils paraître avec les autres devant le roi, mon seigneur, pour que nous puissions nous réjouir avec le peuple tout entier et danser de joie ".

Quelle part faut-il faire aux flatteries d'un courtisan dans ce qu'il dit de la vie du peuple? Malgré la fertilité du sol, le petit paysan babylonien avait une existence pénible. Tout d'abord, il lui fallait peiner pour rassembler l'impôt dû au roi. Dans les villes, cet impôt était acquitté en argent, dans les campagnes en nature surtout; il consistait en blé, en dattes, en bétail, en laine, mais aussi en corvées pour le compte du roi, comme l'établissement de canaux, le fauchage de l'herbe, le transport des pierres. Il devait acheter ses semences au moment de l'année où le grain était le plus cher. Pour cela, il devait emprunter. Pour rembourser sa dette, il devait céder une partie de sa récolte, alors que le prix du blé était au plus bas. Une grande partie de son gain passait donc dans la poche de son créancier, souvent l'une des grandes sociétés bancaires qui apparurent très tôt en Babylonie. La firme " Egibi et Fils ", que nous avons déjà cité, était l'une des plus importantes. Ces familles de banquiers peuvent être comparées aux Rothschilds. Ensemble, " Egibi et Fils " et " Muraschschû et Fils " de Nippur dominèrent la vie économique du pays des deux fleuves jusqu'à la période perse. De telles sociétés possédaient souvent des capitaux énormes. Leurs bénéfices étaient généralement très élevés : d'après l'ancienne loi babylonienne, un prêt d'argent rapportait au maximum 20 % d'intérêt et un prêt de blé 30 %. Les temples pouvaient encore faire office de banques. Comme en Égypte, les temples possédaient des terres très étendues dont ils tiraient de grandes richesses. Le plus important banquier de la ville de Sippar, dans le nord de la Babylonie, était le dieu-soleil lui-même. Ses prêtres et ses prêtresses, parmi lesquelles se trouvaient des filles de roi, faisaient des affaires pour le compte du dieu. Cependant, quelques-unes des prêtresses avaient si bon cœur qu'elles ne réclamaient aucun intérêt aux pauvres gens.

La position sociale de la femme en Babylonie

Un aspect sympathique de la situation sociale au pays des deux fleuves était la position occupée par la femme. Elle jouissait d'une place indépendante dans la société et pouvait disposer de son propre capital, comme elle l'entendait. Elle pouvait commercer pour son propre compte, conclure des contrats et passer des conventions.

Elle pouvait s'occuper de commerce et d'industrie comme
d'agriculture. Elle occupait parfois les fonctions de scribe,
de prêtresse ou de prophétesse.

Une société d'esclaves

D'après les documents qui nous sont parvenus,
l'esclavage semble avoir joué un rôle plus important
dans le pays des deux fleuves que dans le pays du Nil.
De nombreux esclaves étaient employés dans l'agriculture
et dans l'artisanat. Ils étaient sans aucun doute traités
de façon scandaleuse par un peuple comme les Assyriens,
qui avaient la cruauté dans le sang. Les doux Égyptiens
eux-mêmes maniaient la chicotte avec allégresse.

En Assyrie, l'esclave était considéré comme un être
très inférieur à l'homme libre, en quelque sorte une créature
intermédiaire entre l'homme et l'animal. Un proverbe
disait : " L'homme est l'ombre de Dieu, mais l'esclave
est l'ombre de l'homme libre ". Un esclave ne pouvait
considérer son fils comme son propre enfant. Seul l'homme
libre avait le droit de posséder un père : " fils d'un homme "
était synonyme " d'homme libre ". Un esclave se distinguait
d'un homme libre jusque dans son apparence extérieure,
car il avait la tête rasée et portait un signe distinctif,
le plus souvent un tatouage.

La loi ne prévoyait aucune sanction contre l'homme
qui maltraitait son esclave. La violence envers un esclave
n'intéressait le législateur que lorsqu'elle occasionnait
une perte pour le propriétaire de l'esclave.

Quelques propriétaires possédaient plus d'esclaves qu'ils
n'en avaient besoin dans leur domaine. Ils les louaient
donc et se faisaient ainsi des revenus supplémentaires,
surtout au moment de la moisson où les travailleurs
agricoles étaient très demandés. Le locataire payait une
somme importante pour chaque jour de location; il était
en outre responsable de la perte subie par le propriétaire
en cas de mort, d'évasion, d'accident ou de maladie de
l'esclave.

Les esclaves étaient, d'une part, des prisonniers de guerre
ou leurs descendants et, d'autre part, des débiteurs insol-
vables ou leurs femmes ou leurs enfants. Il arrivait souvent
que, pour payer ses dettes, un homme libre " vendît
sa femme, son fils ou sa fille " avant de perdre lui-même
la liberté. Les esclaves et leurs enfants étaient souvent

affranchis à la mort du maître. Ils pouvaient aussi obtenir leur libération pour d'autres raisons. Mais ils tentaient souvent de mettre un terme à leur sort pitoyable en risquant une évasion. Un esclave fugitif n'avait plus aucun droit à la vie s'il était repris. Mais, en règle générale, son maître était si heureux de le récupérer qu'il se contentait de le mettre aux fers pour prévenir toute nouvelle tentative de fuite.

UN PEUPLE PIEUX

Les anciens Babyloniens étaient un peuple très pieux. Les rois considéraient la construction des temples comme leur tâche principale. Les inscriptions disent d'un des premiers souverains de Babylone : " Comme une vache porte les yeux sur son veau, il a porté tout son amour à la construction d'un temple ". Par contre, les inscriptions babyloniennes ne mentionnent qu'en passant les succès guerriers des rois. Ceci les distingue radicalement des inscriptions assyriennes qui donnent la place d'honneur aux récits des expéditions militaires. L'Assyrie était un état militaire non déguisé et chacun de ses rois avait pour idéal de devenir un héros de la guerre, immortel dans la mémoire de son peuple. L'histoire de ce pays est écrite dans le sang. Mais les rois babyloniens préféraient paraître sous les traits du bon pasteur qui rassemble son troupeau dispersé. Sauvegarder l'ordre dans le pays leur semblait le devoir principal du souverain.

La mythologie babylonienne

Les anciens Babyloniens possédaient des dieux à foison. Leur nombre varie, mais nous en connaissons certainement plus de trois mille. Le dieu principal est *Anu*, " père et roi des dieux ", et maître du ciel. Il est assis sur son trône dans le troisième ciel. Il a plusieurs épouses, mais sa préférée est *Ishtar*, l'Astarté des Phéniciens et des Cananéens, la plus célèbre déesse babylonienne. C'est la déesse de l'amour physique et de la fécondité ; de temps en temps, elle s'offre une aventure, parfois même avec des hommes ou des animaux, mais cause le plus souvent la perte de ses amants. La légende fourmille de ses aventures galantes. Mais elle est aussi la déesse de la guerre qui " couvre la terre de sang et entasse les cadavres dans les campagnes ".

Les fêtes en l'honneur d'Ishtar étaient quelque chose d'effrayant; on s'y livrait à des danses sauvages, aux mutilations volontaires et aux plus sombres débauches.

Enlil suivait Anu dans la hiérarchie des dieux; à l'origine, il était " maître des vents ", responsable des crues du fleuve. Lorsque l'univers fut partagé en trois royaumes, celui du ciel, celui de la terre et celui des eaux, Enlil devint le seigneur de la terre et, à ce titre, il établit sa résidence au sommet des montagnes. Ni Anu ni Enlil n'étaient bien disposés à l'égard de l'humanité. Enlil créa un dragon pour garder les hommes dans les chemins de la discipline. Plus tard, il leur envoya le déluge. Et lorsque Ziousoutra (Outanapishtim) se tira sain et sauf de la catastrophe, Enlil en conçut une grande colère. Puis Enlil s'effaça de plus en plus devant son jeune rival Marduk, le dieu principal de Babylone, et il dut se contenter du modeste titre de " vieux seigneur ".

L'épouse principale de Enlil, *Ninlil*, montre plus d'amitié aux enfants de la terre et chuchote souvent à son sévère époux quelques bonnes paroles en faveur des pauvres diables qui implorent son aide et sa grâce. Elle est " la grande mère et la gracieuse protectrice des hommes ".

Tout comme Anu était devenu maître du ciel et Enlil maître de la terre, *Ea*, le fils d'Anu, devint dieu des eaux. Et l'eau profonde étant considérée comme la source de la sagesse, Ea est également le dieu des arts et des sciences.

Il a enseigné toutes sortes de métiers aux hommes, il est l'inventeur de l'écriture cunéiforme. Contrairement à Anu et Enlil, il est donc le grand ami de l'humanité. Ce fut lui qui sauva du déluge Ziousoutra, son protégé. Et il reprocha durement à Enlil d'avoir ordonné le déluge. Le fils d'Ea, *Marduk* ou *Bêl* a hérité la philanthropie de son père et après avoir secoué le joug d'Anu et de Enlil, il devint le maître du ciel et de la terre. En effet, lorsque le monde des dieux fut menacé du déclin, Marduk prit sur lui de faire face à l'ennemi à condition d'être proclamé chef de tous les autres dieux. Il employa sa sagesse, léguée par son père, à aider les hommes malades ou misérables, comme son père l'avait fait. Entouré de ses quatre chiens, il livra combat aux puissances des ténèbres et permit la victoire de la lumière. Plus Babel se développa, plus Marduk prit de l'importance; de même, Amon vit sa puissance augmenter le jour où Thèbes devint la capitale de l'Égypte. Progressivement, Marduk acquiert toutes les qualités : il devient tout-puissant, omniscient, suprêmement bon et juste. Les Babyloniens firent ainsi les premiers pas dans la voie du monothéisme. Il existe beaucoup d'autres dieux comme le dieu du feu, le dieu de la lune et le dieu de l'orage qui envoie la pluie rafraîchissante, mais lance l'éclair lorsqu'il est en courroux.

Le dieu Marduk (à gauche) et le dieu de l'orage Adad (à droite), portant des éclairs dans la main droite.

Le dieu des enfers a sept fils qu'il tient " prisonniers " pour leur faire garder les portes de son domaine. Le chemin qui conduit au royaume des morts commence là où le soleil se couche dans le désert. Le défunt doit d'abord franchir une rivière avec l'aide du " batelier des enfers " qui a la tête d'un pétrel, quatre mains et quatre pieds. Le royaume des morts proprement dit est entouré de sept murailles; chacune est percée d'une porte où l'un des fils du dieu des enfers monte la garde. Après avoir franchi les portes, le défunt pénètre dans " la sombre demeure d'où personne ne revient, où l'on se nourrit de poussière et d'argile ''. Personne ne trouve la moindre consolation dans le royaume des morts. Les mauvais sont pourtant plus malheureux encore que les justes; ils doivent ''manger les détritus de la cité des morts et boire l'eau de ses égoûts; un rocher leur sert de couche ''.

Dans ce sombre séjour trône le dieu des enfers, qui est en même temps le dieu de la guerre et de la peste; il est accompagné de sa femme et dans leur suite se trouvent tous les démons et les esprits malfaisants qui empoisonnent l'existence de l'homme. Plusieurs faits tendent à prouver que les Babyloniens croyaient en l'existence d'un tribunal des enfers.

Les dieux babyloniens sont des créations caractéristiques d'hommes primitifs. Ils possèdent une puissance illimitée, mais leur intelligence n'est pas en rapport avec leur force et ils sont incapables de dominer leurs passions.

Ils crient, ils hurlent même, ils se mordent la langue, se lancent les uns contre les autres et se tirent les cheveux. Avant d'oser combattre un ennemi dangereux, ils se répandent en imprécations inimaginables pour fouetter leur courage et rendre l'adversaire impuissant.

Ces images de la vie des dieux n'ont certes rien qui puisse provoquer une ferveur mystique, mais elles montrent cependant un certain talent de conteur et leur naïveté fait leur charme.

Au fur et à mesure que l'État babylonien se développe en une société bien organisée, le monde des dieux se transforme en une société idéale d'êtres forts, sages et bons, aussi loin au-dessus des hommes faibles et pécheurs que les étoiles le sont au-dessus de la terre. C'est là, parmi les étoiles et les planètes, qu'ils se révèlent à l'humanité. Et ces nouveaux dieux célestes sont, au contraire des anciens ''maîtres de la terre '', au-dessus des contingences terrestres comme le boire et le manger. On prie les étoiles

Un sacrifice assyrien.

que l'on considère comme les révélations des dieux. Tous les phénomènes célestes, les mouvements des étoiles sont interprétés comme des avertissements ou des encouragements aux enfants de la terre.

Le dieu principal des Assyriens était *Assur* qui, au départ, n'était que le dieu tutélaire de la ville d'Assur. Ce dieu était naturellement — et ceci correspond de façon parfaite au caractère du peuple assyrien — le dieu de la chasse et de la guerre, celui qui conduit les siens à la victoire.

Devins et diseurs de bonne aventure

Aux temps anciens, on croyait généralement que tout ce qui arrivait sur cette terre avait un rapport de cause à effet avec certains phénomènes naturels. A Babylone, on était convaincu que la place qu'occupaient les corps célestes vis-à-vis les uns des autres, en certaines circonstances, permettait de lire les intentions des dieux, et, par conséquent, le sort des hommes. Par l'observation de ces phénomènes naturels, on pouvait donc prévoir l'avenir. C'est pourquoi on ne prenait aucune décision importante sans s'être informé des conséquences possibles auprès d'un devin ou d'un diseur de bonne aventure. Les textes des augures forment sans doute la partie la plus importante de la littérature cunéiforme. Ceci montre l'importance que l'art de la prédiction et l'interprétation des augures avaient en Babylonie et en Assyrie.

Cet art de la prédiction s'est étendu de la Babylonie jusqu'en Chine — les textes babyloniens et chinois traitant de divination montrent une similitude si frappante qu'ils peuvent difficilement avoir été élaborés indépendamment les uns des autres.

Ishtar et d'autres divinités babyloniennes avaient leurs prophètes et prophétesses, qui prédisaient l'avenir grâce à des *oracles*, des signes soi-disant donnés par la divinité elle-même. Chaque temple babylonien avait sa chambre des oracles appelée " foyer du secret ", où la divinité manifestait sa volonté aux prêtres par différents signes. Le dieu se révélait ainsi lorsque les prêtres l'en suppliaient. Mais l'oracle le plus important se trouvait dans le sanctuaire d'Ishtar à Arbelles, près de Ninive. Il le disputait en popularité à l'oracle égyptien d'Amon, dans le désert de Libye.

Il nous est resté une collection complète d'oracles des prophétesses d'Ishtar et de leurs collègues masculins au service du roi Asarhaddon. Voici l'un d'eux : " Ne crains rien, ô Asarhaddon! L'esprit qui te parle inspire ma langue et je ne te cache rien. Tes ennemis te lècheront les pieds comme les rivières de Sivan. Je suis la grande reine Ishtar d'Arbelles qui mettra tes ennemis à tes pieds. T'ai-je déjà dit quelque chose qui s'est avéré faux? Je suis Ishtar d'Arbelles. Je t'accompagne dans tes expéditions, je marche à tes côtés pour t'apporter mon aide. Ne crains rien. Je suis au milieu de tes troupes ".

La divination proprement dite s'exerçait sur des sujets très divers : la prédiction d'après le mouvement des étoiles, la prévision des conditions atmosphériques, l'interprétation du vol des oiseaux et de toutes sortes d'avortons; on prédisait aussi en observant les entrailles des animaux sacrifiés, en lisant dans une coupe, en interprétant les rêves. Le ciel clair de la Babylonie rendait aisée la prédiction par l'observation du mouvement des étoiles ou astrologie.

Une ancienne conception orientale appelle les corps célestes " l'écriture du ciel ". Dès qu'un homme parvient à déchiffrer cette écriture, il peut prédire l'avenir. La planète la plus importante était la *lune*. Heurs ou malheurs survenaient si, une certaine nuit, la lune était bien visible ou obscurcie par les nuages. Le plus souvent, les éclipses de lune annonçaient une catastrophe.

De même les éclipses de soleil. Mais le soleil avait beaucoup moins d'importance que la lune ou les planètes. Selon que Vénus montait ou descendait au firmament, il fallait s'attendre à une bonne ou une mauvaise récolte, à une victoire ou une défaite. Jupiter était presque toujours de bon augure. Mars, par contre, était la planète la plus néfaste. L'astrologie donna naissance aux horoscopes que les devins établissaient à la naissance d'un enfant, en s'aidant de la position des planètes. Les anciens Babyloniens et Assyriens n'avaient probablement pas encore poussé les choses aussi loin, mais nous possédons un exemple datant de la période hellénistique du pays des deux fleuves. En 170, sous le gouvernement du roi Démétrius, un petit garçon naquit le 30 du mois d'Adar, à six heures du matin. Ce jour-là, la lune se trouvait à hauteur des Jumeaux, le soleil à hauteur des Poissons, Jupiter à la Balance, Vénus et Mars au Bélier et Saturne à la hauteur du Lion.

Comme les Égyptiens, les Babyloniens et les Assyriens possédaient un calendrier avec des jours fastes et des jours néfastes.

Revenons aux conditions atmosphériques. Un orage annonçait toujours un malheur, sauf s'il était suivi d'un arc-en-ciel, signe de la miséricorde divine.

Selon le moment où il éclatait, un orage pouvait prédire une guerre ou une émeute, une bonne ou une mauvaise récolte, une inondation ou une invasion de sauterelles.

" Lorsque le tonnerre roule comme l'aboiement d'un grand chien, cela signifie que les peuples du Nord se révoltent, s'il hurle comme un lion, le roi mourra bientôt; s'il a la voix d'une hyène, le roi sera mis à mort par son propre fils, etc. ".

Les *tremblements de terre* annonçaient une catastrophe s'ils n'étaient eux-mêmes catastrophiques. Ils prédisaient la guerre, la révolution, la mort du roi ou " une famine si terrible qu'on mangera de la chair humaine ". S'ils duraient un jour entier, la chute de l'empire était proche.

Des devins spécialisés interprétaient le *vol des oiseaux*. Le faucon était l'oiseau le plus important. Si un faucon et un corbeau se battaient en présence du roi, la victoire du faucon signifiait une victoire pour Babylone et la victoire du corbeau était le signe d'une défaite prochaine. Le corbeau était le type même de l'oiseau de malheur.

Les devins trouvaient dans les avortons, humains ou animaux, d'inépuisables sujets de prédiction. La fantaisie orientale s'y exprimait sans réserve.

Les anciens Babyloniens faisaient un usage intensif de la formule : " comme un mouton qui engendre un lion " et montrent ainsi qu'ils croyaient tout possible en ce monde dégénéré.

Plus importants encore étaient les augures tirés des entrailles des animaux, en particulier du *foie* (de porc surtout). Cette procédure arriva chez les Romains par l'intermédiaire des Hittites, des Grecs et des Etrusques et prit une place considérable dans la vie politique à Rome. On considérait le foie comme une miniature du monde. Chaque partie de cet organe était censée correspondre à une partie du monde. Tout comme les lignes de la main diffèrent chez chaque individu, les lignes du foie ne sont jamais exactement les mêmes chez les différents animaux. Et la vésicule biliaire n'est pas toujours à la même place.

Toutes ces données permirent aux Babyloniens d'élaborer un système très détaillé de prédictions d'après le foie des animaux.

Cette " science " de l'interprétation des lignes du foie est vieille d'au moins quatre millénaires. Pour l'apprendre, on employait des reproductions en argile de cet organe. Le British Museum possède un foie en argile datant de l'époque d'Hammourabi; le modèle est entièrement recouvert d'inscriptions explicatives. Et on a retrouvé des traités de divination dans la bibliothèque d'Assurbanipal.

On prédisait également l'avenir en versant de l'eau et de l'huile dans un récipient et en étudiant les figures formées par ces deux liquides non miscibles.

L'*interprétation des rêves* avait également une très grande importance dans les pays de l'Euphrate, comme il apparaît par les nombreuses clefs des songes retrouvées dans la bibliothèque d'Assurbanipal. Les textes historiques mentionnent souvent des rêves qui déterminèrent la conduite des rois. Et l'on se souvient de la profonde signification que les Israélites attachaient à leurs rêves.

Pour les Babyloniens, la nature était un grand livre dont les secrets révélaient l'avenir à quelques initiés.

Des phénomènes aussi insignifiants que le bêlement des agneaux et le vol des oiseaux permettaient de prévoir les événements futurs.

Esprits malfaisants et conjurations

Les Babyloniens attribuaient à des esprits malfaisants tous les malheurs et toutes les maladies des hommes et des animaux. Ils s'imaginaient que l'atmosphère tout entière était peuplée de démons dangereux. Ces esprits étaient à l'affût dans les anfractuosités des montagnes, dans les tombes, au milieu des ruines et dans les déserts. A ces endroits, un esprit mauvais pouvait, à chaque instant, " se lever comme le vent et tuer les vivants dans le désert ".

Toute la Babylonie croyait que les morts sortaient de leurs tombes sous la forme de vampires. Les démons-vampires " suçaient le sang des hommes. Ils déchiraient leur chair et vidaient leurs artères de leur sang ". Il y avait un démon de la montagne qui n'avait ni bouche, ni lèvres, ni oreilles. La nuit, il vagabondait " comme un chien " sur les chemins et dans les rues, s'introduisait dans les maisons pour troubler le repos de l'homme épuisé et sucer la force vitale de la poitrine du malade. D'autres démons se glissaient dans les lits et forçaient dormeuses et dormeurs à la débauche.

Un démon du vent.

Les formules de conjuration ne manquaient pas. En voici une :

Conjuration. Enchanteresse, meurtrière, cauchemar
Conjuratrice et prêtresse enchanteresse
Conjuratrice du serpent, fille
Hiérodule consacré à Ishtar
Qui captures dans la nuit, qui chasses toute la journée,
Qui souilles le ciel et palpes la terre
Qui oses bander la bouche des dieux
Et peux lier les genoux des déesses
Qui tues les hommes, et n'épargnes pas les femmes
Es une destruction et un mauvais génie
Et personne ne résiste à ton enchantement
Ils t'ont vue enfin, Ils se sont emparés de toi
Ils t'ont attaquée, ils t'ont ébranlée
Ea et Marduk, ils t'ont remis
Au dieu du feu Girra, le héros, toi !
Tes nœuds, Girra, le héros, les a dénoués
Et souffrir, tu dois, sorcière, ce que tu nous as fait souffrir.

Les conjurations des prêtres étaient la meilleure arme contre les démons, les magiciens et les sorcières. Comme on essayait d'apaiser la colère des dieux par des prières et des sacrifices, on s'efforçait aussi par des conjurations, de briser la puissance des esprits malfaisants et les empêcher de répandre la maladie et la ruine. Les mages et les exorcistes furent bientôt légion et leur renommée s'étendait très loin, par-delà les frontières des pays de l'Euphrate. Tous les peuples de l'Antiquité considéraient les Chaldéens comme des magiciens et des devins sans égal.

Les cérémonies solennelles comme, entre autres, la signature des traités de paix, ne s'entendaient pas sans sacrifices et conjurations. Vers 750 avant J.-C., un traité fut conclu entre le roi d'Assyrie et un roi syrien, nommé Mati-ilu; un bouc fut sacrifié et on menaça Mati-ilu des pires malédictions si jamais il venait à rompre le traité : " Tel ce bouc qui fut arraché à son troupeau et ne reviendra plus parmi les siens pour les conduire au pâturage, Mati-ilu, s'il est parjure, sera arraché à son pays avec ses fils, ses filles et tous ses gens. Il ne pourra plus retourner chez lui pour régner sur son peuple. Si Mati-ilu ne respecte pas son serment, sa tête sera tranchée comme la tête de ce bouc. Cette tête est plus qu'une tête de bouc — c'est la tête de Mati-ilu et celle de ses fils, des grands de son royaume et de ses sujets ".

Le combat d'un dieu et d'un démon (bas-relief de Nimroud).

Puis on coupa les pattes du bouc, en poursuivant la comparaison avec les membres de Mati-ilu; finalement, on trancha le pénis de l'animal avec ces menaces : " Si Mati-ilu brise son serment, Mati-ilu sera transformé en une fille publique et ses soldats deviendront des femmes. Filles publiques, eux aussi, ils erreront par les rues de la ville ; ils seront chassés d'un pays à l'autre et seront stériles comme des mules, sans époux et sans enfants. Ishtar leur enlèvera la force virile ! "

Grâce à leur soi-disant pouvoir d'éloigner les mauvais esprits et de prédire l'avenir, les prêtres babyloniens acquièrent une telle influence sur le peuple qu'ils formèrent pendant longtemps un État dans l'État, comme dans la hiérarchie égyptienne. Il y a 4 500 ans, un roi qui tentait de maintenir son autorité devant les prêtres, leur faisait ces reproches : " Ils pénètrent dans le jardin de la pauvre veuve, ils emportent les arbres et les fruits ". De plus, " ils lui volent ses ânes et ses bœufs pleins de force ". Par la suite, des plaintes semblables retentirent encore à l'endroit du " clergé ". La puissance temporelle de la hiérarchie était d'autant plus arbitraire que la fonction de prêtre était héréditaire.

Complaintes et psaumes

La littérature assyro-babylonienne atteint son sommet avec quelques psaumes découverts dans la bibliothèque d'Assurbanipal. Ils montrent parfois une ressemblance frappante avec les psaumes de l'Ancien Testament. L'idée du péché et le sentiment de culpabilité s'y expriment de façon émouvante. On croirait entendre les voix des prophètes de l'Ancien Testament et des auteurs de psaumes.

Il existe également des complaintes prenantes sur la maladie, la faiblesse de la vieillesse et les autres misères pouvant frapper l'homme. Le plus beau de ces chants nous vient d'un Job babylonien ; il cherche à percer l'énigme de la misère humaine dans un psaume intitulé : " Complainte sur les souffrances d'un homme juste ".

On a trouvé des copies de ce chant dans la bibliothèque d'Assurbanipal, mais on peut prouver qu'il date d'une époque bien antérieure à celle d'Assurbanipal.

On tient cet écrivain pour un roi de Babylone. Le thème du poème est le suivant : la souffrance des justes sert à l'exaltation des dieux.

Une telle complainte pourrait conduire à des conclusions exagérées. Les psaumes babyloniens ne peuvent être considérés comme représentatifs de la vie religieuse des Babyloniens, pas plus que l'hymne à Aton (œuvre d'Akhénaton) n'est un critère des conceptions religieuses des Égyptiens. Ou que les Dialogues de Platon ne le sont pour les croyances populaires grecques. Dans tous les peuples, il y a des personnalités qui s'élèvent loin au-dessus du niveau moyen de leurs compatriotes, sans parvenir à hausser ceux-ci jusqu'à leurs sphères élevées.

A l'origine, les psaumes sont des complaintes. On y parle peu du péché et du remords; on tente, par des lamentations et des plaintes, d'éveiller la pitié des dieux. Il est plus important de se comporter humblement et de se lamenter que de montrer du remords. Les invocations : " Combien de temps encore? " et " Écarte de moi ton courroux! " sont inlassablement répétées pour attendrir les dieux. De même que les exorcismes naissent de la peur qu'inspiraient les esprits du mal, sorciers et enchanteurs, les complaintes et les prières aux dieux trouvent leur origine dans la crainte de leur colère. Le but des prières, des psaumes, des hymnes et des offrandes était de disposer les dieux à la clémence.

Les complaintes et les exorcismes sont très proches les uns des autres; les psaumes se terminent toujours par un conseil : ils indiquent la façon de " recevoir de l'aide ", par exemple en répétant trois fois certaines incantations en regardant derrière soi.

Dans l'ancienne Babylone également, religion et religiosité étaient souvent deux choses différentes. On se ferait une idée tout à fait fausse de la religion du peuple de Babylone en la jugeant d'après les chants où des hommes éminents ont mis toute leur âme. Les deux traits les plus caractéristiques de la religion babylonienne étaient la conjuration des esprits et la divination. Les hymnes et les prières nous conduisent à un sommet de l'évolution religieuse, mais, à nos pieds, s'ouvre un précipice de superstition grossière.

MORALE ET SAGESSE QUOTIDIENNE

Un célèbre exorcisme passe en revue une longue série de péchés. Le suppliant interpelle les dieux et leur demande de quels actes le malade ou l'affligé s'est rendu coupable pour s'être attiré la colère et le châtiment des dieux :

A-t-il irrité son dieu de quelque manière?
A-t-il dit non au lieu de oui ou oui au lieu de non?
A-t-il souhaité du mal à quelqu'un ou s'est-il rendu coupable
    de mensonges?
A-t-il corrompu un juge?
A-t-il semé la discorde entre le père et le fils,
Entre la mère et la fille,
entre le frère et son frère
entre l'ami et l'ami?
A-t-il méprisé père et mère?
A-t-il employé des poids truqués ou planté de fausses
    bornes?
A-t-il pénétré dans la maison de son voisin?
A-t-il approché la femme de son voisin?
A-t-il fait couler le sang de son voisin?
A-t-il dérobé les vêtements de son voisin?
S'est-il révolté contre son supérieur?
A-t-il la langue honnête mais le cœur déloyal?
A-t-il répandu de faux dogmes?
A-t-il commis des actes impurs,
    et s'est-il occupé de magie ou de sorcellerie?
A-t-il été en contact avec un maudit,
    s'est-il assis sur la chaise d'un maudit,
    a-t-il dormi dans le lit d'un maudit,
    a-t-il mangé dans l'écuelle d'un maudit,
    ou bu dans la coupe d'un maudit?

On a aussi retrouvé en Assyrie et en Babylonie des pendants des " livres de la sagesse " égyptiens. On a découvert dans la bibliothèque d'Assurbanipal une sorte de catéchisme de la morale courante qui donne, entre autres, les conseils suivants :

Ne dis pas de mal des autres, mais chante leurs louanges!
Celui qui calomnie et prononce des mots mauvais
    recevra son châtiment de Shamash.
Ne parle pas trop, mets un frein à ta langue.
L'homme en colère doit attendre avant de parler.
Celui qui parle étourdiment s'en repentira par la suite.
Sois donc calme, sache te maîtriser!
Le matin, il faut se prosterner, le visage dans la poussière,
    et invoquer son dieu.
On sent ainsi ses forces augmenter.
La piété amène la grâce,
Les offrandes font de ta vie un succès,
et la prière brise les chaînes du péché.

La bibliothèque d'Assurbanipal nous offre également un recueil de proverbes assyro-babyloniens. En voici quelques exemples : " Dans une ville étrangère, la tâcheron devient seigneur ". " Celui qui meurt de faim n'est pas rassasié par une caisse d'argent ou d'or ". " A mauvaise semence, mauvaise récolte ". " L'ivrogne est aussi fort qu'un ver de terre ". " Tu as pris le champ de ton ennemi; maintenant, il vient prendre ton champ ".

On y trouve aussi un pendant de notre proverbe : " Il n'y a pas de fumée sans feu " sous la forme d'une question de pure rhétorique : " Qui engraisse sans avoir mangé? "

Terminons par deux citations très expressives : " Crains Dieu, honore le roi! " et " L'ami véritable se souvient de celui qui l'oublie ".

LES MORTS

Les Égyptiens, dotés d'un heureux caractère, se faisaient de la vie éternelle une toute autre idée que les Assyriens et les Babyloniens, peuples plus sévères et de nature plus prosaïque. L'Égyptien s'attendait à poursuivre dans l'éternité sa vie terrestre bien agréable, en somme. C'est pourquoi les tombes des défunts étaient décorées avec un tel luxe.

Sur les rives du Tigre et de l'Euphrate, on se représentait l'au-delà comme un sombre séjour, un royaume des ombres, " où les ombres des défunts ont pris la forme des oiseaux, se languissent dans les ténèbres et vivent de terre et de poussière ". Il n'empêche que les défunts d'Assyrie et de Babylonie devaient recevoir une sépulture convenable. Car : " celui qui n'a pas de tombe, ou qui n'a personne pour s'occuper de sa tombe, ne trouve pas la paix; son esprit erre sur la terre et cause toutes sortes de malheurs ". L'esprit ainsi condamné à une perpétuelle errance avait sur cette terre un sort bien peu enviable. " Il doit se nourrir de déchets ".

Les Babyloniens aussi embaumaient leurs morts. Ils employaient à cette fin du miel, de l'huile, du beurre, du sel et des herbes odorantes. Les enterrements étaient l'occasion d'offrandes funéraires; les parents du défunt faisaient entendre des plaintes et des pleurs déchirants, aidés en cela par des pleureurs et pleureuses professionnels; on y jouait des musiques funèbres. Les survivants déchiraient leurs vêtements en menus morceaux, se vêtaient de vieux sacs en signe de deuil ; ils s'arrachaient les cheveux et la barbe, et se lardaient de coups de couteau. "

Le défunt était placé directement dans la tombe, ou couché dans une sorte de sarcophage d'argile et enfermé dans une tombe de maçonnerie. Chaque ville possédait sa nécropole, mais il n'était pas obligatoire d'y enterrer ses disparus : on a en effet retrouvé de nombreuses tombes sur le bord des routes ou à des endroits inhabités. Le roi et d'autres personnes de haut rang dormaient de leur dernier sommeil dans un palais ou dans un temple. L'usage assyrien prescrivait d'enterrer les morts dans la maison où ils avaient vécu.

L'incinération semble avoir été pratiquée couramment. On pense même avoir retrouvé les restes d'un crématoire dans les ruines d'une ville babylonienne. Cependant, il semble que l'incinération était surtout d'usage parmi les couches les plus humbles de la population. Les autres classes sociales ne la pratiquaient qu'en cas de nécessité.

Le défunt emportait de la nourriture et des boissons dans sa tombe, parfois même des objets auxquels il était particulièrement attaché. Un prince qui enterrait son père " garnit la tombe de son père et éducateur d'un service de table en or et en argent, ainsi que de toutes sortes de bijoux ".

L'enterrement se terminait par un festin ; les convives consommaient les restes des offrandes funéraires. Par la suite, ils allaient, à intervalles réguliers, placer des aliments et du vin auprès de la tombe, sinon l'esprit du défunt se serait irrité et aurait refusé de rester aux enfers. Des prêtres se chargeaient de ces offrandes régulières et, pour plus de sécurité, ils y ajoutaient quelques exorcismes pour empêcher le mort de quitter le royaume des ombres.

LES LÉGENDES BABYLONIENNES SUR LA CRÉATION, LE DÉLUGE ET LE PÉCHÉ ORIGINEL

Récits de la Création

Il existe divers récits babyloniens de la Création du monde. L'un des deux plus importants fait partie de la bibliothèque d'Assurbanipal. Il remonte le plus loin possible et raconte les circonstances qui entourèrent la naissance des dieux.

L'autre récit, écrit à la période néo-babylonienne, est en fait un éloge de Marduk, le dieu tutélaire des Babyloniens. Marduk y est célébré comme dieu de la Création.

Marduk couvrit les eaux d'une couche de roseaux,
puis il créa la terre et la répandit sur ces roseaux.
Pour donner aux dieux de jolies maisons,
il créa les hommes.
Avec lui, Aruru [1] *créa la semence humaine.*
Il créa les animaux des campagnes et les êtres vivants
*   de la terre.*
Il créa l'Euphrate et le Tigre, traça leurs cours
et leur donna leurs noms.
Il créa le blé, l'herbe, le roseau et les buissons,
la bonne terre, les prés et les marais,
la vache vagabonde et son petit, le veau, la brebis et
*   son petit, l'agneau du troupeau,*
il créa les champs et les forêts,
le bouc et la gazelle.

Les Babyloniens croyaient que les dieux avaient créé l'homme pour leur service, et pour pouvoir ainsi jouir d'un repos égoïste. Pour créer l'homme, les dieux prirent un peu d'argile, la mélangèrent au sang d'un autre dieu, qu'ils avaient mis à mort, et créèrent ainsi un être nouveau. L'homme participe donc au divin comme au terrestre, il est " l'image des dieux ".

Récits du déluge

Rawlinson fut aidé dans la préparation de son ouvrage sur l'interprétation des textes cunéiformes par son assistant *George Smith;* celui-ci était capable de distinguer du premier coup d'œil ces caractères cunéiformes dont la similitude est si souvent embarrassante.

A l'automne 1872, il mit la main sur une tablette qu'il trouva bien vite plus intéressante que tous les autres documents cunéiformes. Smith en perdit le souffle. Il y était question d'une inondation détruisant tout sur son passage, d'un bateau qui s'était arrêté au sommet du mont Nisir, d'un pigeon lâché pour voir si le niveau des flots avait baissé, d'une hirondelle et d'une colombe lâchées dans le même but. Smith avait devant les yeux

---

[1] Aruru était la déesse de la naissance.

un vieux récit babylonien contant toutes les péripéties du déluge.

Cette découverte fit grand bruit aux quatre coins du monde civilisé. Mais Smith n'avait pas fini d'étonner ses contemporains. Il manquait encore un long passage du texte cunéiforme que ne pouvaient compléter les quelques fragments en possession des Anglais. L'épisode manquant devait donc encore se trouver dans la bibliothèque d'Assurbanipal.

Que fit Smith? Il partit pour Ninive, se mit à creuser à l'endroit où se trouvait la bibliothèque d'Assurbanipal, trouva un grand nombre de fragments cunéiformes — et parmi eux, le passage qui manquait à la tablette du British Museum! Le texte enfin retrouvé raconte comment le héros de la légende reçut d'un dieu bienveillant l'ordre de construire un bateau et de prendre à bord tous ses parents et les représentants de chaque espèce animale.

Les fouilles successives de Smith permirent en outre de combler beaucoup de lacunes dans les collections du British Museum; il fit de nouvelles découvertes, toutes de grande valeur, dans la bibliothèque d'Assurbanipal. Il retourna une troisième fois au pays du Tigre et de l'Euphrate pour entreprendre de nouvelles fouilles. Mais la peste et le choléra y faisaient rage et Smith dut abandonner. Il mourut sur le chemin du retour.

Examinons maintenant cette grande découverte; il s'agit d'un fragment d'épopée héroïque, écrit sur douze tablettes d'argile. Par la suite, on a retrouvé plusieurs versions encore plus anciennes, datant d'environ 2000 avant J.-C. Hélas, ces textes ne nous sont parvenus qu'en menus morceaux.

Le héros de cette légende assyro-babylonienne — donc le pendant du Noé de la Genèse — est Ziousoutra, appelé aussi Outanapishtim, le dernier des plus anciens rois de Babylone.

Selon les récits babyloniens, le théâtre de la catastrophe fut la ville de Sourippak, sur l'Euphrate, près de l'endroit où le fleuve se jette dans le Golfe Persique. La grande inondation était, selon la légende, envoyée par les dieux de la ville pour châtier les péchés des hommes.

Mais Outanapishtim jouissait de la protection du bienveillant Ea, le dieu de la mer et de la sagesse; Ea le prévint que les dieux avaient décidé d'exterminer l'humanité. Ea, voulant sauver son favori, lui conseilla de bâtir un grand navire, de monter à bord et de prendre la mer avec sa famille et un couple de toutes les créatures vivant sur la terre.

Outanapishtim suivit le conseil de son protecteur. Lorsque la nef fut prête, il commença à la charger.

J'y mis tout ce que je possédais.
J'y mis tout ce que je possédais d'argent.
J'y mis tout ce que je possédais d'or.
J'y fis entrer tous les animaux que je possédais;
je fis monter à bord du bateau tous mes parents proches
et lointains.

A un signal donné, il monte lui-même à bord. Il ferme la porte et confie la barre à un timonnier expérimenté. A ce moment, les éléments se déchaînent. La tempête fait rage, les fleuves et les océans se gonflent, le monde entier est écrasé sous de noirs nuages. Mêmes les dieux se sentent mal à l'aise. " Ils montèrent vers le firmament d'Anu. Là, ils s'assirent et restèrent immobiles, tremblant comme des chiens et pleurant de terreur ".

L'ouragan fait rage pendant six jours et six nuits. " Le monde entier s'est changé en océan " et toute vie est anéantie sur la terre. Le septième jour, la tempête tombe, la mer s'apaise et le bateau s'échoue sur le mont Nisir. Outanapishtim attend encore six jours avant de passer à l'action :

A l'aube du septième jour,
J'ordonnai de lâcher un pigeon.
Le pigeon s'envola mais revint bien vite.
Il fit demi-tour car il n'avait trouvé aucun endroit sûr.
J'ordonnai de lâcher une hirondelle.
L'hirondelle s'envola mais revint bien vite.
Elle fit demi-tour car elle n'avait trouvé aucun endroit sûr.
J'ordonnai de lâcher un corbeau;
Le corbeau s'envola, et il vit les eaux faire place à la terre :
Il mangea, voleta de-ci de-là, mangea tout son saoûl et
ne revint plus.

Outanapishtim savait maintenant que la terre était délivrée des eaux. Il sortit du navire et offrit un sacrifice sur la montagne. Noé fit aussi une offrande à Yahweh qui en trouva le parfum agréable. De même, les dieux babyloniens se rassemblèrent pour humer la fumée du sacrifice offert par Outanapishtim.

Les dieux humèrent l'odeur,
les dieux humèrent la bonne odeur,
les dieux se rassemblèrent comme des mouches
autour de celui qui offrait le sacrifice.

Puis Ishtar se joignit aux autres dieux et jura par son collier qu'elle n'oublierait jamais ce jour. Ce collier, que la déesse brandit au-dessus de sa tête en prononçant son serment, correspond à l'arc-en-ciel dans le récit juif.

Les tablettes cunéiformes trouvées en Babylonie, après que Smith eût fait son importante découverte dans la bibliothèque d'Assurbanipal, montrent la grande antiquité du récit babylonien, comparé au récit hébreu. Aujourd'hui, on connaît au moins six récits (ou parties de récits) babyloniens sur le déluge. A Nippur, la ville où se dressa un jour le plus grand temple de la Babylonie, on a retrouvé un fragment de la version la plus ancienne que nous connaissions actuellement. Cette tablette a probablement quatre mille ans.

En 1929, nouvelle sensation parmi les archéologues! Woolley découvre des preuves concrètes : le déluge a vraiment eu lieu!

Au cours de fouilles à Ur, entre 1927 et 1929, Woolley avait mis au jour un terrain de 70 mètres carrés sur une profondeur de 10 à 12 mètres. Ce terrain se composait de plusieurs couches de débris divers et de vestiges d'habitations; l'épaisseur totale de ces couches prouvait une chose : elles représentaient une évolution ininterrompue couvrant plusieurs siècles. Au printemps 1929, Woolley fit creuser plus profondément encore. Il trouva d'autres objets du même genre, parmi lesquels une tablette couverte de caractères cunéiformes plus anciens que ceux découverts dans les tombes des rois; Woolley les situa vers 3000 avant J.-C. (Il est peut-être nécessaire de retrancher deux ou trois siècles dans la chronologie de Woolley en ce qui concerne l'histoire sumérienne). Les fouilles furent poursuivies et bientôt les découvertes cessèrent : on butait sur une couche d'argile vierge. La composition de cette argile indiquait un long séjour dans l'eau. Tout d'abord, on crut qu'il s'agissait de l'ancien fond du delta, mais, d'après Woolley, le niveau était trop haut pour que cela fût vrai. Il creusa encore et la couche d'argile disparut brusquement; on recommença à trouver des débris de poteries et d'objets d'usage courant. Mais ces trouvailles avaient un tout autre caractère que celles faites au-dessus de la couche d'argile.

Cette couche d'argile avait environ trois mètres d'épaisseur. Trois mètres d'argile signifient une grande quantité d'eau et ne peuvent s'expliquer que par une inondation catastrophique, plus forte qu'aucune inondation connue dans cette partie du monde.

Woolley fit des fouilles de contrôle à d'autres endroits et retrouva partout la même couche d'argile.

Il semble que ce déluge fut une catastrophe locale, frappant un territoire ayant peut-être de 6 à 7000 kilomètres de longueur et 150 kilomètres de largeur, sur le cours inférieur de l'Euphrate. Mais pour les habitants du pays où naquirent les récits du déluge, ce territoire couvrait le monde entier.

Les travaux de Woolley semblent également montrer que les Sumériens prirent possession de la Mésopotamie et s'y établirent *après* le déluge. On a trouvé en-dessous de la couche d'argile des céramiques joliment coloriées, mais faites entièrement à la main. Les instruments en pierre sont aussi très nombreux. Au-dessus de la couche d'argile, on a trouvé quelques objets en pierre seulement, et les poteries, d'un type tout à fait différent, ont sans doute été faites au tour. On y trouve aussi les premiers objets en cuivre.

Pour Woolley, cette rupture brutale dans une évolution d'autre part régulière, est une preuve de l'immigration et de l'établissement d'un peuple nouveau. Il pense que ces nouveaux venus ont été les Sumériens. Et Woolley fait remonter le déluge vers 3000 avant J.-C.

Le péché originel dans la littérature babylonienne

Dans les archives d'El-Amarna, comme dans la bibliothèque d'Assurbanipal, se trouvent des fragments d'un récit babylonien dont le héros est *Adapa*, " la semence de l'humanité ", c'est-à-dire le premier homme; cet Adapa a commis un faux-pas qui lui fit perdre l'immortalité, ainsi qu'à sa descendance. On a retrouvé des traces du même récit en Égypte, car il fait partie d'un manuel de langue babylonienne en usage quelque 1500 ans plus tard. Il est facile d'identifier Adapa à l'*Adam* de la Bible.

Adapa était le fils d'Ea. Son père lui avait légué sa sagesse, mais non la vie éternelle. Le premier homme était batelier et vivait de la pêche. Il demeurait près du temple d'Ea à Eridou où il offrait à son père et seigneur le pain et la boisson, le poisson et le gibier.

Mais un jour qu'il pêchait en pleine mer, le vent du sud s'abattit sur son bateau et le fit chavirer. Furieux, Adapa parvint à s'agripper aux ailes du démon et à les arracher, de sorte que le démon ne pouvait plus voler.

Lorsque Anu, le dieu du ciel, eut connaissance de l'acte d'Adapa, il se mit en colère et convoqua le coupable. Mais Ea connaissait le danger qui menaçait son fils; il lui conseilla de ne pas manger le pain et de ne pas boire l'eau que le dieu du ciel lui offrirait, car Adapa perdrait la vie.

Mais les choses se passèrent autrement qu'Ea ne l'avait imaginé. Adapa arrive au ciel et Anu s'apaise à sa vue et abandonne toute rancune. Non seulement, il grâcie Adapa, mais il décide de se montrer plus généreux encore qu'Ea lui-même par un bienfait extraordinaire. Il ordonne à ses serviteurs de présenter à son invité le pain et l'eau qui donnent l'immortalité. Mais Adapa n'oublie pas le conseil d'Ea, il repousse ce qui lui est offert. Anu ordonne alors aux esprits qui le servent : " Emparez-vous de lui et renvoyez-le sur terre ! " Ce malentendu a donc privé Adapa de la vie éternelle.

LE BERCEAU DE L'ASTRONOMIE

Les Babyloniens furent les fondateurs de l'astronomie et de la météorologie. Les " sages de l'Orient " s'intéressaient aux corps célestes et à leur évolution, non seulement pour des raisons pratiques, mais aussi pour des raisons religieuses. Dans la vie pratique, ces connaissances leur permirent de diviser le temps en unités exactes, donc d'établir un *calendrier*. C'était une chose indispensable pour la société babylonienne organisée jusque dans les moindres détails. Les Babyloniens nous ont légué la division de la semaine en sept jours, du jour en vingt-quatre heures, de l'heure en soixante minutes et de la minute en soixante secondes. Les cadrans de nos horloges nous rappellent sans cesse la sagesse des anciens Babyloniens et les noms des jours perpétuent le souvenir de leurs dieux. Les Babyloniens donnèrent aux sept jours de la semaine les noms des " sept lumières mobiles du ciel ", c'est-à-dire le soleil, la lune et les cinq planètes connues à cette époque;

toutes portaient le nom d'un dieu, car les dieux étaient censés se matérialiser dans ces planètes. Plus tard, lorsque les Romains reprirent la semaine de sept jours aux Babyloniens, ils donnèrent à chaque jour de la semaine le nom du dieu ou de la déesse romaine qui se rapprochait le plus du dieu babylonien, le premier parrain du jour. Plus tard encore, les Germains adoptèrent l'usage romain et donnèrent le nom d'un dieu ou d'une déesse à chaque jour de la semaine.

Les mois de Babylone comptaient vingt-neuf ou trente jours. Mais, de ce fait, l'année du calendrier était nettement plus courte que l'année solaire réelle; c'est pourquoi certaines années avaient un treizième mois. Pendant longtemps, ce treizième mois fut placé un peu au hasard. Il faut attendre le sixième siècle avant le Christ pour voir s'établir des règles fixes. Chaque mois était consacré à l'un des signes du Zodiaque. Le mois supplémentaire ayant aussi besoin d'un symbole, on lui attribua le *corbeau*, l'oiseau de malheur. Depuis cette époque, le chiffre 13 — le chiffre du corbeau — est resté fidèle à sa réputation de jour néfaste.

De nombreux documents de la bibliothèque d'Assurbanipal témoignent de la haute antiquité des premières observations astronomiques en Mésopotamie. Il s'agit de copies d'un ouvrage monumental, ne comptant pas moins de soixante-douze tablettes d'argile; l'œuvre fut rédigée il y a plus de 3500 ans et consigne les résultats d'observations astronomiques effectuées pendant les siècles précédant sa rédaction. Les Assyriens et les Babyloniens tenaient cet ouvrage en haute estime et, au long de leur histoire, ils l'enrichirent des résultats de nouvelles observations.

Il ne faut pourtant pas oublier que, chez les Babyloniens, l'astronomie était en fait la servante de l'*astrologie* et qu'elle ne put quitter cette position subalterne que fort tard. Les observations et les calculs des astronomes babyloniens ne provenaient jamais d'une étude purement désintéressée, mais poursuivaient des buts pratiques ou tendaient à deviner les intentions des dieux et à prédire l'avenir.

Si l'on ne considère comme astronomie scientifique au sens actuel du mot que les seules observations dont les astronomes modernes pourraient encore tirer profit, il faut attendre la période hellénistique, donc quelques siècles avant J.-C., pour parler d'astronomie babylonienne. Mais les astronomes de cette époque étaient eux-mêmes conscients de tout ce qu'ils devaient aux astrologues babyloniens. Ils se faisaient volontiers appeler " Babyloniens " et se servaient des anciens textes babyloniens dans leurs observations et leurs calculs.

Il est possible — bien que la chose ne soit pas encore prouvée — que les anciens Chaldéens aient été capables de prédire les éclipses de lune et de soleil, d'une façon sommaire cependant. Leurs plus anciens documents traitant de cette question datent du temps d'Assurbanipal. Sa bibliothèque comprend une lettre des astrologues d'Assur; ils écrivent au roi qu'une éclipse de lune s'est bien produite, mais qu'ils n'ont pu la voir car le ciel était entièrement couvert. Ils demandent au roi de s'informer si en d'autres villes d'Assyrie et de Babylonie les habitants ont pu observer l'éclipse.

Il est cependant impossible d'affirmer que les Babyloniens pouvaient vraiment prédire les éclipses de soleil ou de lune car nous n'avons aucune *preuve* que l'éclipse ait effectivement eu lieu. Souci d'exactitude que les astrologues étaient bien loin de partager. En effet, ils pouvaient toujours prétendre que les dieux avaient changé d'avis. " Une prédiction qui ne se réalise pas est bien vite oubliée, car il n'y a là rien qui accroche la mémoire. Mais tout le monde se souvient d'une prédiction qui devient réalité. Et l'astrologue est alors gratifié d'une sorte d'auréole ". Ainsi parlait, bien des siècles plus tard, le grand astronome Kepler.

La première éclipse dont le jour fut exactement calculé à l'avance se produisit le 28 mai de l'année 585 avant J.-C. Son arrivée fut prédite par Thalès de Milet, " le premier philosophe grec ". Mais Thalès était un disciple des Chaldéens.

Les Babyloniens n'étudièrent pas que l'astronomie. Ils ont aussi fait œuvre de pionniers dans le domaine des mathématiques. Ils employaient deux systèmes à la fois : le système décimal et le système sexagésimal. Un nombre élevé s'exprimait par sixaines ou par soixantaines.

Nous employons le système sexagésimal lorsque nous divisons le cercle en 360 degrés et le jour en heures, minutes et secondes.

Pas plus que les Égyptiens, les hommes de Mésopotamie ne cherchaient à démontrer et à raisonner. La vie pratique leur avait simplement posé une série de problèmes et, par l'expérience, en tâtonnant, ils y avaient trouvé des solutions, sous forme de recettes. Ils parvenaient ainsi à résoudre des problèmes des deuxième et troisième degrés. Voulez-vous résoudre celui-ci? " Soit un rectangle. J'ai multiplié le flanc par le front; j'ai ainsi obtenu sa surface. En second lieu, j'ai additionné le flanc et le front : la somme est égale à la surface. J'ai additionné le flanc, le front et la surface, le total est 9. Quels sont le flanc, le front et la surface? "

LES HITTITES ET LES PEUPLES DU COULOIR SYRO-PALESTINIEN

LES HITTITES

Aux deux États, l'empire hittite et le royaume hourrite, qui apparurent au début du IIe millénaire, il est malaisé de fixer des frontières. Celles-ci n'ont cessé de varier. Tout au plus peut-on affirmer que le centre de l'empire hittite se situait dans la partie non égéenne du plateau anatolien et que les Hourrites se retrouvent, à des dates diverses, dans tout le nord mésopotamien.

A l'époque de la XIXe dynastie, les Hourrites furent vassalisés par l'empire hittite, puis ils disparurent. C'est pourquoi les historiens distinguent encore très mal leur civilisation de celle des Hittites mieux connue depuis la découverte d'archives cunéiformes [1] dans les montagnes de Boghaz Keui, en un lieu appelé le *nid d'aigle*.

Au même endroit apparurent les ruines des palais et des bâtiments administratifs de ce qui fut Hattous, la ville dont les Hittites firent à plusieurs reprises leur capitale.

Hattous était déjà habitée aux environs de 2500 avant J.-C. En effet, un écrit akkadien datant du temps de Narâm-Sin, donc vers 2160 avant J.-C., fait mention d'un certain roi Pamba de Hatti, c'est-à-dire du pays des Hittites. Ce roi doit avoir entrepris, avec dix-sept autres rois, une expédition contre Narâm-Sin. Que ce Pamba ait été un personnage historique et non une figure de légende, rien n'est moins sûr; mais les fouilles de Boghaz Keui ont

---

[1] Déchiffrées par l'assyriologue tchèque Bedrich Hrozny.

néanmoins montré que les quartiers les plus septentrionaux de la ville existaient déjà à l'époque.

Renforcés par des groupes indo-européens, originaires de Thrace, les Hittites fondèrent leur puissance militaire sur l'utilisation du cheval à la guerre. Ils commencèrent par des raids hardis, des razzias dans le Proche-Orient, puis constituèrent un authentique empire.

Le roi le plus puissant de l'Ancien Empire fut *Moursil I*, qui vécut vers 1550 avant J.-C. Il soumit entre autres le royaume de Haleb, qui s'étendait aux alentours de l'actuelle ville d'Alep, en Syrie du Nord. Il attaqua aussi Babylone et conquit cette " capitale du monde ". Il ne put cependant maintenir son autorité sur la Babylonie et dut abandonner le territoire aux Kassites, descendant des montagnes de l'est.

Moursil se fit bâtir un splendide palais à Hattous. Peu avant 1500, le roi Hantili y fit construire un mur d'enceinte. Les maisons étaient étayées sur des terrasses ; toutes les constructions résidentielles avaient plusieurs pièces et une cour intérieure. On y trouvait aussi une baignoire d'argile.

Après une période de crise, résultant de la prise d'assaut et de la destruction d'Hattous par les " peuples de la mer " (vers 1420 avant J.-C.), un nouvel empire atteignit le faîte de la puissance politique sous le règne de Souppilou- liouma (1380-1346 avant J.-C.). Les royaumes voisins tremblaient devant les Hittites et Souppilouliouma fit graver des inscriptions célébrant ses propres victoires. A l'instar des pharaons, il se voulait dieu et portait le titre de " moi-soleil " :

" Moi, le soleil, Souppilouliouma, le souverain du royaume de Hatti, l'intrépide, le favori du dieu de la tempête, j'ai marché au combat. Je suis arrivé dans le Washouganni. J'ai capturé les habitants de Souta, la capitale de la province, et je les ai emmenés au royaume de Hatti avec leurs bœufs, leurs porcs et leurs chevaux, toutes leurs possessions et tous leurs esclaves.

Leur roi, Dousratta, prit la fuite. Il ne m'a pas rencontré dans le combat ".

Moursil II succéda à son père et dut reconquérir tous les territoires que celui-ci avait annexés. Sous son règne, la capitale de l'empire hittite, Hattous, fut agrandie.

Sous le gouvernement de son successeur, *Moutallou* (1315-1290), les Hittites livrent un combat décisif contre l'Égypte. Ce pays vivait alors sous Ramsès II et s'était remis de la dépression dont il avait été frappé sous et après Toutankhamon. Ramsès II voulait rendre à l'Égypte les territoires perdus, à l'est de la Méditerranée. Mais les Égyptiens subirent une retentissante défaite à Kadesh vers 1300; la puissance des Hittites en Orient était alors à son zénith.

Mais le reflux et le déclin étaient proches. Hattousil III déposséda son neveu du trône, conquit quelques territoires encore et conclut une alliance avec Ramsès II à qui il offrit sa fille en mariage.

Aussitôt après, ce fut la décadence. Vers 1190 avant J.-C., Hattous fut rasée par les " Peuples de la Mer " (parmi lesquels les Philistins venus d'Asie Mineure). La ville ne se releva jamais de ses ruines.

Le puissant empire des Hittites était détruit, mais leur nom n'était pas pour autant effacé des annales de l'histoire. Pendant toute la première moitié du premier millénaire, les Assyriens gardèrent le nom de *Hatti* pour désigner les territoires de l'ancien empire hittite, bien que les Hittites n'en fussent plus les maîtres.

En Anatolie Centrale, de nombreux États naquirent sur les ruines de l'empire hittite. Parmi eux, se trouvaient le royaume de *Phrygie* et les petits États qui s'étendaient de Kayseri (dans l'actuelle Syrie) à la Syrie du Nord.

La civilisation hittite

En dépit du prestige religieux dont ils s'affublaient, les rois des Hittites ne réussirent pas à donner à leur pouvoir l'ampleur d'un absolutisme monarchique. A leurs côtés, siégeait, en effet, une assemblée de l'aristocratie dirigeante Cette assemblée sanctionnait l'avènement de tout nouveau souverain, recevait de lui un serment et lui jurait, de son côté, fidélité. L'assemblée jugeait également les procès contre l'un de ses membres ou contre des parents du roi.

Il y avait deux catégories de fonctionnaires : les administrateurs et les agents du culte. Mais une grande partie de l'empire hittite échappait à l'administration directe de la monarchie.

Il semble que la vie économique du pays était basée sur un système féodal. Les vassaux étaient liés au roi par contrat. Leurs propres vassaux avaient des obligations précises.

Profitant des précédents mésopotamiens, les Hittites pratiquaient un commerce actif, avec un système varié de prêts, de garanties et de nantissements. L'industrie métallurgique prospérait : le fer des Hittites était l'objet d'une exportation vers l'est et le sud. Comme leurs collègues, les marchands babyloniens, les Hittites nourrissaient pour l'or un penchant immodéré. Ils ne cessaient de mendier de l'or auprès des pharaons ; les rois kassites faisaient d'ailleurs exactement la même chose.

Les Hittites exportaient également les chevaux qui, à partir de 1500 avant J.-C. furent très recherchés ; il fallait des attelages pour les chars de guerre et les voitures de chasse des rois. Un important document hittite, le célèbre " texte Kikkouli ", indique avec force détails, la façon de soigner et d'entraîner un cheval pour en faire un excellent trotteur. Il semble cependant que Kikkouli, l'auteur du texte, n'était pas un Hittite mais un Aryen. Il fit probablement un séjour dans l'empire de Hatti aux frais de l'État, pour y enseigner l'élevage du cheval. Ce texte date d'environ 1350 avant J.-C. ; c'est le plus ancien manuel d'élevage connu.

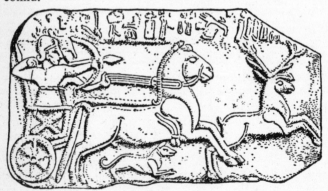

Un attelage hittite.

Deux recueils de lois hittites ont été retrouvés ; ils sont incontestablement conçus sur le type des codes mésopotamiens et règlent des questions analogues. Les différenciations sociales ne sont toutefois pas les mêmes : comme nous l'avons observé, une caste dirigeante, féodale, dirigeait la vie politique du pays. D'autre part, le droit pénal était moins dur. Il faisait appel à l'amende et à la compensation plus souvent qu'aux peines corporelles :

" Si quelqu'un tue un homme ou une femme, à la suite d'un désaccord, il doit payer une amende. Il doit donner quatre esclaves, hommes et femmes, et mettre sa ferme en gage ".

Les Hittites jugeaient la valeur de la personne humaine selon des critères à peu près semblables à ceux des Sémites : la vie d'un esclave valait la moitié de celle d'un homme libre.

Il est intéressant de noter combien la femme vit croître sa valeur au fil du temps. A l'époque la plus reculée, la loi imposait une amende d'environ 10 sicles (8,4 grammes d'argent) à qui avortait une femme arrivée au dernier mois de sa grossesse; l'amende était réduite de moitié si l'avortement avait lieu au cinquième mois. Plus tard, la somme fut multipliée par deux quel que soit le moment du délit.

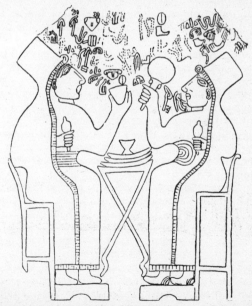

Pierre tombale hittite représentant deux femmes à un festin. L'une lève une timbale vers la bouche, l'autre tient un miroir à la main. Au-dessus d'elles figurent les noms et titres du défunt.

Le droit des Hittites assimilait le mariage à un contrat. Mais leurs lois semblent connaître la plus ancienne façon de se procurer une femme : l'enlèvement. Ceci apparaît notamment dans ce paragraphe :

" Si une jeune fille est promise à un homme et si un autre homme l'enlève, ce dernier devra, immédiatement après le rapt, payer un dédommagement au premier homme pour le défrayer de tous frais antérieurs. Les parents de la jeune fille n'auront aucun dédommagement à payer. Mais si les parents donnent eux-mêmes la jeune fille à un autre homme, ils devront payer. S'ils s'y refusent, l'autorité devra veiller à ce que la jeune fille ne soit pas remise à l'autre homme ".

Ce paragraphe montre que le fiancé devait payer une " dot " aux parents de sa future et que cette somme lui était restituée si les fiançailles étaient rompues pour l'une ou l'autre raison. Le " mariage-achat " était donc le procédé le plus fréquent chez les Hittites.

Lorsqu'un employeur prenait des gens à son service, il payait à l'homme un salaire équivalent au double de celui qu'il payait à la femme.

Le code hittite, comme ceux d'autres pays d'Orient, fixait les sommes que les ouvriers et les personnes appartenant à d'autres classes sociales pouvaient exiger en récompense de leur travail. Il s'agissait donc d'une sorte de barème maximum.

Voici un paragraphe intéressant :

" Si un homme libre tue un serpent et prononce à ce moment même le nom d'un autre homme, il devra payer une mine (une livre d'argent). Si le coupable est un esclave, il doit mourir ".

C'était donc un méfait abominable que de maudire ainsi son prochain, un délit si sérieux qu'il était sanctionné par l'amende la plus élevée du code. Et pour un esclave, un tel acte signifiait tout simplement la mort !

D'autre part, la peine de mort était appliquée à qui se révoltait contre le roi ou un haut dignitaire religieux, à qui se rendait coupable d'inceste ou de rapports sexuels avec des animaux.

Les lois hittites nous sont parvenues sur deux tablettes de texte cunéiforme. Il y a des raisons de croire à l'existence d'une tablette supplémentaire, mais les archéologues ne sont pas encore parvenus à la découvrir.

Une jeune femme sumérienne du IIIe millénaire av. J.-C.

Goudea, gouverneur de Lagash vers 2100 av. J.-C., est un des premiers princes sumériens dont nous connaissions à la fois le visage et le nom. A gauche, son gobelet à libation, orné d'un griffon et de deux serpents enlacés.

Détail d'une stèle babylonienne du IIe millénaire av. J-C.
Le roi Melishipak II présente sa fille à la déesse Nanaï.

Tablette cunéiforme en terre cuite relatant une campagne
militaire du roi assyrien Sargon II (vers 700 av. J.-C.).

LES PEUPLES DU COULOIR SYRO-PALESTINIEN

Dans l'Antiquité, la région côtière qui s'étend de l'Égypte au sud à l'Asie Mineure au nord n'a jamais hébergé qu'une série de petits États. La nature elle-même empêchait ces nombreuses petites communautés de fusionner en un grand empire. Ces territoires ne possédaient pas, comme l'Égypte et la Mésopotamie, de grands fleuves, à la fois facteurs de vie et facteurs d'union. Au contraire, de hautes montagnes séparaient les régions habitées les unes des autres et divisaient les terres fertiles en petites unités distinctes, comme c'est aussi le cas en Suisse et en Norvège.

Les montagnes entravaient donc les relations pacifiques entre les petits peuples syriens, mais étaient loin de constituer un obstacle infranchissable lorsqu'ils décidaient de se faire la *guerre*. L'histoire de ces petites peuplades n'est qu'une longue suite d'escarmouches et de combats; ces guerres se jouaient entre des armées aux effectifs ridicules et les " rois " de ces États lilliputiens n'étaient, en règle générale, que des paysans possédant quelques terres ou des chefs de tribus. L'histoire de ces régions fut aussi influencée par leur situation géographique : elles se trouvaient au carrefour des routes commerciales et militaires suivies par des peuples plus puissants. Un historien anglais a nommé " The fertile crescent " (le croissant fertile) le territoire en forme de demi-lune qui s'étend du Golfe Persique jusqu'à la côte égyptienne en passant par le Tigre, l'Euphrate, le plateau de l'actuelle Mossoul et Alep. De nos jours encore, le commerce du Proche Orient suit cet itinéraire. La Syrie devint donc le point de rencontre et le champ de bataille des grandes puissances, le creuset des peuples, mais aussi un territoire où tous les courants culturels fusionnèrent et s'enrichirent mutuellement.

Trois de ces peuples, les Araméens, les Hébreux, les Phéniciens, ont joué un rôle particulièrement significatif dans le développement de la civilisation.

Les Araméens

En arrière de la côte phénicienne, la Syrie était un important carrefour de peuples. Plusieurs s'y installèrent successivement, accumulant ainsi les éléments ethniques. Parmi ces peuples, les Araméens présentent le plus d'intérêt.

C'étaient des Sémites, nomades organisés en tribus, qui ne créèrent jamais un État unifié mais une multitude de petits royaumes. Il y en eut à Damas (Barhadad), à Harran, à Hazaël, à Hamath, à Zendjirli au pied de l'Amanus...

Sir Leonard Woolley, l'archéologue anglais que nous avons souvent cité, mena des fouilles dans le nord de la Syrie entre 1936 et 1949.

Il mit au jour les ruines d'une ville qui s'appelait *Alalah* au temps de sa gloire et se trouvait au centre d'un petit royaume englobant les plaines fertiles de l'Oronte. La ville était protégée par les montagnes de la côte aux environs de l'actuelle ville turque d'Antakié (Antioche). Elle tirait sa subsistance de ses riches campagnes, mais devait son bien-être à un commerce de transit actif entre l'Orient et l'Occident. Elle tenait les forêts de cèdres des montagnes d'Amanus, qui fournissaient un bois très recherché à Sumer, en Babylonie et en Assyrie pour la construction des temples et des palais. Pour défendre la ville, on éleva des murs et des fortifications qui, au cours des siècles, ne cessèrent d'être démantelés et reconstruits; les temples étaient continuellement embellis. Tous ces monuments témoignent d'une évolution qui reflète différemment l'influence de tous les grands peuples dont le petit État-urbain fut le vassal : Égyptiens, Babyloniens, Hourrites, Hittites, Assyriens.

L'histoire politique des petits États araméens importe peu mais essentiel fut leur rôle commercial et, par ricochet, leur rôle linguistique. En effet, des Araméens, on a pu dire qu'ils furent sur terre ce que les Phéniciens étaient sur mer. Ils étaient partout dans le Proche-Orient, achetant, vendant et transportant des marchandises.

De nos jours, l'anglais est devenu la langue du commerce international et, bien souvent, dans les congrès scientifiques, on entend des savants de tous pays échanger leurs idées dans la langue des Anglo-Saxons, qui n'est pas la leur mais que tous comprennent.

Il en fut ainsi dans l'Orient classique. Si bien que les vieux idiomes de Mésopotamie disparurent au profit de l'araméen qui supplanta même l'hébreu en Palestine. De nombreux passages de la Bible — tout le *Livre de Daniel* —

furent écrits en araméen. Et c'est en araméen que Jésus prêcha sa doctrine.

Les Hébreux

Dans la correspondance d'El Amarna, les souverains de la Syrie se plaignent continuellement au pharaon des tribus bédouines qui s'infiltraient en Palestine. Il s'agissait des *Cananéens* qui, à cette époque, s'implantaient dans le pays. Mais à peine y eurent-ils dressé leurs tentes — au douzième siècle avant J.-C. — que d'autres tribus nomades vinrent les menacer à leur tour; du sud venaient les *Philistins*, de l'est venaient les *Hébreux*. Ceux-ci étaient à peine parvenus à s'établir en Palestine qu'ils subissaient la poussée d'autres peuples du désert, les Moabites, les Ammonites, les Mitanniens, les Amalécites et bien d'autres encore. C'est l'éternelle histoire du pays fertile qui attire irrésistiblement les habitants des déserts et des régions déshéritées. Les Hébreux ne formèrent qu'un maillon dans cette chaîne séculaire de migrations; d'autres peuples les avaient précédés, d'autres les ont suivis.

Lorsque les Hébreux prirent possession du " pays de Canaan ", il était habité par un peuple arrivé à un assez haut degré de civilisation. Les Cananéens, comme nous les appelons, n'étaient cependant pas une nation homogène, mais un ensemble de tribus diverses, dont la plupart étaient de race sémitique comme les nouveaux arrivants.

L'influence babylonienne sur les *Israélites* s'exprime dans l'histoire des patriarches juifs. Leur " père ", *Abraham*, était en effet un Babylonien venant d'Ur en Sumer.

Plusieurs aspects des lois israélites exposées dans l'*Exode* montrent une similitude frappante avec les lois d'Hammourabi. Il suffit de se souvenir du principe de " l'œil pour œil, dent pour dent ". Les différentes parties des deux codes sont très proches les unes des autres, non seulement par leur contenu, mais aussi par l'ordre dans lequel elles apparaissent. " Cette similitude, dit un des plus grands connaisseurs de l'histoire d'Israël, ne peut pas être le fruit du hasard. Il est probable qu'Israël et Canaan ont appris le droit babylonien et l'ont choisi pour modèle ". Mais les lois d'Hammourabi expriment une culture matérielle plus développée que celle qui apparaît dans la loi de Moïse et une organisation politique plus perfectionnée; pour sa part, l'ancienne loi d'Israël témoigne d'une plus grande profondeur religieuse.

La bibliothèque d'Assurbanipal nous montre les rapports très étroits entre les récits hébreux et babyloniens de la Création et du déluge.

De nos jours, plus personne ne doute que les peuples de l'Orient n'aient maintenu d'importants contacts mutuels pendant toute l'Antiquité. On croyait autrefois que chacun de ces peuples formait un monde isolé, où sa culture propre s'était développée sans aucune influence extérieure; cette opinion n'a plus le moindre adepte aujourd'hui. Il y eut influences réciproques entre les différentes cultures et celle des Hébreux ne fait pas exception à la règle.

Les Hébreux ont subi très tôt l'influence de la civilisation égyptienne; ils ont, en effet, séjourné longtemps en Égypte avant de s'établir en Palestine. Au point de vue de la culture matérielle, les Hébreux étaient en retard sur les Cananéens. Ils menaient encore une vie nomade et dépendaient entièrement des pâturages pour leurs troupeaux; en cas de famine, ils partaient vers l'Égypte où il leur était plus facile de subsister. Ils pouvaient alors s'établir dans le pays de Gessen, une région frontalière séparant l'Égypte proprement dite de la péninsule du Sinaï. Le pharaon ouvrait donc aux Hébreux les riches pâturages de l'est du delta, mais non par pure bonté d'âme. Il y mettait probablement cette condition : les Hébreux devaient se soumettre à l'autorité égyptienne; ils formaient ainsi un tampon entre les Égyptiens et les remuantes tribus bédouines de l'est.

Pendant longtemps, on s'est penché avec intérêt sur les résultats des fouilles d'Égypte dans l'espoir d'y trouver quelques renseignements sur les enfants d'Israël et leur esclavage au pays du Nil. Les recherches furent très poussées mais ne nous donnèrent qu'une information assez fragmentaire. La Genèse raconte comment l'un des pharaons opprima les enfants d'Israël. Ils durent lui construire les villes de " Pithom et Ramsès " qui devaient servir d'entrepôts. Il semble que l'oppresseur des Hébreux fut Ramsès II. Il faut donc voir son fils et successeur *Menephtah* (1225-1215) dans le pharaon dont parle l'Exode, celui qui s'endurcit le cœur et refusa de laisser partir les enfants d'Israël jusqu'à ce que le Seigneur eût envoyé les dix plaies d'Égypte, avec l'aide de Moïse.

Nous n'avons pas à nous étendre sur le récit biblique des dix plaies d'Égypte. Il faut pourtant dire que plusieurs de ces fléaux sont caractéristiques du pays; leur description témoigne d'une bonne connaissance de l'Égypte. Le récit de l'eau du Nil qui se change en sang peut s'expliquer par l'apparition d'une petite algue rouge ou d'un organisme semblable, qui, aujourd'hui encore, teint entièrement le Nil en rouge à certains intervalles.

Tous les épisodes du séjour des Hébreux en Égypte semblent prouvés par l'histoire. Cependant, l'année 1896 devait apporter une surprise : l'archéologue anglais Flinders Petrie découvrit une inscription datant de l'époque de Menephtah; le nom d' " Israël " est cité, mais on ajoute que ce peuple habite la Palestine! Comment expliquer cela? L'une des théories avancées veut qu'une partie seulement du peuple hébreu se soit fixée en Égypte et en premier lieu les tribus de Joseph et de Benjamin, deux tribus descendant de Rachel. La plupart des tribus descendant de Léa, qui suivirent en général d'autres chemins que les tribus de Rachel, seraient donc restées en Palestine.

De nombreux spécialistes de l'archéologie biblique sont pourtant d'un autre avis. Ils font reculer le séjour des Hébreux en Égypte de deux siècles, le plaçant donc au temps d'Aménophis III et d'Akhénaton. Cette hypothèse fait naître le très intéressant problème des rapports entre la doctrine monothéiste d'Akhénaton et celle des Israélites.

Lorsque les Hébreux pénétrèrent en Canaan, ils ne soumirent qu'une partie du pays. Plusieurs villes, et entre autres la place forte de Jérusalem, restèrent aux mains des Cananéens. Les deux peuples finirent par conclure un accord et vécurent en paix. En de telles circonstances, il est tout à fait normal que les Hébreux aient subi très fortement l'influence des Cananéens dans le domaine de la culture matérielle.

A ce stade, nous ne pouvons toujours pas parler d'un *royaume* d'Israël. Il ne s'agit encore que d'un ensemble de tribus nomades qui vivaient autrefois dans le désert et qui s'appliquent maintenant à devenir un peuple de cultivateurs et de commerçants. Ils étaient unis par des liens plus religieux que politiques. Et ce lien était lui-même fort menacé par l'idolâtrie des Cananéens. L'Ancien Testament parle, à de très nombreuses reprises, d'Hébreux qui renient leur foi pour embrasser le culte de Baal ou d'Astarté, attirés par ses cérémonies sensuelles. Mais à la longue, les séductions des autres dieux durent s'incliner devant la force qu'exprimait la doctrine de Jahweh.

Dans notre monde imparfait, chaque effort vers l'unité spirituelle doit s'appuyer sur une organisation temporelle pour aboutir. On y arrive avec l'institution de la monarchie et le sacre de *Saül*. Saül était un malheureux, une nature tourmentée. Sa vie n'avait été qu'une longue tragédie ; son règne ne fut qu'un long combat. Les Philistins semaient la désolation aux quatre coins du pays d'Israël. Saül les attaqua et subit une défaite si retentissante qu'il se jeta sur son épée.

" Le lendemain, les Philistins vinrent pour dépouiller les morts, et ils trouvèrent Saül et ses trois fils gisant sur la montagne. Ils lui coupèrent la tête et lui enlevèrent ses armes " (Premier Livre de Samuel).

Le fougueux et passionné David dont le règne commence vers 1000 avant J.-C., rétablit la situation. Il écrasa les Philistins et, dansant de joie triomphante, ramena l'Arche d'Alliance à Jérusalem.

Israël atteignit son apogée sous David et son fils Salomon qui construisit le temple de Jérusalem. Bénéficiant enfin de la centralisation du pouvoir, le peuple travailla la terre avec d'excellents résultats ; il put fournir aux commerçants araméens et phéniciens du blé, de l'huile, du miel, de la cire et du baume.

Allié du roi Hiram de Tyr, Salomon créa un port sur la mer Rouge et équipa des navires que des marins venus de Phénicie conduisirent jusqu'au pays de l'or — Ophir — où régnait sans doute la reine de Saba.

" Le roi Salomon fut plus grand que tous les rois de la terre... Il fit que l'argent était à Jérusalem aussi commun que les pierres... " (Premier Livre des Rois).

Mais Salomon avait des goûts coûteux et, pour élever ses monuments, il imposa à son peuple des taxes et de véritables travaux forcés. Plus son règne s'avançait, plus il faisait penser à un despote oriental. Le peuple tout entier désirait rejeter le joug.

A la mort de Salomon, les tribus du nord se révoltèrent contre son fils et elles fondèrent un royaume indépendant avec l'aide de l'Égypte. La Palestine fut donc partagée entre le *royaume de Juda* au sud et le *royaume d'Israël* au nord. C'était la fin de l'État homogène et puissant que

David avait commencé à construire. Par la suite, l'histoire d'Israël ne fut plus qu'une longue suite d'intrigues de palais, de rebellions militaires et de meurtres. Le pays connut de nombreuses dynasties; très peu régnèrent plus de deux générations. Les Hébreux ne furent plus jamais en mesure de jouer un rôle politique important. Leur contribution à l'histoire se fit dans un domaine qui n'est pas de ce monde.

Captifs hébreux emmenés en Assyrie.

Après le déclin du royaume d'Israël, il n'existait plus en Syrie d'État capable d'arrêter la poussée des Assyriens. Assurbanipal apparaît une génération après la chute du royaume israélite; avec lui commence l'impressionnante lignée des rois assyriens. En 722 avant J.-C., Sargon II donna le coup de grâce aux Israélites. Selon l'usage, les classes dirigeantes furent déportées en différents endroits du grand empire assyrien et des colons assyriens et babyloniens prirent leur place en Palestine.

Le royaume de Juda, grâce à sa situation géographique, put conserver son indépendance jusqu'à ce que Nabuchodonosor y mît fin en 586 avant J.-C. Il conquit Jérusalem et réduisit en cendres la ville et son temple merveilleux. Parmi les survivants, tous les notables, tous les riches et tous les gens qualifiés furent emmenés en esclavage " il ne resta que les très petites gens ".

Ainsi finit l'histoire politique d'Israël. Écoutons un connaisseur de l'histoire des Israélites : " Son amour intransigeant pour la liberté causa la chute d'Israël. C'est une des raisons pour lesquelles son peuple s'est assuré notre sympathie, à tout jamais. Israël aurait été épargné s'il avait accepté de se soumettre à la domination étrangère. Mais, en dépit des apparences, le déclin politique d'Israël ne signifiait pas le déclin de son peuple. Le peuple fut déraciné, mais il a toujours survécu ". Et un autre spécialiste de l'histoire d'Israël écrit : " Ce peuple n'a jamais eu le temps ni l'occasion de s'établir solidement sur son sol et de devenir une grande puissance — il est donc impossible de dire comment il aurait accompli la mission qu'il s'était donnée. Il s'était établi dans une région où il n'aurait pu vivre en paix; une région où se rencontraient les deux continents dont la culture était à l'époque à son plus haut niveau, une région en outre peu éloignée du troisième continent — il s'était établi là pour apporter son message à tous les hommes qui pourraient l'entendre, lorsque le temps serait venu et lorsque le fruit spirituel aurait atteint sa perfection ".

La période de revers et de décadence fut pour les esprits les plus élevés d'Israël et de Juda l'occasion d'une purification religieuse. Les fidèles de la religion de Moïse s'alarmèrent de l'attraction que le peuple de Jahweh éprouvait à l'égard des dieux étrangers; ils s'unirent donc pour défendre leur foi. Les prophètes se groupèrent en communautés au sein du peuple. A des époques très reculées, il est déjà fait mention de prophètes errant dans les montagnes. Les chants des flutes, des cithares et des tambours les accompagnaient. Ils étaient inspirés par la musique, " saisis par l'esprit de Dieu ". Le grand prophète Élisée fit chercher un harpiste lorsque le roi Josaphat lui demanda conseil : " Maintenant, amenez-moi un harpiste ", dit Élisée. A peine le musicien avait-il pincé les cordes que la main du Seigneur fut sur Élisée ". (II Rois, 3, 15). Il conseilla au roi de creuser des fosses dans le désert pour pallier le manque d'eau. Et les fosses se remplirent d'eau ! Au temps d'Élisée, ces prophètes étaient des gens d'une grande force morale. Il existait des communautés de prophètes, dont les membres fondaient une famille et cultivaient leurs champs comme des gens ordinaires, mais vivaient partiellement des offrandes de leurs adeptes, sur qui ils avaient une grande autorité. Ces prophètes ne menaient donc pas une vie ascétique comme le feront plus tard les anachorètes chrétiens. Élie, le maître d'Élisée, était une personnalité de premier plan, comparable au grand chef du peuple, Moïse. Il se vêtait d'un manteau de peaux grossières, n'avait pas de domicile fixe, séjournait le plus souvent dans le désert. Il apparaissait çà et là, envoyé par le Seigneur. Élisée abandonna ses bœufs devant la charrue pour courir à l'appel d'Élie et partagea ensuite la vie de son maître.

L'une des plus impressionnantes figures de prophète fut *Jérémie*. L'historien suédois Henri Schück l'appelle " la personnalité la plus puissante de l'Antiquité ".

Dans les épreuves, les Juifs purifièrent et élevèrent encore l'idée qu'ils se faisaient de Dieu. A l'heure où Israël connut le déclin politique, il devint une puissance religieuse. La foi du peuple prit de nouvelles proportions. Jahweh n'était plus seulement le Dieu " de son peuple ", mais le souverain maître du monde qui, dans un but louable et conscient, éprouve son peuple. De là, les Juifs voyaient dans le sort d'Israël la préparation à un but très élevé : la libération de l'humanité par le peuple juif opprimé, que ses souffrances préparaient à cette grande mission.

En règle générale, l'efflorescence spirituelle d'un peuple ne va pas sans la puissance politique. Mais ce peuple unique acquiert sa signification historique au moment où il s'écroule en tant que nation. Au moment où d'autres peuples auraient été condamnés à l'extinction, il retrouve une vie nouvelle.

Ce furent encore les prophètes qui consolèrent le peuple de son exil et lui conservèrent l'espoir en prédisant la chute prochaine de Babylone. Et leur prophétie se réalisa plus tôt qu'on n'aurait pu le croire. Cyrus brisa la puissance de Babylone et permit aux Juifs de retourner dans leur pays et de reconstruire leur sanctuaire.

Mais de nombreux bannis, marchands ou banquiers, avaient fait fortune en Assyrie et en Babylonie et occupaient des positions influentes. Ils s'y sentaient maintenant chez eux. Seuls les plus pauvres parmi le peuple et quelques idéalistes firent usage de leur liberté retrouvée et retournèrent au pays de leurs ancêtres.

Un nouvel État fut établi qui porta la marque de l'évolution religieuse accomplie par le peuple pendant les années d'épreuves. La royauté ne fut pas rétablie. L'État juif devint une organisation religieuse, une théocratie placée sous la direction du grand-prêtre de Jérusalem.

Les prêtres consacrèrent alors toutes leurs forces à maintenir et ordonner ce qui restait des anciens documents et des anciennes traditions se rapportant à l'histoire et à l'évolution religieuse du peuple. Les écrits furent progressivement rassemblés en un seul recueil (notre Ancien Testament) qui, aujourd'hui encore, est le livre saint des Juifs.

Contrairement aux autres peuples de l'Orient classique, les Hébreux ne reconnaissaient qu'un seul Dieu, créateur du ciel et de la terre. Ce Dieu, il faut le servir par une vie juste et pieuse. Le culte a son importance, mais pas autant que la véritable piété qui est au fond des cœurs. "J'aime la piété et non les sacrifices ; et la connaissance de Dieu plus que les holocaustes " (Livre d'Osée).

Les polythéismes de Babylonie, d'Assyrie, de Phénicie et de Syrie étaient cruels et sensuels. Celui des Égyptiens s'accompagnait d'une invitation à la charité envers les humbles et les faibles. Mais seul le monothéisme des Hébreux a fait de l'amour du prochain le fondement de toute vie spirituelle : " Tu aimeras ton prochain comme toi-même " (Lévitique).

Les Phéniciens

Aussi longtemps que l'Antiquité des civilisations orientales fut mal connue, on exagéra l'importance des Phéniciens. Il faut attribuer cette erreur de perspective aux récits des écrivains grecs et romains, en admiration devant tout ce qui venait des côtes phéniciennes. Les Phéniciens se chargèrent pendant très longtemps du commerce maritime entre l'Orient et l'Occident ; c'est pourquoi les Grecs et les Romains vinrent à les considérer comme les dépositaires de toute la civilisation de l'Orient. La mission historique des Phéniciens fut de faire participer les peuples d'Europe à la culture des Égyptiens et des Babyloniens. Mais s'ils furent de très importants intermédiaires, ils furent de piètres créatures.

Leur pays lui-même nous offre peu de documents. Et pourtant nous savons, par la tradition grecque, qu'il possédait autrefois une très riche littérature. On trouve quelques intéressantes inscriptions égyptiennes et babyloniennes sur les rochers du Nahr-el-Kelb, " la rivière du chien ", un cap abrupt vers le milieu de la côte syrienne, à quelques kilomètres au nord de Beyrouth. Une route (de la plus haute antiquité) y est taillée dans la roche ; qui tenait ce passage commandait les routes vers le Nord, vers Damas à l'est, vers Tyr et Sidon au sud. Ici, Ramsès II a fait graver dans la roche son image et trois inscriptions et six rois assyriens ont suivi son exemple. Dans les environs, on a également retrouvé une inscription de Nabuchodonosor. Les textes et les sculptures ont assez bien souffert des atteintes du temps. Vers 1860, un officier français orna de son nom la partie inférieure d'une pierre commémorative égyptienne ; ce graffiti barre tout le texte du pharaon. Et en 1918, le général britannique Allenby passa en ces lieux pendant son offensive victorieuse contre les Turcs ; il fit graver son nom parmi ceux des grands conquérants de l'Antiquité et crut partager ainsi leur gloire.

Lorsque les villes phéniciennes connurent leur plus grande prospérité, sous la domination des Perses, puis des Grecs et enfin des Romains, on construisit beaucoup dans le pays ; ce fut aussi le cas au Moyen Âge. Et les vieux monuments furent employés comme matériaux de construction.

Ici comme en Égypte, les collectionneurs enragés se sont montrés peu raisonnables. Le grand orientaliste et historien des religions, Ernest Renan, déplore que le goût naissant pour les antiquités égyptiennes ait détruit les plus importants monuments du pays ; en 1860, Renan avait fait de grandes découvertes archéologiques en Phénicie. Les chasseurs de trésors ont commis de véritables ravages, surtout dans les ruines de l'antique cité de Sidon. On y fit quelques découvertes importantes, comme celle de milliers de pièces d'or anciennes ; dès ce moment, les vandales manièrent la pioche avec un zèle redoublé. On vit parfois des centaines et des centaines d'aventuriers travailler ensemble dans la fièvre à leur œuvre d'anéantissement. Ils n'ont pas épargné une seule tombe, ils n'ont pas laissé un seul sarcophage intact.

On a pu retrouver quelques inscriptions phéniciennes dans d'autres pays méditerranéens où les Phéniciens avaient établi des colonies commerciales. Ce furent les fouilles de l'ancienne *Carthage*, sur la côte septentrionale de l'Afrique, qui donnèrent les plus riches résultats. Mais on y trouva surtout des pierres tombales sans grand intérêt pour l'histoire.

Pendant longtemps, on attribua aux Phéniciens de nombreuses réalisations culturelles, et en premier lieu l'alphabet. On leur a fait l'honneur de les croire les auteurs d'un système de mesures, de poids et de monnaies qui, en fait, fut inventé par les Babyloniens. On a cru aussi que des marins phéniciens avaient trouvé le verre, alors que le mérite en revient aux Égyptiens ; les Phéniciens ne firent que reprendre leur procédé.

C'est dans un autre domaine qu'il faut chercher l'originalité des Phéniciens. S'ils ne furent pas les premiers à construire les *bateaux de haute mer*, ils en construisirent en tout cas très tôt. Les cèdres du Liban leur fournissaient le matériau rêvé pour la construction navale. A l'origine, les bateaux était mûs à la rame. Les Phéniciens employèrent la voile relativement tard.

Il est probable que nous devons aux Phéniciens l'art de teindre les tissus par la pourpre. A tout le moins, ils en ont fait un usage beaucoup plus large que les autres peuples qui la connaissaient aussi. Ils employaient, pour la fabrication de cette teinture, la glande d'un certain mollusque : le murex purpura. Exposées au soleil, les sécrétions de cette glande prenaient une riche teinte pourpre. Cette jolie couleur possédait une propriété bien agréable : elle ne changeait pas. Mais la pourpre était très chère, car chaque mollusque ne produisait que quelques gouttes de l'indispensable matière. Une seule fabrique de pourpre traitait plusieurs millions de mollusques chaque année. On peut encore voir près de Tyr et de Sidon les endroits où les Phéniciens se débarrassaient des coquilles des murex ; aux environs de Sidon se trouve un véritable banc de coquilles, long de cent mètres et haut de plusieurs mètres. La tradition attribue la découverte du procédé à un heureux hasard : un berger vit son chien venir à lui, le museau ensanglanté — du moins c'est ce qu'il pensa tout d'abord. Mais le chiffon de laine dont il se servit pour essuyer l'animal prit une merveilleuse teinte rouge. Il ne s'agissait donc pas de sang. Le berger suivit la trace du chien et comprit bientôt que la bête avait croqué un mollusque à pourpre !

Puis les Arabes firent la conquête de Tyr, les Turcs celle de Constantinople ; les envahisseurs détruisirent les dernières teintureries. De nos jours, on a tenté de fabriquer à nouveau la pourpre à partir du murex, mais l'entreprise fut abandonnée parce que trop coûteuse.

Les régions côtières habitées par les Phéniciens ne se sont jamais groupées en un État centralisé. Renan écrit que la Phénicie n'a jamais été un pays, mais plutôt une série de ports, chacun exerçant l'hégémonie sur sa portion de territoire côtier. Mais ces États miniatures plaçaient le commerce au-dessus de toute autre considération et leur politique fut donc dominée par leurs intérêts économiques.

Pour cette raison, les Phéniciens ne voulurent à aucun prix se laisser entraîner dans une guerre. Ces rusés commerçants préféraient voir d'où venait le vent, tomber aux pieds de leurs trop puissants voisins, reconnaître leur supériorité et leur payer tribut. Ils passèrent donc sous la domination de l'Égypte, puis sous celle des Hittites. Ensuite, l'Égypte et la Mésopotamie connurent une période de décadence. Les Hébreux purent donc s'établir en Palestine sans rencontrer d'opposition et y devenir petit à petit une puissance importante. Et les Phéniciens purent développer encore leur puissance commerciale. Vinrent alors les conquérants assyriens et la puissance des Phéniciens se mit à décliner, tout comme celle des Hébreux. De plus, les Phéniciens trouvaient dans les Grecs des concurrents redoutables. Mais ils purent éviter le sort fait aux Juifs (trop entêtés) en s'inclinant devant les envahisseurs assyriens; le roi de Ninive ne leur imposa qu'un tribut. Après les Assyriens, le pays passa sous la domination successive des Babyloniens, des Perses, des Macédoniens et, enfin, des Romains.

La nature forçait la Phénicie à être morcelée en plusieurs petits États. Et la mer formait la liaison naturelle entre toutes ces communautés. Les deux ports les plus importants étaient Sidon et Tyr.

Tyr était située sur un îlot rocheux, ce qui lui permit à plusieurs reprises de résister à des ennemis très puissants. Seul Alexandre le Grand put s'emparer de Tyr par la force.

Les Phéniciens ne seraient jamais devenus une grande puissance économique si l'arrière-pays n'avait été un territoire de haute culture, qui pouvait les fournir en marchandises.

Des ports phéniciens, des flottes de commerce partaient à la recherche de nouveaux marchés sur les côtes de la Méditerranée. Leur but fut d'abord l'Égypte, mais, ensuite, ils croisèrent aussi vers le nord, vers les côtes de l'Asie

Mineure. De là, ils s'aventurèrent vers Chypre, l'île du cuivre, que l'on pouvait vaguement apercevoir des montagnes côtières d'Asie Mineure.

Une fois à Chypre, les Phéniciens trouvèrent le chemin des îles de la mer Egée. Ils cabotèrent d'île en île, de cap en cap et aux endroits favorables au commerce, ils se fixaient et fondaient des comptoirs : sur les côtes d'Afrique du Nord, à Malte, en Sicile, en Sardaigne, et au sud de l'Espagne.

C'est là que leurs efforts furent le plus richement récompensés, là près des Colonnes d'Hercule (ainsi les anciens Grecs appelaient-ils le détroit de Gibraltar), au seuil de l'Océan Atlantique. Car ils découvrirent, sur le cours inférieur du Gualdalquivir, de l'*argent*, métal que l'Orient préfère encore parfois à l'or. Les Phéniciens fondèrent plusieurs colonies dans ces régions. La plus importante était *Gades*, l'actuelle Cadix.

Toute la Méditerranée devint donc le terrain de chasse des commerçants phéniciens; dans les nombreux comptoirs, ils pratiquaient un commerce de troc avec les autochtones. Mais les marchands ne s'estimaient pas satisfaits. Marins courageux et entreprenants, ils poussèrent plus loin le long des côtes d'Afrique et d'Europe, jusqu'aux " îles de l'étain " — probablement l'Espagne du Nord-Ouest, peut-être même les îles Scilly, à l'extrémité sud-ouest de l'Angleterre.

Ces longs voyages firent des Phéniciens des marins intrépides. Et ils joignaient à leur sens inné du commerce une grande faculté d'adaptation. Ces gens se sentaient partout chez eux. Les Grecs et les Romains considéraient d'ailleurs cette faculté d'adaptation des Phéniciens avec une admiration mêlée de mépris. Les poèmes homériques rendent hommage aux Phéniciens pour leur habileté artistique, mais les dépeignent comme de fieffés escrocs. Et les Romains parlaient de la " fidélité punique " (c'est-à-dire phénicienne) pour désigner ironiquement une fourberie sortant de l'ordinaire. Les Phéniciens s'attiraient une telle antipathie parce qu'ils faisaient commerce d'esclaves sur une grande échelle. Et ils se procuraient ces esclaves de façon parfois douteuse : il leur arrivait de les payer, bien sûr, mais ils s'approvisionnaient surtout par des razzias sur les côtes étrangères d'où ils emmenaient de force les habitants. Les Phéniciens firent du commerce d'esclaves une entreprise de grande envergure.

Carthage, sur la côte septentrionale de l'Afrique, devint petit à petit la plus importante des colonies commerciales phéniciennes.

On peut difficilement imaginer que les villes phéniciennes, peu nombreuses et relativement petites, aient pu acquérir à elles seules la puissance et la population nécessaires à la colonisation de tout le bassin méditerranéen. De nombreux orientalistes considèrent cette colonisation non comme une conquête économique des villes phéniciennes, mais comme une phase d'une grande *migration sémite* qui se produisit en Mésopotamie et en Syrie.

La vérité se trouve peut-être entre les deux hypothèses. Quelques-unes des colonies phéniciennes peuvent être résultées de la grande migration sémitique. Les colonies d'Espagne (et en particulier Gades), comme les colonies de la côte africaine face à l'Espagne, furent, selon toute probabilité, des comptoirs de Tyr ou de Carthage.

L'ORIGINE DE L'ALPHABET

Les recherches les plus récentes font supposer qu'en dernière instance, c'est aux Égyptiens que nous devons l'alphabet. Il nous a été transmis par les Romains et les Grecs — les Grecs eux-mêmes avaient emprunté la plupart des lettres aux Phéniciens — peut-être via Chypre et la Crète — probablement après 1000 avant J.-C. Ceci est prouvé par le nom des lettres. Les deux premières lettres de l'alphabet phénicien s'appelaient " alef " et " bet ", les Grecs en firent " alpha " et " beta ".

L'alphabet phénicien (ou mieux l'alphabet west-sémitique) a conquis le monde entier grâce à deux phénomènes historiques : l'expansion de la culture européenne aux quatre coins de la terre et le triomphe de l'Islam jusque dans les profondeurs de l'Asie et de l'Afrique. Seule la culture chinoise a résisté à cette influence jusqu'à présent — et on peut à bon droit se demander pour combien de temps encore. L'alphabet phénicien donna seul naissance à une *écriture purement littérale*. Toutes les autres écritures, que ce soit en Égypte ou en Babylonie, en Asie Mineure, en Crète, en Chine, au Japon ou au Mexique, sont des écritures plus ou moins *idéographiques*, qui, en des circonstances favorables, ont acquis un caractère *syllabique*.

I	II	III	IV	V	VI	VII	VIII	IX	X	

L'évolution de l'alphabet. I, Phénicien; II, grec primitif; III, grec oriental; IV, grec classique; V, grec occidental; VI et VII, étrusque; VIII, vieux latin; IX, latin classique; X, onciale ou écriture minuscule du Moyen Age.

Mais où les " inventeurs " de l'alphabet west-sémitique ont-ils trouvé les modèles de leurs lettres? On a supposé qu'ils les ont prises chez les Babyloniens. Cela est pourtant impossible pour les raisons suivantes : l'écriture cunéiforme se compose de voyelles et de consonnes, alors que l'alphabet phénicien ne connaît pas les voyelles. Et, de plus, les Babyloniens écrivaient de gauche à droite, contrairement aux Phéniciens. Enfin, l'écriture cunéiforme n'était pas destinée à être *écrite* mais *gravée;* par contre, l'écriture phénicienne présuppose, comme la nôtre, l'usage de la plume, de l'encre, du papyrus ou d'une matière similaire. Mais l'écriture phénicienne montre une similitude très nette avec l'écriture *cursive égyptienne.*

Toutes les tentatives pour rattacher l'écriture phénicienne aux caractères cunéiformes furent des échecs. Les caractères égyptiens servirent de modèles aux lettres phéniciennes. On pourrait ici reprendre l'expression biblique et parler de vin nouveau dans de vieilles outres. Les peuples qui créèrent l'alphabet west-sémitique choisirent leurs lettres dans le pays qui leur était le plus proche et dessinèrent ou plutôt écrivirent ces lettres selon leur goût et leur usage parti-culiers, et non selon le style propre à leurs maîtres égyptiens.

Nous avons employé le terme consacré d' " alphabet phénicien "; en un certain sens, ce nom est justifié, car ce furent de toute façon les Phéniciens qui introduisirent l'écriture littérale en Europe. Mais dire qu'ils furent les *créateurs* de l'alphabet ou plutôt des signes consonantiques, ceci est une autre histoire. Si on admet l'origine égyptienne de ces signes — et la majorité des spécialistes l'admettent — il est probable que l'alphabet phénicien naquit quelque part où l'écriture cunéiforme exerçait une influence moins forte qu'en Syrie. Selon toute probabilité, cette création d'une énorme importance fut le fait d'un peuple west-sémitique *n'habitant pas la Syrie*, mais un endroit où l'influence des Babyloniens le cédait à celle des Égyptiens — donc peut-être l'œuvre des *Hébreux* pendant leur séjour au pays de Gessen. Ils y subissaient naturellement une profonde influence égyptienne. Ils seraient sans doute arrivés dans cette région avant de posséder une écriture propre; là, ils auraient créé un alphabet qu'ils auraient emmené plus tard en Palestine, d'où ils l'auraient répandu parmi les autres peuples syriens. L'écriture littérale pourrait aussi provenir des *Hyksos*, un autre peuple sémitique dont les liens avec l'Égypte étaient encore plus étroits. Lorsque ce peuple fut chassé d'Égypte, il aurait pu emmener l'alphabet en Syrie.

Les savants en étaient à ce point de leur théorie lorsqu'une communication surprenante parut en 1916. Elle provenait des archéologues qui étudiaient les inscriptions rupestres des mines du Sinaï, découvertes dix ans plus tôt par Flinders Petrie. Parmi les nombreuses inscriptions purement égyptiennes, quelques-unes faisaient tache : elles donnaient l'impression que des non-Égyptiens s'étaient maladroitement efforcés d'imiter les hiéroglyphes.

Un spécialiste a dit des inscriptions du Sinaï qu'elles " étaient le chaînon manquant entre les écritures égyptienne et syrienne ". Elles semblent être la forme primitive des signes dont tous les alphabets, directement ou indirectement, sont dérivés. Et ces signes originaux ont été découverts sur un territoire ayant appartenu à l'Égypte ancienne; de plus, ils ont des rapports très étroits avec les hiéroglyphes. La théorie qui fait descendre notre écriture littérale des hiéroglyphes égyptiens peut donc être considérée comme presque entièrement vérifiée par les faits. Les caractères égyptiens nous permettent de retracer l'évolution de l'écriture jusqu'à la plus haute antiquité.

Ces signes remarquables découverts dans les grottes du Sinaï ne sont pas de purs hiéroglyphes; plusieurs sont des simplifications de caractères hiéroglyphiques. Depuis le Sinaï, le premier alphabet sémitique a probablement gagné les peuples de la Syrie du nord, et le royaume de Saba au sud. Ce royaume de Saba est situé dans le sud de l'Arabie; on y retrouve une écriture sémitique de type plus ancien que l'écriture " phénicienne " et plus proche des inscriptions du Sinaï.

" L'écriture du Sinaï " présente encore beaucoup d'énigmes. Les textes n'ont pas encore été tous déchiffrés, mais on a pu conclure que cette écriture date de 1850-1500 avant J.-C., et qu'elle se compose de trente-deux signes. Les plus anciennes inscriptions phéniciennes furent découvertes à Ougarit et datent de 1500-950 avant J.-C. Il s'agit d'une écriture purement alphabétique, comprenant vingt-deux signes, tous consonantiques. Vers 1000 avant J.-C., l'alphabet hébreu naquit de cet alphabet phénicien; peut-être un peu plus tard, apparut l'alphabet grec primitif qui a servi de modèle à l'alphabet latin.

LES MÈDES ET LES PERSES

LE BERCEAU DES INDO-EUROPÉENS

Les démêlés des Mèdes et des Perses, peuples iraniens, avec les Assyriens et les Babyloniens, marquent la première apparition des peuples *indo-européens* sur le théâtre de l'histoire. C'était alors leur tour de recueillir l'héritage laissé par d'autres peuples de race indo-européenne, les *Sémites* et les *Hamites*. Les Égyptiens hamites avaient offert au monde tout ce qu'ils pouvaient lui offrir; quant aux Sémites, il leur faudrait attendre plus d'un millénaire avant qu'une renaissance religieuse leur permît d'influencer à nouveau la culture.

Ces peuples indo-européens ne forment pas une unité ethnique. Il existe bien une parenté entre les peuples germaniques, celtiques, italiques et slaves, mais de grandes différences ethnologiques séparent ces peuples des Iraniens. Les peuples indo-européens ne forment pas une race homogène, mais une unité linguistique : il s'agit des peuples qui parlent une langue indo-européenne.

On a cherché le berceau de ces peuples en vingt endroits différents au moins, depuis l'Europe du nord-ouest jusqu'au plateau de l'Asie Centrale et aux Indes. La plupart des spécialistes pensent toutefois qu'à l'origine les Indo-Européens menaient une vie nomade sur les grands plateaux d'Asie Centrale, là d'où sont venus tant de peuples. Par la suite, ces populations nomades se seraient multipliées à un point tel qu'elles n'auraient plus pu trouver dans leur pays d'origine les pâturages nécessaires à leurs troupeaux; ce serait là la cause principale des grandes migrations qui suivirent. Peut-être encore, les Indo-Européens ont-ils été chassés vers l'Ouest par des peuples originaires de l'Est, des régions limitrophes de la Chine. Aussi loin que nous pouvons retracer l'histoire de l'humanité, nous voyons se produire de telles migrations. Pourquoi donc est-il si difficile, impossible même, de déterminer avec exactitude le pays d'origine des Indo-Européens? Nous ne possédons pas encore les données historiques qui pourraient nous servir de point de départ. Seule la linguistique peut nous donner quelques indications par son étude comparative des langues indo-européennes.

Et c'est en ce domaine (du plus haut intérêt) que des chercheurs perspicaces nous ont défriché le terrain : ils ont établi de façon indéniable la parenté qui unit les nombreuses langues indo-européennes — langues indiennes, perses, slaves, grecques, italiques, celtiques et germaniques. Un exemple : notre mot " père " est une contraction du latin *pater* (qui est devenu *padre* en italien). Ce mot se dit en allemand *Vater*, en anglais *father*, en néerlandais *vader;* il se disait en grec *pater*, en vieux-persan et en vieil indien *pitar*. De même, notre mot *mère* correspond à *mater* (italien *madre*), *Mutter*, *mother*, *moeder*, *meter* et *matar* (en russe *matj*). " *Frère* " correspond à *frater* (italien *frate* ou *fratello*) *Bruder*, *brother*, *broeder*, *phrater* et *bhratar* (en russe *brat*). Nous devons donc admettre que ces différentes formes sont toutes issues d'un même mot primitif, employé par tous les peuples indo-européens avant que chacun d'entr'eux ne quitte séparément le pays commun pour entreprendre sa longue migration.

Pendant la première génération qui suivit la séparation, les différences liguistiques ne furent pas tellement grandes : les diverses tribus pouvaient encore se comprendre. Mais plus elles s'éloignèrent les unes des autres, plus leurs dialectes en vinrent à diverger; enfin, il fut un temps où la langue d'un de ces peuples devint incompréhensible pour les autres et réciproquement. Après plusieurs millénaires, des philologues géniaux ont découvert les similitudes entre les langues de ces peuples dispersés et se sont formé une idée de l'indo-européen primitif par comparaison et reconstruction. C'est cette langue primitive qui nous apporte quelques données — d'ailleurs très incertaines — sur la vie du peuple indo-européen et peut-être aussi sur le pays où ce peuple vécut à l'origine. Le vocabulaire de l'indo-européen primitif nous prouve une chose : les hommes qui parlaient cette langue habitaient une région où la neige et la glace n'avaient rien d'exceptionnel, non plus que la pluie. Ils avaient un nom pour quatre saisons différentes. Le pays d'origine devait donc se situer dans la zone tempérée. Les noms d'animaux et de plantes l'indiquent également. En effet, on n'y trouve aucun nom d'animal ou de plante des régions tropicales ou subtropicales.

Le pays des Indo-Européens était montagneux; et, s'il faut en juger par leur vocabulaire, ils ne connaissaient pas la mer. Ils possédaient bien un mot signifiant " mer " ou " lac ", mais aucun terme touchant à la navigation.

Ceci permet-il de conclure que les Indo-Européens vivaient loin à l'intérieur des terres? Il vaut mieux rester prudent. En effet, la langue primitive ne connaissait aucun mot pour la " forêt ", le " bois ". Ceci ne signifie pas forcément que les forêts étaient inconnues dans le pays. Il se peut très bien que les Indo-Européens ne considéraient pas un groupe d'arbres comme un bois. Il existe en effet des mots pour traduire le concept " arbre " et pour désigner différentes sortes d'arbres, en particulier le bouleau.

En fait de métaux, les Indo-Européens ne connaissaient que le cuivre. Ils devaient se situer entre l'âge de la pierre et l'âge du cuivre (ou du bronze), lorsqu'ils quittèrent leur pays d'origine. Ils ont donc probablement commencé leur migration il y a environ quatre mille ans. A l'époque, ils formaient encore un peuple nomade emmenant ses troupeaux dans ses pérégrinations. L'indo-européen primitif ne connaît pratiquement aucune expression ayant trait à l'agriculture.

Le cheval était leur animal domestique le plus apprécié; ils l'employaient pour la selle ou le trait. Leur langue possède de nombreux mots pour désigner les différentes parties de la charrette, comme la roue, le moyeu et l'essieu. Ce furent les peuples iraniens qui firent connaître le cheval aux plus anciens peuples civilisés de l'Orient, vers 2000 avant J.-C. La plus importante contribution que les Indo-Européens firent à la civilisation, à l'époque où ils ne formaient encore qu'un seul peuple, fut le dressage du cheval. Ce fut aussi le seul progrès auquel ils purent faire participer d'autres peuples, car, en d'autres domaines, ils restèrent très longtemps au stade primitif. Mais leurs

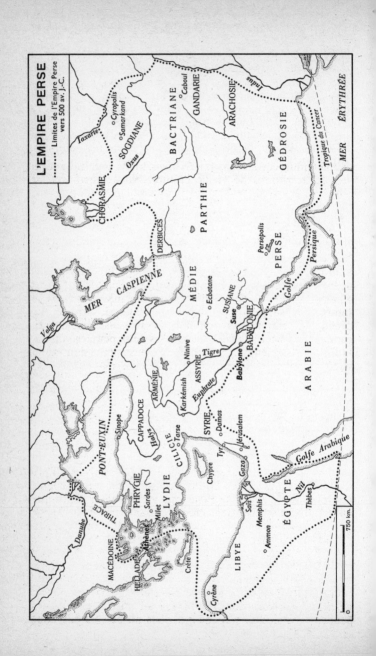

L'EMPIRE PERSE

Limites de l'Empire Perse vers 500 av. J.-C.

Cyropolis
Samarkand
SOGDIANE
Iaxarte
Oxus
CHORASMIE
BACTRIANE
Caboul
GANDARIE
ARACHOSIE
Indus
DERBICÈS
PARTHIE
GÉDROSIE
Tropique du Cancer
MER ÉRYTHRÉE
MER CASPIENNE
MÉDIE
Ecbatane
Persepolis
PERSE
SUSIANE
Suse
Golfe
Persique
Volga
Ninive
ASSYRIE
Tigre
Babylone
BABYLONIE
Karkémish
Euphrate
ARMÉNIE
ARABIE
PONT-EUXIN
Sinope
CAPPADOCE
Halys
SYRIE
Damas
Tarse
CILICIE
Jérusalem
Chypre
Tyr
Gaza
Golfe Arabique
PHRYGIE
Sardes
LYDIE
Milet
Sais
ÉGYPTE
Nil
Memphis
Thèbes
MACÉDOINE
THRACE
Danube
HELLADE
Athènes
Crète
LIBYE
Ammon
Cyrène

750 km.

0

chevaux rapides et bien dressés et leur habileté au tir à
l'arc leur donnaient un avantage militaire sur les autres
peuples. Ils étaient même presque invincibles car ils ne
possédaient ni villes ni maisons, mais emmenaient toutes
leurs possessions sur des chariots et pouvaient donc
disparaître aux yeux de l'ennemi lorsque le besoin s'en
faisait sentir.

Nous allons maintenant suivre le plus oriental des
peuples indo-européens, les *Iraniens*, dans leur migration
vers les territoires de vieille culture. Nous rencontrerons
plus tard le groupe *indien*, qui poussa vers le sud-est et prit
possession de l'Inde.

LES MÈDES ET LES PERSES

Les Mèdes et les Perses, deux puissants peuples
indo-européens, s'installèrent sur le plateau d'Iran, à l'est
de l'Assyrie et de la Babylonie. A l'origine, les Mèdes
tenaient les Perses en sujétion. L'empire mède atteignit le
sommet de sa gloire peu après la chute de Ninive. Le
déclin de l'empire assyrien mit fin aux dissensions qui,
pendant des siècles, avaient séparé les deux peuples voisins.
Jadis, les Assyriens avaient remporté des succès dans leurs
guerres contre les souverains mèdes, mais maintenant, les
rôles étaient renversés.

Nous ne connaissons les débuts de l'histoire des Mèdes et
des Perses que par les prophètes juifs de ce temps et
quelques vestiges d'inscriptions et de chroniques assyro-
babyloniennes. Sur certains points, ces sources se con-
tredisent, si bien que nous ne savons rien avec certitude
sur les premières péripéties des peuples iraniens.

Mais la situation s'améliore lorsque nous arrivons à l'âge
d'or de l'empire perse. L'énorme inscription que Darius I
fit graver sur la roche de Béhistoun a une valeur historique
inestimable. Les historiens grecs des quatrième et troisième
siècles avant notre ère nous apprennent également beaucoup
sur l'empire perse bien que l'exactitude de leurs récits
soit parfois fort douteuse. Et en ce qui concerne le territoire
même de l'empire médo-perse, les recherches archéologiques ne font que commencer. Il s'y trouve tant de
ruines de vieilles cités, avec leurs temples et leurs trésors,
qu'elles pourront donner du travail aux archéologues
pendant des siècles. Cependant, nous ne devons pas nous

attendre à d'importantes découvertes de sources écrites, car les grands rois perses n'avaient pas, comme les maîtres de l'Égypte de l'Assyrie et de la Babylonie, la folie de faire graver dans la pierre le récit de leurs exploits.

Notre connaissance de la Perse ancienne gravite autour de la grande figure *Zarathoustra* ou *Zoroastre*, le prophète de la Perse.

Zarathoustra

Au VIIᵉ ou au VIᵉ siècle avant notre ère, une réforme religieuse fut prêchée par Zarathoustra. Sa doctrine ne reconnaît qu'un seul dieu, Ahura-Mazda, infiniment grand et puissant.

Les hymnes en l'honneur d'Ahura-Mazda ressemblent à ceux des Sumériens en l'honneur d'Enlil et à ceux des Égyptiens en l'honneur d'Aton :

Qui a été, à la naissance, le Père premier de la justice?

Qui a assigné leur chemin au soleil et aux étoiles?

Qui est celui, si ce n'est toi, par qui croît et décroît la lune?

Qui a fixé la Terre en bas, et le ciel des nuées, qu'il ne tombe?

Qui a fixé les eaux et les plantes?

Qui a attelé au vent et aux nuages leurs coursiers?

Qui est, ô Sage, le créateur de la Bonne Pensée?

Quel artiste a fait la lumière et les ténèbres?

Quel artiste, le sommeil et la veille?

Lequel a fait le matin, le midi et le soir

Pour indiquer à l'intelligence sa tâche?

Une légion de serviteurs célestes entourent Ahura-Mazda; ce sont les génies du bien en lutte contre les forces du mal. Depuis la création du monde, l'homme est l'enjeu de ce combat. Il doit choisir entre le Bien et le Mal :

Or, à l'origine étaient les deux esprits,

Qui proclamèrent comme leurs principes jumeaux et autonomes,

En pensée, parole, action, l'un le mieux, l'autre le mal.

Et entre eux deux, les intelligents choisissent bien,

Non les sots.

Point n'est besoin de sacrifices ni d'offrandes matérielles. Ce qui importe c'est d'aimer la vérité et d'accroître la justice " par l'intelligence, les paroles, l'action et la conscience ". Au Jugement dernier, Ahura Mazda tiendra compte du bien accompli sur terre et non du nombre d'hymnes chantés devant l'autel.

Le système religieux de Zoroastre n'a pas été adopté entièrement par les Perses. Les Mages qui, à l'instar des druides chez les Celtes, formaient la caste des prêtres, mêlèrent les idées de Zoroastre aux conceptions traditionnelles. Ahura-Mazda fut maintenu au rang de dieu suprême mais Mithra, dieu de la Lumière, reçut la direction des génies bienfaisants, tandis qu'Ahriman, l'esprit du Mal, conduisit les démons malfaisants.

La littérature sacrée des Perses a été écrite tardivement, au IIIe siècle de notre ère. Jusqu'à cette date, on se contentait de la tradition orale. Le livre le plus ancien est l'*Avesta* où l'on trouve notamment ce récit du jugement de l'âme :

" Après qu'un homme a disparu, est mort, les démons impies et malveillants font leurs attaques. Quand luit l'aube de la troisième nuit et que l'aurore s'allume, Mithra, bien armée, arrive aux montagnes et le soleil monte. Alors le démon amène enchaînée l'âme pécheresse des mortels méchants. Elle suit le chemin créé par le Temps, chemin qui existe pour le méchant aussi bien que pour le fidèle, le pont Cinvat créé par Mazda. Là, la conscience tire en bas les âmes des méchants dans les ténèbres. Elle amène les âmes des fidèles et les soutient au-dessus du pont Cinvat dans le chemin des dieux. "

En dépit de Zoroastre et de son enseignement, une place importante demeurait réservée au culte et aux pratiques rituelles. Vêtus de blanc, les mages entretenaient le feu purificateur sur de petits autels cubiques et ils chantaient des hymnes. Parce que le feu et la terre étaient considérés comme des éléments sacrés, les cadavres n'étaient ni incinérés ni inhumés. Sauf les rois qui se faisaient tailler des tombeaux dans le roc, les Perses défunts étaient exposés dans le désert ou sur des " tours du silence " où les vautours se chargeaient de purifier les os.

La religion de Zarathoustra se situe à un niveau supérieur à toutes les autres religions " païennes ", surtout par la façon claire et directe dont elle pose le problème du bien et du mal et par l'accent qu'elle met sur les exigences du devoir et de la pureté. Elle possède plusieurs points communs avec la religion juive et le christianisme. Un certain échange d'idées est d'ailleurs tout à fait normal si l'on pense aux contacts directs que les Juifs eurent avec les

Perses pendant l'exil à Babylone; il ne faut pas non plus oublier leur admiration pour le roi perse Cyrus qui les délivra de leur captivité. A partir de ce moment, la Judée devint une province de l'empire perse jusqu'à ce qu'il s'écroulât sous les coups d'Alexandre le Grand.

Au septième siècle après le Christ, la doctrine de Zarathoustra fut pratiquement extirpée par l'islamisme qui, sous divers aspects, lui était bien inférieure. Ormazd dut s'effacer devant Allah et l'Avesta fut remplacée par le Coran. Mais aujourd'hui encore, des centaines de milliers d'hommes sont restés fidèles à la religion de Zarathoustra. Environ dix pour cent d'entre eux vivent dispersés dans leur pays d'origine. Mais de nombreux adeptes de Zarathoustra préférèrent s'exiler plutôt que d'abjurer leur foi; ils trouvèrent refuge aux Indes. C'est d'eux que descendent les *Parsi* qui vivent surtout à Bombay et dans les contrées avoisinantes et y sont respectés de tous pour leur morale élevée, leur goût du travail et leur amour du prochain. Ils vivent dans la monogamie la plus stricte et montrent la même horreur du mensonge et de la tromperie que les disciples de Zarathoustra qui vivaient voici plus d'un millénaire.

Cyrus le Grand

Le Perse Cyrus, vainqueur des Babyloniens et libérateur des Juifs, était à l'origine un vassal des Mèdes. Mais, vers 550, il se révolta et fit tomber l'empire mède. Quatre ans plus tard, il vainquit Crésus, le riche roi de Lydie et soumit son royaume qui couvrait presque toute l'Asie Mineure. En 539, il était le maître de la Babylonie.

La Syrie passa sous sa domination en même temps que la Babylonie. Cyrus suivait vis-à-vis des peuples assujettis une politique de réconciliation. Il respectait les pratiques religieuses des différents peuples et se préoccupait également de leurs intérêts commerciaux. Ses efforts pour gagner les populations syriennes à sa cause entraient sans doute dans le cadre de ses plans d'attaque sur l'Égypte toute proche. Il faut considérer dans cette même perspective sa politique envers le peuple qui vivait " dans l'exil de Babylone " et qui, plus ardemment qu'aucun autre peuple, désirait retourner au " pays des ancêtres ". Il n'est pas impossible que Cyrus ait tiré parti des sentiments des Juifs, même avant d'attaquer Babel. Dans ce cas, les Juifs auraient pu l'aider

à investir la capitale babylonienne. Et l'on pourrait interpréter la conduite de Cyrus comme un témoignage de
reconnaissance du vainqueur envers de fidèles alliés : l'un
des tous premiers décrets qu'il prit après la conquête de
Babel fut d'autoriser les Juifs à regagner leur ville sainte et
à y reconstruire leur temple.

La conquête de l'Égypte aurait dû succéder à celle de la
Babylonie. Mais il semble que Cyrus ait eu fort à faire pour
contenir les tribus nomades qui envahissaient régulièrement
les oasis du nord-est de la Perse en partant de la rivière
Araxès. Il dut laisser à son fils Cambyse le soin de préparer
la campagne d'Égypte.

Cyrus mourut dix ans après avoir soumis Babylone. Selon
la tradition, il fut tué au cours d'une expédition contre les
Massagètes, un peuple nomade très courageux qui vivait
dans les steppes à l'est de la Mer Caspienne. Hérodote
raconte ainsi les causes de la guerre : " En ce temps-là,
une femme appelée Tamyris régnait sur les Massagètes,
après la mort de son époux. Cyrus lui envoya une ambas-
sade pour lui offrir le mariage. Mais Tamyris comprit que
Cyrus convoitait plutôt le pouvoir sur les Massagètes que
la main de leur reine et repoussa son offre. Devant l'échec
de sa ruse, Cyrus poussa ses troupes jusqu'à la rivière
Araxès et entreprit ouvertement d'attaquer les Massagètes ".
Au début, la chance sembla lui sourire. Il parvint à capturer
le fils de Tamyris par la ruse et à détruire une grande partie
de l'armée des Massagètes.

Désespéré par sa défaite, le jeune homme se donna la
mort. A l'annonce de ces catastrophes, la reine doit avoir
écrit à Cyrus pour lui ordonner de quitter le pays. " Si tu
ne le fais pas ", écrit-elle, " je jure par le soleil, le seigneur
des Massagètes, de noyer ton ambition dans le sang ".
Et elle mit ses menaces à exécution. L'armée de Cyrus fut
taillée en pièces et il périt avec la plupart de ses soldats.
Alors, Tamyris remplit une outre de sang humain et
parcourut le champ de bataille. Lorsqu'elle eut trouvé le
corps de Cyrus parmi les cadavres, elle lui mit la tête dans
l'outre et dit : " Tu as détruit ma vie en t'emparant de mon
fils par traîtrise. Mais maintenant, je vais te noyer dans le
sang, comme je te l'ai promis ".

Cyrus mérite le surnom de " grand ". Comme
conquérant, il surpasse tous les souverains d'Assyrie, de
Babylonie et d'Égypte; il a fondé un empire puissant.

A l'encontre de toutes les traditions de l'Antiquité, il laissa une certaine autonomie aux peuples qu'il avait soumis; cette indépendance pouvait n'être qu'une façade, il n'empêche que les peuples conquis la trouvait bien agréable. Et quelle différence entre la politique de Cyrus et celle des conquérants qui le précédèrent, en ce qui concerne les opinions religieuses des peuples soumis! Quel progrès depuis les massacres organisés par les conquérants assyriens en l'honneur du dieu Assur! Cyrus, lui, montre une véritable piété vis-à-vis des autres religions. A Babel, il sacrifie à Marduk (imité en cela par son fils) et à Jérusalem, il aide des Juifs à reconstruire le temple.

Enfin, Cyrus mérite une place d'honneur dans l'histoire, aux côtés d'Hammourabi et de Solon, par son œuvre de législateur. Il humanisa la justice : sa réforme la plus importante fut d'interdire à ses sujets de faire justice eux-mêmes; en outre, il place le droit pénal dans les mains des tribunaux d'État.

Cambyse

Comme nous l'avons déjà dit, Cyrus avait décidé de lancer une expédition contre l'Égypte, mais le projet ne put être mené à bonne fin que sous le règne de son fils et successeur, Cambyse. Lorsque Cambyse eut terminé ses préparatifs, il envahit le delta du Nil où se trouvait à cette époque la capitale de l'Égypte. Une bataille sanglante sur l'une des embouchures du Nil se termina par la défaite et la fuite de l'armée égyptienne. Memphis tomba après un court siège. Le dernier pharaon Psammétique III fut fait prisonnier et les Égyptiens reconnurent Cambyse pour roi en 525 avant J.-C. Entre-temps, une flotte perse composée de navigateurs venant des villes phéniciennes et des colonies grecques d'Asie Mineure avait maîtrisé la flotte égyptienne.

Cambyse ne devait pas tous ces succès à la seule puissance de ses armées : des trahisons dans l'armée et la flotte égyptiennes y avaient largement contribué. Les Arabes de la péninsule du Sinaï avaient également joué un rôle important. Ils fournissaient à l'armée perse l'eau sans laquelle elle n'aurait pu traverser le désert.

Une fois l'Égypte conquise, Cambyse lança une expédition vers le Sud, vers le pays qu'habitaient " les Éthiopiens à la longue vie ". Il devait s'agir d'hommes d'une vigueur extraordinaire qui atteignaient l'âge de 120 ans et plus. Cette entreprise se solda par de lourdes pertes dans les rangs perses.

Cambyse était plus dur et plus despotique que son père; ceci apparaît dans sa politique étrangère. Cette politique était clairement dirigée vers un seul but : fondre en un seul état, au besoin par la force, tous les royaumes autrefois indépendants qui formaient l'empire perse. Le règne de Cambyse rompt avec les principes plus humains de Cyrus qui laissait une importante autonomie aux différentes parties de l'empire. Le but de Cambyse était une *centralisation* du territoire, impliquant un *pouvoir personnel illimité*. Un détail révélateur : les Perses surnommaient Cyrus " le Père ", mais donnaient à Cambyse le nom de " Souverain ".

Darius I

Cambyse ne régna que sept ans. Comme il ne laissait pas d'enfant, la couronne revint à un Perse de haut rang appelé Darius, qui appartenait à une branche cadette de la famille de Cyrus. Il devint l'un des plus grands hommes d'État de l'histoire. Il commença par réprimer d'une main de fer les tentatives de révolte qui suivirent l'expédition de Cambyse au pays des Éthiopiens. Ce sont ces victoires contre ses rivaux que Darius fit immortaliser dans la pierre de Béhistoun; les chefs rebelles y sont représentés sous le nom des " neuf rois menteurs ". Darius régnait sur un empire mondial s'étendant de la deuxième cataracte du Nil à la Mer Noire, et de la Méditerranée à l'Indus et à l'Axares. Mais les rebellions lui avaient appris une chose : il ne suffit pas de réunir un empire par la force des armes pour assurer son existence et sa continuité. Une réorganisation du pays s'avérait indispensable.

Darius fut le grand organisateur de l'empire perse. Cyrus et Cambyse avaient dû consacrer trop de temps à leurs campagnes militaires et n'avaient pu remplir la mission qu'ils s'étaient assignée, à savoir la fusion de leurs différents royaumes en un ensemble cohérent. Les Assyriens avaient pourtant aplani la route vers l'unité de l'empire avec leur dureté et leur cruauté coutumières.

Darius mit à l'accomplissement de sa tâche beaucoup d'*humanité* et un *sens profond de l'organisation*, tout à fait dans l'esprit du grand Cyrus. Il gagna les États vassaux à sa cause en faisant preuve d'une diplomatie magistrale et en respectant leurs traditions nationales et religieuses. Avec les Égyptiens, il se comportait comme un Égyptien; il était Babylonien chez les Babyloniens, il était Grec en Grèce. La Perse connut, sous son intelligente direction, une richesse matérielle et culturelle comme elle n'en avait jamais connue auparavant.

Darius stabilisa son vaste empire en le dotant d'une administration solidement charpentée. Il le divisa en vingt satrapies, chacune administrée par un satrape ou gouverneur. Pour que ces fonctionnaires n'acquièrent pas trop de pouvoir et ne deviennent dangereux pour l'unité de l'Empire, il ne leur donna qu'un pouvoir civil et plaça dans chaque satrapie des troupes dont les commandants recevaient leurs ordres directement du roi. De plus, il soumit les satrapes à la surveillance vigilante d'envoyés secrets qui voyageaient par tout l'empire et que les populations appelaient " les yeux et les oreilles du roi ". Dès qu'ils remarquaient quelque chose de suspect, ils faisaient rapport au roi.

Le roi statuait sur le vu de leurs rapports et ne manquait pas de prendre des sanctions graves, en cas d'abus de pouvoir. " Comme tu fais fi de mes dispositions envers les dieux, écrivait Darius à un satrape, je donnerai, si tu ne changes pas, la preuve de mon mécontentement. Car tu as extorqué un tribut des cultivateurs sacrés d'Apollon et tu leur as commandé de labourer une terre profane... ".

Une des fonctions les plus importantes des satrapes était la collecte des impôts, lesquels étaient payés partie en argent, partie en nature. Le montant total en argent liquide levé chaque année dans l'empire tout entier, s'élevait à environ 70 millions de N.F. français, une somme colossale pour l'époque. D'après Hérodote, les Perses eux-mêmes n'étaient redevables d'aucun impôt. Les contributions en espèces s'accompagnaient de contributions en nature. Les Mèdes, par exemple, devaient fournir cent mille moutons, quatre mille mules et trois mille chevaux. Les Arméniens livraient trente mille jeunes chevaux. Les Éthiopiens payaient, à intervalle de trois ans, quarante kilos d'or, deux cent troncs d'ébène, vingt défenses d'éléphant et cinq jeunes garçons.

Darius cimenta l'unité de l'empire par l'établissement d'un excellent réseau de routes. En des points déterminés le long de ces routes se tenaient en permanence des courriers prêts à partir à n'importe quelle heure du jour ou de la nuit pour transmettre au roi des messages importants et pour rapporter ses ordres dans les provinces; cette poste rapide entre les différentes parties de l'empire rendait aussi de grands services aux fonctionnaires royaux.

Au point de vue monétaire, Darius ne supprima pas les monnaies anciennes dans les satrapies qui en avaient mais il les maintint dans un cadre local. Sur l'ensemble de l'empire, il répandit une monnaie unifiée, mondiale, à laquelle il donna son nom : la darique en or, qui porte l'effigie du roi en archer, un genou en terre et portant couronne.

Ainsi, Darius fit de son empire l'État le plus grand et le plus puissant que le monde eût jamais connu jusqu'à cette époque. Et il voulait l'agrandir encore par de nouvelles conquêtes. Il tourna donc ses regards vers l'Occident. C'est ainsi que commença la grande lutte entre l'Orient et l'Occident qui allait être décisive pour l'évolution future de l'humanité.

Pour suivre les péripéties de ce combat, nous allons devoir consacrer notre attention à l'histoire des Grecs.

Mais résumons d'abord les contributions apportées par les Perses au développement de l'histoire. Cyrus et Darius étaient tous deux des impérialistes qui aspiraient à la conquête du monde. Ils devaient cette idée de l'impérialisme aux rois assyriens et babyloniens, mais ils en poursuivirent la réalisation par des méthodes diamétralement opposées à celles des tyrans assyriens, toujours assoiffés de sang. Les rois perses furent les premiers de l'histoire chez qui le désir de domination mondiale allait de pair avec la mansuétude envers les peuples soumis.

Cyrus introduisit une politique à la fois intelligente et généreuse; ce fut le premier facteur qui permit l'essor de l'empire perse. Le second fut le talent d'organisateur de Darius lorsqu'il réunit les diverses parties de son empire en un ensemble fort — avec l'humanité dont Cyrus avait déjà fait preuve.

La première intervention des peuples indo-européens sur le théâtre de l'histoire se caractérise donc par un sens de l'organisation plus poussé que celui des peuples hamites et sémites. Il ne faut cependant pas oublier que, dans des territoires moins étendus, des souverains antérieurs à Cyrus, comme les grands pharaons d'Égypte et Hammourabi en

Mésopotamie, étaient parvenus à créer et à maintenir un fort sentiment national. Pourtant, dans ces deux pays, l'unité politique et le sentiment national étaient pour ainsi dire une conséquence directe de leur environnement naturel, tandis que l'empire mondial de Cyrus et de Darius est la création d'une intelligence et d'une volonté personnelles.

La philosophie humanitaire de ces deux souverains s'explique, sans aucun doute, par le haut niveau religieux et moral où Zarathoustra avait élevé les Perses. Il y a un monde entre le sanglant culte d'Assur qui faisait un devoir religieux de la cruauté envers les autres peuples, et la doctrine de Zarathoustra, qui prescrivait à l'homme un travail constructif au service du bien.

Les Perses n'ont fait œuvre de pionniers ni dans les arts ni dans les sciences, ni dans la culture matérielle, mais ils ne sont cependant pas sans importance dans ces domaines de la civilisation. Grâce à leur État unifié, où la puissance s'alliait à la tolérance, les différents peuples ont pu se rapprocher les uns des autres. De même, l'excellent réseau routier établi et maintenu par les rois perses contribua de façon notoire à ces contacts mutuels. Jamais encore, les marchands n'avaient pu voyager aussi rapidement et aussi sûrement d'un pays à l'autre; il en résulta des échanges fructueux entre les différentes cultures.

Une reconstitution moderne de Babylone : la « tour de Babel » telle que durent la voir les Hébreux.

La guerre, chez les Sumériens et les Assyriens :

Un char sumérien traîné par quatre chevaux (en haut, IIIe millénaire av. J.-C.) et une machine de siège assyrienne attaquant une forteresse (en bas, VIIIe-VIIe siècle av. J.-C.). D'une civilisation à l'autre, la technique militaire s'est dangereusement développée.

Bas-relief assyrien du VIIIe siècle av. J.-C. Un fidèle
apporte le chevreau destiné au sacrifice.

LA CULTURE ÉGÉENNE

MYCÈNES LA DORÉE

Nous devons notre connaissance des plus anciens itinéraires culturels reliant l'Orient et l'Occident à deux archéologues surtout, un Allemand et un Anglais. Le premier — *Heinrich Schliemann* — découvrit, dans les années soixante-dix du siècle passé, cette période de l'histoire de la civilisation appelée époque mycénienne d'après le nom d'une ville du nord-est du Péloponnèse. C'est dans les ruines de Mycènes que l'on trouva pour la première fois des détails plus complets sur ce chapitre de l'histoire de l'humanité qui commence vers 1600 avant J.-C.

Vingt-cinq ans environ après Schliemann, l'Anglais *Sir Arthur Evans* commença des fouilles sur la côte septentrionale de la Crète, à l'emplacement de l'antique Cnossos. Il cherchait le palais royal. Evans n'était plus un novice. Auparavant déjà, il s'était livré à des recherches archéologiques en d'autres points de la Crète, et aussi dans les Balkans, en Italie et en Laponie. Il lui était maintenant donné de mettre au jour une époque plus reculée encore que l'époque mycénienne. On lui donna le nom d'*époque minoenne*, d'après une figure de la légende crétoise, le roi Minos. La culture de ces deux périodes porte le nom général de *culture égéenne* (par ce qu'elle est née près de la mer Égée). Evans recula l'histoire de cette civilisation cinq siècles plus loin dans le temps.

Nos pérégrinations dans l'histoire de l'Orient ancien nous ont donné, de temps à autre, un aperçu de la Crète.

Le travail accompli dans l'île par Evans et un grand nombre d'autres archéologues — principalement des Américains et des Italiens — montre le rôle très important joué autrefois par la Crète : le pays était un " pont culturel " entre l'Asie et l'Europe, bien avant que les autres régions de notre continent ne fussent mises en contact avec la civilisation orientale. Tout comme les villes phéniciennes et la Babylonie, la Crète a bâti sa culture sur le *commerce*; les marchands crétois, très entreprenants, voguèrent bientôt entre l'Italie, le continent grec et la mer Noire d'une part, et toutes les villes commerciales de l'Orient d'autre part.

L'histoire de la Crète et de Mycènes est, sous plusieurs aspects, l'histoire de la naissance de la civilisation européenne; elle est pour nous du plus haut intérêt. Les longs efforts des chercheurs modernes pour lever le voile qui recouvrait cette période depuis des milliers d'années, donnent matière à un récit passionnant. Dans l'Antiquité, on se racontait des légendes sur les figures fabuleuses de cet Age de Bronze : le roi Minos, l'intrépide Achille, le rusé Ulysse et le grand Agamemnon.

Ce furent ces légendes sur l'époque héroïque de la Grèce qui mirent les chercheurs modernes sur la bonne voie.

Heinrich Schliemann — dont les fouilles à Troie et à Mycènes firent revivre à nos yeux, dans toute sa gloire, l'époque des héros homériques — était le fils d'un pasteur de Mecklembourg. Les livres qu'il dévora dans sa jeunesse firent naître en lui un fol enthousiasme pour les récits de la guerre de Troie; il ne pouvait se résoudre à n'y voir que littérature et pure imagination, comme la majorité de ses contemporains. Depuis son enfance, son vœu le plus cher était de visiter ces lieux où se déroulèrent les combats décrits par Homère. Mais la famille du jeune homme était pauvre et ne pouvait lui offrir une éducation scientifique. Il devint garçon de courses chez un épicier. Mais Heinrich sut faire son chemin, à force de travail et d'épargne : il fonda sa propre firme à Saint Pétersbourg et fit fortune. A cinquante ans bien sonnés, il put enfin réaliser son rêve et se consacrer tout entier à sa passion de l'Antiquité.

Plein d'enthousiasme, à l'automne 1871, il donna le premier coup de bêche sur une colline près d'*Hissarlik*, dans le nord-est de l'Asie Mineure où, d'après lui, devaient se trouver les vestiges de la Troie d'Homère. Le meilleur auxiliaire de Schliemann fut sa femme, une Grecque d'une grande beauté, qui partageait entièrement l'enthousiasme de son mari. Lui-même n'était qu'un amateur, mais il eut la chance de trouver un assistant qui se fit un grand nom dans l'archéologie, son compatriote *Wilhelm Dörpfeld*. Leurs méthodes, d'un point de vue moderne, n'étaient pas précisément idéales et pourtant c'est à Schliemann, l'amateur, que la science archéologique doit un de ses principes les plus importants : la nécessité de distinguer soigneusement les différentes couches d'un terrain de fouilles.

Schliemann disposait de 120 ouvriers grecs et turcs. Ils dégagèrent neuf cités, l'une au-dessus de l'autre : celle du dessous remontait à l'âge de la pierre, celle du dessus à l'époque byzantine. Les archéologues appelèrent ces villes Troie I, Troie II, etc. Dans Troie II apparut un solide mur d'enceinte et on y fit, en outre, une riche moisson de parures d'or, d'argent et de cuivre, parmi lesquelles neuf mille boucles d'oreilles. Comme bien on pense, Schliemann crut avoir trouvé le château de Priam et la Troie d'Homère.

Un beau jour, il découvrit un remarquable objet de cuivre au pied du mur d'enceinte. Un peu plus loin, il trouva de lourds gobelets d'or, de grands chandeliers d'argent, des diadèmes, des bracelets et des colliers de l'or le plus fin. Seul un roi puissant pouvait avoir possédé de telles quantités d'or.

L'heureux chercheur crut avoir en mains les richesses chantées par Homère. Il avait trouvé les trésors de Priam, exultait-il, et il fit connaître son triomphe au monde entier. Jamais encore rêve de jeunesse n'avait été réalisé avec autant d'éclat. Schliemann offrit " les trésors de Priam " au Musée de l'Antiquité à Berlin; ils sont depuis l'orgueil de ses collections.

Mais il n'avait pas trouvé la Troie de l'Iliade. La ville du roi Priam, qui fut pillée par les Grecs, se trouve dans une couche supérieure et Schliemann, dans sa précipitation, a détruit beaucoup de ce qu'Ulysse et ses compagnons d'armes avaient épargné. Il ne s'était absolument pas préoccupé de cette couche et avait creusé à travers les vestiges dans sa hâte d'arriver plus loin. Ce ne fut qu'en

1890, peu avant la mort de Schliemann, que l'on découvrit pour la première fois des vases mycéniens dans TroieVI, et, par la suite, Dörpfeld dégagea les restes de murs d'enceinte et de tours qui, à son avis, faisaient partie du château royal chanté par Homère. Mais c'était une nouvelle erreur. Troie VI fut détruite par un tremblement de terre vers 1300 avant J.-C. Par contre, la ville reconstruite, Troie VIIa, fut détruite dans une guerre cent-cinquante ans plus tard et fut probablement le théâtre du drame immortalisé par l'Iliade. Les deux couches datent de l'époque mycénienne et comprennent des constructions monumentales ainsi que de nombreux puits qui pouvaient fournir de l'eau aux habitants pendant un siège.

Différentes cités riches et puissantes purent donc naître à différentes époques à l'endroit appelé aujourd'hui Hissarlik; ce fait s'explique par la situation très favorable de ce site. Troie était la clef de l'Hellespont et, par conséquent, des pays riches en blé qui entourent la mer Noire. Le roi de la ville commandait la route maritime et pouvait lever un péage sur les navires qui l'empruntaient. L'Iliade nous raconte que le roi de Mycènes — en tant que commandant en chef de l'armée grecque — prit l'initiative d'une grande expédition contre Troie, à la tête d'une flotte d'environ douze cents navires. Il assiégea la ville pendant dix ans et la prit finalement par la ruse. Homère fait de l'enlèvement de la belle Hélène la cause de cette expédition. Mais il ne manquait certainement pas d'autres motifs, ceux-là économiques et politiques.

En 1876, Schliemann changea son théâtre d'opérations : il quitta l'Asie Mineure pour le Péloponnèse, pour *Mycènes* et *Tirynthe*. Dans sa joie d'avoir découvert le " palais de Priam " et ses richesses, il espérait trouver d'autres trésors cachés chez le plus puissant ennemi du roi troyen, Agamemnon, roi de " Mycènes la Dorée ", comme il est dit dans l'épopée homérique. Mais l'ancienne "ville royale " n'était plus qu'un monceau de ruines brunâtres dans un paysage montagneux et desséché.

Les anciennes villes grecques se composaient généralement d'un " palais " fortifié et d'accès difficile, l'*acropole*, et d'une " ville intérieure " située au pied des remparts. Sur l'acropole résidaient le roi et sa cour, ses fonctionnaires et ses serviteurs; en cas de danger, tous les habitants de la ville se réfugiaient derrière ses murs. Il y avait dans l'acropole de Mycènes de grands magasins où, en cas de guerre, on pouvait entasser des provisions; l'approvisionnement en eau y était assuré par une conduite secrète creusée dans la roche calcaire.

En dehors des murs s'élevaient d'énormes " tombes à coupole ", semblables à des ruches; aux temps de la splendeur de Mycènes, ses rois y dormaient de leur dernier sommeil. Ces constructions impressionnaient déjà les peuples d'une antiquité plus récente. Mais si elles causaient l'admiration, elles éveillaient aussi la convoitise. Lorsque Schliemann arriva à Mycènes, les grandes tombes à coupole avaient déjà été pillées, il n'y restait plus que quelques débris de poteries et autres bagatelles sans valeur. Ce n'est pourtant pas sans raison que la tradition appelle ces tombes des " chambres au trésor ". L'existence de ces trésors est prouvée par quelques découvertes éparses, comme, par exemple, celle des deux célèbres gobelets d'or dans une tombe à coupole près de Vaphio, aux environs de Sparte, et plus particulièrement les découvertes d'archéologues suédois près de Dendra, l'antique Midé, non loin de Mycènes.

Schliemann y trouva, ainsi que dans les ruines de l'acropole mycénienne, un nombre impressionnant d'armes et de bijoux en bronze, en argent, en or et en ivoire. " Mycènes la dorée " n'était pas qu'une épithète poétique! Certains ossements reposaient sous de véritables montagnes d'or. Parmi les découvertes les plus sensationnelles, on trouve quelques masques d'or ciselé, qui font penser aux masques funéraires égyptiens.

Schliemann offrit ses trouvailles de Mycènes au Musée National d'Athènes où il s'était établi avec sa femme et ses deux enfants, Andromaque et Agamemnon, dans la plus belle villa de la ville avec vue sur l'Acropole. Là, il essayait de faire revivre le temps des héros homériques. Le couple offrait l'hospitalité à tous ceux qui partageaient leur amour de l'Antiquité grecque et le maître de maison accueillait ses invités dans la langue même d'Homère. Schliemann pouvait dormir sur ses lauriers; par deux fois, cet homme remarquable avait ouvert de nouvelles perpectives à l'art et à l'histoire.

A Tirynthe — " Tirynthe aux nombreux murs ", comme dit Homère — il fut cependant moins heureux. Il pensait que les puissants remparts mycéniens dataient de l'époque romaine et ce ne fut qu'au tout dernier moment que Dörpfeld sut le convaincre de ne pas les faire raser. Le célèbre archéologue ne put cependant empêcher la destruction des fresques uniques datant de la période la plus florissante dans la vie de la cité. Schliemann était en effet persuadé que les fresques ne pouvaient remonter plus loin que l'époque byzantine. Avec un dévouement et une patience incroyables, des archéologues allemands réparèrent plus tard l'erreur de leur compatriote en reconstituant les fresques débris par débris.

Naturellement, les découvertes sensationnelles de Troie et de Mycènes suscitèrent un grand intérêt pour la culture de cet âge du bronze en Grèce. Le nouveau matériel fut étudié à fond et bientôt on put se faire une idée plus précise de cette civilisation et de son développement. Au début, les savants n'étaient confrontés qu'avec un seul problème. Comment était née la civilisation mycénienne, où avait-elle pris ses modèles, où se situaient ses contacts les plus proches en dehors de la Grèce? On accorda une attention toute spéciale à quelques objets — des vases, des ors travaillés et des sculptures sur ivoire — découverts en même temps que les vestiges mycéniens, mais d'un style différent. Les objets mycéniens donnaient plus ou moins l'impression d'être des copies des autres. Une supposition venait directement à l'esprit : il devait s'agir de marchandises importées. Bien sûr, mais importées d'où? Une fois de plus, ce fut une vieille légende grecque qui mit les chercheurs sur la bonne piste.

La légende de Thésée et du Labyrinthe

En voici le récit :

Il y a bien longtemps, régnait en Crète un roi puissant appelé *Minos*. Sa capitale était célèbre dans le monde entier, car il s'y trouvait un ingénieux bâtiment, le Labyrinthe, où le tracé des couloirs était si compliqué que quiconque y entrait n'en pouvait sortir. Au plus profond du Labyrinthe habitait le terrible *Minotaure*, un monstre à tête de taureau et corps humain, fruit des amours de Pasiphaé, l'épouse de Minos, avec un taureau que Poseidon, le dieu des mers, avait fait sortir des eaux. A chaque nouvelle lune, un homme devait être sacrifié au Minotaure; car lorsque le monstre ne recevait pas de quoi satisfaire sa faim, à intervalles réguliers, il se précipitait au-dehors pour semer la mort et la désolation parmi les habitants de toute la région. Le roi Minos avait un fils, qui était sa joie et son orgueil. Un jour, le roi reçut une affreuse nouvelle : son fils venait d'être assassiné à Athènes.

Un labyrinthe dessiné sur les murs du palais de Cnossos.

Le cœur de Minos criait vengeance. En toute hâte, il rassembla son armée et la fit marcher sur Athènes; la ville n'était pas préparée à cette attaque et ne put offrir de résistance sérieuse. Avant longtemps, les Athéniens durent demander la paix.

Minos fit un accueil sévère à leurs ambassadeurs. Après un silence de mauvais augure, il leur dit enfin : " Vous avez tué mon fils, l'espoir de ma vieillesse, et j'ai juré de me venger de façon terrible. Je vous offre la paix, mais à une condition : tous les neuf ans, Athènes enverra sept jeunes gens et sept jeunes filles en Crète pour qu'ils paient de leur vie le meurtre de mon fils ". Puis, des frissons coururent dans l'assemblée lorsque le roi ajouta que ces jeunes Athéniens seraient jetés en pâture au Minotaure. Une nouvelle lune sur deux, il enverrait l'un d'entre eux au monstre qui, jusqu'alors, n'avait eu que des malfaiteurs à se mettre sous la dent.

Les Athéniens vaincus n'avaient pas le choix; ils durent accepter les conditions dictées par Minos. Ils ne purent lui arracher qu'une seule concession : le roi promettait que, si un des jeunes Athéniens réussissait l'impossible — tuer le Minotaure et sortir du Labyrinthe — non seulement il aurait la vie sauve de même que tous ses camarades, mais Athènes serait à tout jamais délivrée de l'atroce obligation.

Par deux fois, les Athéniens avaient payé l'horrible tribut; par deux fois, un navire avait conduit en Crète sept jeunes hommes et sept jeunes femmes sur qui le sort était tombé. Et le jour approchait où pour la troisième fois le navire aux voiles noires, signe de deuil, allait appareiller. Le moment était venu de tirer au sort. Alors, *Thésée*, le fils unique du roi s'avança et se déclara prêt à offrir sa vie pour le salut de la cité, sans même se soumettre au tirage au sort.

Le lendemain, Thésée et ses compagnons montèrent à bord. Fou de douleur, le roi prit congé de son fils. Ils convinrent que si Thésée était favorisé par la chance, le navire qui les ramènerait au pays arborerait des voiles blanches.

Quelques jours plus tard, les jeunes Athéniens débarquèrent en Crète et furent emmenés dans une maison à la lisière de la ville où ils devaient séjourner sous bonne garde jusqu'à ce que l'heure fût venue.

Leur prison était entourée d'un grand jardin touchant à un parc où les filles du roi Minos, *Ariane* et *Phèdre*, avaient coutume de se promener. Un jour, le geôlier vint vers Thésée et lui dit qu'il y avait dans le parc quelqu'un désireux de lui parler. Très étonné, le jeune homme sortit, se dirigea vers le parc; il y trouva Ariane, l'aînée des deux princesses; elle avait été si frappée par son aspect et sa noble silhouette, qu'elle l'aiderait volontiers à tuer le Minotaure. "Prends cette pelote de fil, dit-elle. Lorsque tu entreras dans le Labyrinthe, fixe le bout du fil à l'entrée et dévide progressivement la pelote. Tu auras ainsi un fil conducteur qui te permettra de retrouver la sortie". Elle lui donna encore une épée magique. Lorsque tous deux eurent pris congé, Ariane lui demanda, la voix tremblante : "Je te sauve au péril de ma propre vie; si mon père apprend qui t'a aidé, sa colère sera terrible. Me sauveras-tu à ton tour? "

Ému, Thésée lui en fit la promesse.

Le lendemain matin, le prince fut conduit au Labyrinthe. Lorsqu'il fut assez loin pour ne plus voir la lumière du jour, il prit la pelote, attacha l'extrémité du fil au mur et laissa le fil se dérouler tandis qu'il parcourait les couloirs. Pendant lontemps, il n'entendit que l'écho de ses propres pas. Mais soudain, un bruit sourd rompit le silence; on aurait dit le mugissement lointain d'un taureau furieux. Le bruit ne cessait de se rapprocher, mais Thésée poursuivit courageusement sa marche : bientôt, il pénétra dans une grande salle et se trouva nez à nez avec le terrible Minotaure. Avec un hurlement de rage, le monstre se précipita sur le jeune homme. Il était si affreux que Thésée fut près de défaillir. Mais il parvint à le vaincre grâce à l'épée magique de la princesse.

Ensuite, il lui suffit de suivre le fil d'Ariane en sens inverse et bientôt il put passer cette porte qu'avant lui tant de jeunes gens avaient franchie pour ne plus jamais revenir.

Grâce à Ariane, Thésée avait donc sauvé sa propre vie et celle de ses camarades, mais avait aussi délivré sa ville de la terrible obligation envers le roi Minos. Lorsque les jeunes Athéniens furent sur le point de s'embarquer pour rentrer chez eux, Thésée amena secrètement à bord Ariane et Phèdre qui avait refusé de quitter sa sœur. Sur le chemin du retour, ils rencontrèrent une tempête et durent se réfugier dans l'île de Naxos. Les vents s'apaisèrent et ils voulurent poursuivre leur voyage; mais Ariane restait introuvable. Ils cherchèrent partout, crièrent son nom à tous les échos — mais en vain. Finalement, ils abandonnèrent les recherches et prirent la mer. Ariane s'était perdue dans un bois où elle s'était endormie, épuisée. Le navire avait déjà pris le large lorsqu'elle se réveilla et retrouva enfin le chemin de la plage. Elle cria, pleura, rien n'y fit. Le navire glissait toujours vers l'horizon. Ariane, exténuée, s'écroula sur le sol et perdit connaissance. Lorsqu'elle revint à elle, elle vit s'approcher un cortège joyeux, accompagné de flûtes et de cymbales. Bientôt, elle put distinguer un char d'or tiré par des lions apprivoisés; sur le char se tenait un jeune homme plus beau qu'aucun des mortels qu'elle eût jamais vus. C'était Dionysos, le dieu du vin. Il dit à la jeune fille : " Sois ma femme et je te rendrai immortelle ". Ariane lui tendit la main, il l'éleva auprès de lui sur le char. Après un voyage triomphal sur la terre entière, le dieu l'emmena dans sa demeure éternelle.

A Athènes, l'heure était à la tristesse. Lorsque le retour du navire de Crète fut imminent, le vieux roi s'en fut chaque jour sur le rivage, guettant la nef qui avait emporté la plus grande joie de sa vie et l'espoir de sa vieillesse. Enfin, le navire parut à l'horizon. Mais il arborait des voiles noires et le vieil homme s'abandonna au désespoir. Il ne pouvait savoir que Thésée, accablé par la disparition d'Ariane, avait complètement oublié de hisser les voiles blanches, signes de sa victoire. Fou de douleur, le roi Égée se jeta dans la mer, qui depuis ce jour s'appelle mer Égée. Mais lorsque le navire eut pénétré dans le port d'Athènes et lorsque Thésée et ses compagnons eurent débarqué, le peuple se répandit en acclamations. Peu de temps après, les Athéniens tinrent une assemblée qui offrit la couronne à Thésée. Par la suite, Thésée épousa Phèdre et devint le puissant roi dont les exploits vivent toujours dans le souvenir des hommes.

LA CULTURE MINOENNE

Ce furent des légendes comme l'histoire de Thésée et du Labyrinthe qui, dans l'Antiquité, donnèrent à Thucydide l'impression que le roi de Crète avait dû régner sur un empire puissant et faire sentir cette puissance aux souverains du continent grec. Dans les années qui suivirent les découvertes de Schliemann, plus d'un savant en vint à penser qu'il fallait chercher en Crète la civilisation la plus proche de la culture mycénienne — et peut-être même l'origine de celle-ci. Vers la fin du dix-neuvième

Sceaux minoens représentant des êtres fabuleux : les silhouettes humaines à tête de bouc et de cerf rappellent la légende du Minotaure.

siècle, de nombreux archéologues anglais, sous la direction d'Arthur Evans, se mirent au travail dans les ruines du site de Cnossos. Par la suite, Evans fut annobli pour son importante contribution à la science britannique et put porter le haut titre de " Lord Minos of Creta ".

On a voulu reconnaître dans le complexe mis à jour par les fouilles anglaises le splendide palais du roi Minos; il s'agissait d'un énorme labyrinthe de salles et de pièces plus petites, de cours à ciel ouvert et de couloirs où les archéologues peuvent encore se perdre aujourd'hui. Le bâtiment comprenait à l'époque plusieurs étages et couvrait une grande superficie. Bien sûr, l'attribution au roi Minos n'est qu'une hypothèse. Et c'en est une autre que de considérer Minos comme un personnage historique.

A l'encontre d'une opinion très répandue, un des meilleurs connaisseurs de la religion minoenne, Martin Nilsson, affirme : " Il n'y a rien, dans les monuments minoens, qui témoigne de l'existence d'un dieu-taureau ou d'un culte voué au taureau. " L'importance prise par le sacrifice du taureau nous paraît une preuve irréfutable. Le sarcophage d'Hadia Triada révèle notamment que le sang du taureau servait, en vertu de sa puissante force vitale, à implorer et à faire apparaître le dieu ou le défunt. Les cornes du taureau n'étaient donc pas l'objet du culte; elles l'encadraient.

Les documents iconographiques qui évoquent la religion minoenne abondent. Et, pourtant, les explications nous échappent le plus souvent. Le culte officiel se célébrait dans les temples édifiés à trois vaisseaux, la nef centrale étant plus élevée que les collatéraux. Plusieurs fresques nous montrent la foule assemblée autour d'un de ces édifices, contemplant un groupe de danseuses sacrées; d'autres documents détaillent les attitudes extatiques de fidèles, les bras tendus, dans l'attente d'une apparition divine. Ce culte rituel, appelant le dieu sur terre, explique sans doute l'absence de l'image du dieu dans le temple.

Autour d'arbres et dans les grottes sacrées, le culte était également célébré sans images.

Avant de s'aventurer dans la reconstitution d'une manière de panthéon, il importe d'être extrêmement prudent. Si, en effet, nous connaissons la déesse de la montagne, celle de l'arbre, la déesse chasseresse, la maîtresse des animaux, la déesse-serpent, la déesse-mère portant un enfant dans les bras, etc... il faut cependant se garder de conclure soit à l'existence de divinités différentes soit à des apparitions différentes de la même divinité.

Depuis le début des travaux d'Evans, de grandes quantités d'antiquités minoennes ont été exhumées en Crète — d'abord à Cnossos, ensuite plus au sud à Phaestos dans un palais semblable mis au jour par des archéologues italiens — et dans de nombreux autres endroits de l'île. Nous pouvons reconstituer avec une assez grande exactitude le développement de la culture minoenne sur une période d'environ 1200 ans. En se basant sur ses riches trouvailles, Evans put diviser l'époque minoenne en trois grandes phases culturelles — minoen ancien, minoen moyen et minoen récent — et subdiviser chacune d'elles en trois périodes distinctes I, II et III. Il put aussi dater les différentes périodes avec une certaine précision grâce au commerce très actif entretenu par les marchands crétois avec les villes d'Orient.

Dans ses grandes lignes, chaque période possède son style propre dans l'art de la céramique et dans d'autres arts encore. L'évolution la plus intéressante commence après la construction du palais de Cnossos, au cours de la période de transition entre minoen ancien et minoen moyen, donc vers 2000 avant J.-C. Les Crétois peignaient alors de splendides fleurs stylisées et des ornements abstraits en blanc, rouge et jaune sur un fond émaillé d'un noir brillant — et cette céramique de qualité était fort appréciée à l'étranger. C'est ainsi que l'on a retrouvé de nombreux vases crétois de cette période dans les tombes égyptiennes. Il faut cependant attendre la fin du minoen moyen pour voir apparaître cette technique à laquelle nous donnons habituellement le nom d'art minoen. Sur un fond clair, les artistes traçaient des dessins naturalistes, remarquablement vivants, dont les motifs étaient surtout empruntés aux plantes et aux animaux marins.

Mais, vers la fin de cette période d'essor, la situation changea. Les palais de Cnossos et de Phaestos furent détruits à plusieurs reprises. Les temps devinrent difficiles. Dans ce qu'on appelle le " style de palais " se glisse quelque chose de conventionnel et de figé. Cnossos se cramponnait à la tradition de son âge d'or, mais le sentiment qui en était la base avait disparu et l'inspiration commençait à s'essouffler. Phaestos tomba en ruines et l'ancienne route entre les palais, autrefois si large, se dégrada de plus en plus pour être finalement envahie par la végétation. Puis la catastrophe frappa la vieille résidence du roi Minos. Le palais ne se releva jamais de ses ruines.

La culture crétoise s'écroula et tomba dans l'oubli pour plus de trois millénaires. Mais elle nous est très proche dans les ruines de Cnossos. A l'exception de Pompéi, il n'existe pas de ruines qui parlent si directement à l'esprit du profane. L'honneur en revient à Evans. C'est lui qui a dressé les vieilles colonnes dans la position qu'elles occupaient autrefois et restauré les peintures murales qui jadis réjouissaient l'œil du roi Minos et de ses courtisans.

On remarque dans les palais un ingénieux système d'égouts et de conduites d'évacuation d'eau. Leurs habitants accordaient plus d'importance aux questions sanitaires que n'importe quel autre peuple de l'Antiquité.

Les étoffes, les objets d'usage courant et ornementaux témoignent d'un goût raffiné — peut-être plus caractéristique d'une courte période et d'un milieu de cour que de la culture dans son ensemble.

L'élément enfantin et naïf de l'art naturaliste minoen, tel qu'il s'exprime dans la décoration des vases, est peut-être plus caractéristique que les fresques ne pourraient nous le faire supposer. Rien n'indique que la majorité du peuple ait participé à la culture raffinée de la cour.

On ne comprit vraiment l'importance de l'élément oriental dans la culture minoenne que lorsque le célèbre archéologue anglais *Sir Leonard Woolley* publia les résultats des fouilles qu'il avait entreprises pendant les années vingt de notre siècle à Atchana — l'antique Alalah — dans le nord de la Syrie, l'actuelle ville portuaire de Al Mina (que les Grecs nommaient Poseidion). Il y trouva des fresques qui par leurs couleurs, leur style et leur technique ressemblaient tout à fait aux fresques du palais de Cnossos. Par ailleurs, la technique de la fresque est pratiquement inconnue dans ces régions et à cette période reculée. Tandis que les peintures murales apparaissent soudainement en Crète et disparaissent ensuite avec la destruction des palais, les fresques d'Alalah sont le résultat d'une longue évolution et elles se maintinrent longtemps après la fin de la période mycénienne. Et ce n'est pas tout. Le palais du roi Jarim-Lim d'Alalah correspond, par de nombreux détails, au palais de Cnossos, mais il est plus vieux d'au moins deux générations. " Il ne fait donc aucun doute ", écrit Woolley, " que la Crète ait emprunté au continent asiatique le meilleur de son architecture et de ses fresques ".

LES PÉRIODES HELLADIQUES

Evans et ses collaborateurs croyaient avoir trouvé l'origine de cette remarquable culture dont Schliemann avait découvert l'existence sur le continent. On ignorait encore qui avait pratiqué cette culture; pour Evans, il était clair qu'en premier lieu, des immigrants venus de Crète l'avaient emmenée avec eux et qu'elle s'était perpétuée par la suite sous une forme moins raffinée chez les habitants du continent, ceux-ci étant soit les ancêtres des Grecs soit une population primitive non grecque, peut-être apparentée aux Crétois eux-mêmes.

Certes, les Crétois exportaient vers le continent de grandes quantités de vases et autres objets que les artisans locaux s'efforçaient de copier. Certes, les peintres crétois traversaient même la mer pour décorer les palais des rois mycéniens de ces fresques dont la Syrie leur avait appris la technique. Et pourtant, il reste beaucoup d'œuvres propres à l'art mycénien et complètement différentes de ce que nous rencontrons à Cnossos.

Des fouilles sur le continent étaient donc indispensables pour dépister les origines de la culture mycénienne. Aujourd'hui, après les brillantes découvertes des dernières années, la science peut expliquer beaucoup de choses autrefois mystérieuses; cependant, le travail infatigable des chercheurs avait déjà porté ses fruits auparavant. Peu après la mort de Schliemann, les archéologues pouvaient brosser un excellent tableau de l'histoire culturelle du continent grec depuis les temps les plus reculés.

L'âge du bronze en Grèce est divisé en périodes qui correspondent étroitement aux périodes minoennes établies par Evans. Cette culture fut appelée " *helladique* " pour bien montrer qu'elle se rattache au continent grec, exception faite pour les îles environnantes, qu'il s'agit ici de la Grèce proprement dite, de la " Hellas ". Les archéologues trouvent, à une grande profondeur, d'abondants vestiges culturels remontant à l'époque la plus reculée, l'helladique ancien. Cette période a sans doute été très longue et connu un grand développement dans différents domaines. La population entretenait des contacts avec la Troie de Schliemann.

Au-dessus des villes de cette période, on a trouvé des couches de cendre et de charbon de bois : preuves que des ennemis s'étaient introduits dans le pays et avaient mis fin à l'ancienne civilisation. A certains endroits, les conquérants s'établirent dans les maisons de leurs victimes comme, par exemple, à Orchomenos, en Grèce Centrale. Plus souvent, ils construisirent de nouvelles cités dans le voisinage des anciennes; Mycènes fut l'une d'elles. Cette migration de l'helladique moyen date sans doute de 1800 avant J.-C. Les conquérants envahirent le pays par le Nord. Ils formaient peut-être une branche d'un peuple guerrier : " le peuple aux haches de guerre ", qui apparut en de nombreux points de l'Europe précisément à cette époque et soumit entre autres le Danemark. Auparavant déjà, on s'était rendu compte qu'à Mycènes, les " tombes-puits " là où Schliemann avait trouvé ses trésors, étaient plus anciennes que les puissantes tombes à coupole. Les légendes grecques mentionnent l'arrivée d'une nouvelle dynastie à Mycènes et cela correspond probablement à ce changement dans la manière d'enterrer les défunts.

En 1951, les Grecs firent une découverte sensationelle, juste au pied du mur d'enceinte de Mycènes. Ils étaient occupés à prendre de la terre pour en recouvrir une tombe à coupole qu'ils venaient de restaurer, lorsqu'ils trouvèrent une nouvelle série de " tombes-puits ", exactement semblables à celles de Schliemann, mais plus anciennes, datant de l'helladique moyen. Une des tombes se distinguait par sa beauté; elle abritait le corps d'une fillette de deux à trois ans, une petite princesse à en juger par la richesse de la tombe. Sa petite amie était enterrée tout à côté; sa tombe était plus simplement équipée, comme il convient à un enfant de plus humble extraction. Fut-elle sacrifiée pour tenir compagnie à la fille du roi? Nous préférons croire que les deux enfants moururent de mort naturelle, peut-être lors d'une des nombreuses épidémies qui frappaient souvent les villes antiques.

On peut donc déplacer les rois traditionnels de Mycènes de la période mycénienne (helladique récent) à la période des conquérants (helladique moyen). L'ancêtre d'Agamemnon vint du Nord, avec ces guerriers sauvages qui ont abattu la plus ancienne culture grecque à l'âge de bronze. Nous aurions pu arriver à la même conclusion par un autre chemin. Les envahisseurs n'étaient pas des barbares incultes. Nous possédons des vestiges de leur civilisation d'un niveau assez élevé. Nous retrouvons chez eux exactement tout ce qui différencie les représentants de la culture mycénienne de la Crète minoenne.

Ils apportèrent en Grèce une innovation importante : leur *type d'habitation* — innovation importante car ses principes se perpétuent dans les châteaux-forts de Mycènes et de Tirynthe jusqu'au temple de la Grèce classique, lequel exerce encore son influence sur l'architecture. Cette maison de type *megaron*, la demeure des héros d'Homère, était un long bâtiment rectangulaire de deux pièces. D'une antichambre ouverte — souvent avec quelques colonnes en façade — une porte conduisait à la pièce principale, au milieu de laquelle brûlait un feu. Autour du foyer, le toit pouvait être soutenu par des colonnes. Il n'y avait pas d'autres entrées, non plus que de pièces latérales. Il y avait toujours, devant la maison, une cour à ciel ouvert autour de laquelle se groupaient les autres parties de l'habitation : chambres à coucher, gynécée, annexes, etc. Dans les grands palais, l'appartement du roi était le noyau et le centre naturel du complexe tout entier — la chambre du maître.

Le dieu tutélaire de la cité et du royaume avait sa place sur l'acropole, chez le souverain. L'épopée homérique nous montre que le roi était en même temps grand-prêtre et son domicile était le centre du culte officiel. L'acropole d'Athènes était aussi un de ces centres et l'olivier sacré de Pallas Athéné, déesse protectrice de la cité, s'y dressait encore à l'époque historique. La statue du dieu recevait, comme de juste, une demeure royale et il en était encore ainsi lorsque les séjours des rois de l'époque mycénienne furent depuis longtemps tombés en ruines. Le vieux palais mycénien survécut dans le temple grec.

C'est sur le sol grec que la culture mycénienne connut son plus grand essor. Les tribus conquérantes du nord amenèrent déjà une certaine civilisation; ils offrirent aussi quelque chose de leurs prédécesseurs de l'helladique ancien. La culture de l'helladique moyen devint la culture mycénienne de l'helladique récent lorsque le peuple entra en contact avec l'Orient et vit s'ouvrir devant lui un horizon international. Mais qui étaient-ils, ces ancêtres des Grecs? Et qui étaient les représentants de la civilisation qui fleurissait en Crète à la même époque? La science ne pouvait que deviner les réponses à ces questions aussi longtemps qu'on ne pouvait comprendre les documents écrits sur ces temps lointains.

La mise au jour en, 1939 et 1952, à Pylos, d'un fonds d'archives constitué par des tablettes d'argile, donna l'impulsion aux travaux de déchiffrement. Par la méthode statistique—celle employée en temps de guerre pour décoder un message dont on ignore le chiffre — les Anglais Michael Ventris et John Chadwick réussirent à percer le secret de l'écriture syllabique dite linéaire B (par opposition à la linéaire A plus ancienne et à l'hiéroglyphique minoenne primitive) qui devint courante à partir du XVe siècle avant notre ère. Et ils constatèrent avec ahurissement que *la langue de ces inscriptions, dont l'écriture avait coûté tant d'efforts, est du grec*, et même un grec assez familier à qui connaît la langue de Platon et d'Homère. Ceci est également valable pour les tablettes de Cnossos qui datent de la dernière période du palais, c'est-à-dire de 1400 avant J.-C. Pour autant que nous puissions en juger, il n'y a presque aucune différence linguistique entre ces inscriptions et celles de Pylos, plus jeunes de deux siècles. En d'autres termes : alors qu'en Crète, la culture et l'art étaient encore minoens, des Grecs régnaient sur l'île et habitaient le palais de Cnossos — peuples de même race que les envahisseurs de l'helladique moyen et leurs descendants, représentants de la culture mycénienne.

Une des tablettes d'argile de Cnossos qui concerne l'inventaire du palais. A droite, l'article dont il est question — un char de guerre — et à gauche, la spécification dans un dialecte grec de l'époque.

Depuis le commencement de leur histoire, les Grecs, plus qu'aucun autre peuple, allièrent une imagination très fertile à la pondération et à un sens profond du concret. Les efforts pour ordonner et rationaliser leur existence sont des caractères de ce peuple. Aussi longtemps qu'un roi était à la tête de l'État tout entier, il devait, c'est évident, s'occuper de tout et de tous. Une décentralisation était pourtant nécessaire. Et nous trouvons déjà dans les vestiges helladiques l'ébauche de l'État urbain, organisation typiquement grecque, où un corps de fonctionnaires reprend les fonctions du roi.

De même, les Grecs de l'âge du bronze connaissaient déjà de nombreux dieux de l'Olympe qui seront adorés au cours des siècles suivants. Nous le savons grâce à des tablettes énumérant les cadeaux et les tributs offerts aux sanctuaires. Les inscriptions de Cnossos mentionnent *Athéné* — elle n'était donc pas uniquement la déesse de la ville d'Athènes comme on l'avait cru tout d'abord —, *Poseidon, Pean* (un des noms d'Apollon, le désignant surtout comme dieu de la médecine) et *Enyalios* (ancien nom d'Arès, le dieu de la guerre). D'autres tablettes citent notamment *Zeus, Héra* et — ce qui est plus surprenant — *Dionysos*. En effet, Homère ne lui accorde aucune place dans l'Olympe et les savants ont donc cru pendant longtemps qu'il n'était venu d'Orient que beaucoup plus tard. Aujourd'hui, il est permis de douter de cette théorie.

La religion et le système politique font partie de la culture que la Grèce classique hérita directement de l'époque mycénienne. Hélas! les tablettes de Pylos avaient un usage exclusivement commercial; nous ne saurons jamais avec certitude si l'âge du bronze possédait une véritable littérature — écrite sur des matériaux moins durables, ou limitée à une tradition orale. Mais il semble tout à fait probable que la matière première des poèmes homériques existait chez ce peuple décrit par les tablettes. Il est intéressant de remarquer combien les énumérations sur ces tablettes rappellent la première forme de la poésie grecque, employée surtout par Hésiode. Nous trouvons d'autres exemples de cette " poésie-catalogue " dans l'Iliade. Dans un des livres de l'épopée, Homère énumère avec précision tous les rois qui sont venus à Troie, leurs villes d'origine, le nombre de leurs hommes et de leurs bateaux respectifs; un nom succède à un nom, un chiffre à un chiffre… on dirait une tablette de Pylos mise en vers. Au cours de l'Iliade, cette énumération choque un peu et ressemble à une interpolation. Elle mentionne des héros qui ne sont cités nulle part ailleurs tandis que les personnages principaux du poème n'y jouent qu'un rôle secondaire; certains ne sont même pas mentionnés. Depuis l'Antiquité, de nombreux commentateurs se sont étonnés du rapport entre ce fragment et l'ensemble du poème et se sont demandés si le fragment n'avait pas été introduit dans l'Iliade au cours des siècles suivant sa rédaction. Mais le contenu de ce passage correspond de façon remarquable avec ce que nous savons de la géographie politique à l'époque mycénienne.

Les ancêtres des Grecs se distinguent également par leur culture matérielle. Lorsque les Grecs de notre époque asséchèrent le grand Lac Copaïs en Grèce centrale pour créer de nouvelles terres cultivables — un travail exigeant et pénible — on découvrit que les Grecs de l'âge du bronze avaient fait exactement le même travail, très probablement à l'initiative du roi d'Orchomène qui règnait sur l'un des États les plus importants de la période mycénienne. La tradition a gardé le souvenir de sa dynastie dans le récit de Jason et de la Toison d'Or.

Une caractéristique de l'époque mycénienne est l'amour du massif et du colossal qui s'exprime dans les formidables murs de Mycènes. Les générations futures avaient peine à croire que ces énormes constructions avaient été élevées de la main de l'homme; lorsqu'on découvrit les restes de ces remparts, on crut y voir l'œuvre des Cyclopes, monstres géants à l'œil unique situé au milieu du front. Par ailleurs, ces remparts ne sont que des éléments peu originaux de cette civilisation. Les fortifications de Mycènes et de Tirynthe furent édifiées surtout vers la fin de la période mycénienne, lorsque les rois craignaient des invasions étrangères, et il n'y a aucun rempart à Pylos. De cette même période datent aussi les tombes géantes à coupole, les plus grands bâtiments à voûte qui soient au monde; un millénaire plus tard, le Panthéon Romain fut édifié d'après ce modèle.

La sculpture de cette période correspond à sa monumentale architecture. On a retrouvé quelques reliefs sculptés sur des tombes de souverains datant de l'époque des " tombes-puits "; ces reliefs témoignent de relations culturelles avec le nord. Le célèbre relief de la " porte des Lions " à Mycènes possède une grandeur qui annonce déjà l'art de la Grèce classique. Il n'empêche que le modèle en est oriental; il est impossible de comprendre tout à fait

la culture mycénienne sans connaître les relations culturelles qui unissaient les peuples du bassin méditerranéen.

LE COMMERCE MONDIAL
À L'ÉPOQUE ÉGÉENNE

Les chapitres précédents nous ont donné une idée de
l'importance des liaisons commerciales màritimes sous
la civilisation créto-mycénienne. Il n'est pas rare de trouver
sur des bijoux, des vases, ou des ciseaux mycéniens des
dessins représentant des voiliers. Naturellement, il n'est
pas toujours facile de savoir quelles marchandises faisaient
l'objet de ce commerce. Mais on a découvert par hasard
qu'en tous cas, les quelques millions d'amphores d'argile
expédiées par mer tout autour de la Méditerranée étaient
remplies de *vin*, les autres d'*huile d'olive*.

Il va de soi que le *cuivre* et le *bronze* étaient à cette
époque des marchandises de toute première importance.
La Syrie est l'une des rares régions du globe où les minerais
de cuivre et d'étain apparaissent l'un et l'autre et, comme
de toute évidence la Crète a entretenu des contacts très
étroits avec la Syrie du Nord, on comprend aisément
pourquoi l'âge du bronze commence si tôt dans l'île.
Avant cette époque — et même longtemps après que le
bronze fût universellement employé — on s'y servait,
comme partout, de la *pierre* pour la fabrication des outils
et des armes. Une pierre d'une espèce particulière joua un
grand rôle : l'*obsidienne*, appelée " verre volcanique "
qui formait une sorte de couche émaillée sur la lave
refroidie. Presque toute l'obsidienne du monde égéen
provenait de l'île de *Mélos*, le seul endroit où elle apparaissait en grande quantité.

Chypre devint le plus grand exportateur de *cuivre* vers la
Méditerranée orientale, après l'épuisement des mines du
Sinaï. On extrayait l'*étain* en Espagne, l'*argent* en Espagne
et en Sardaigne. Les trouvailles faites à Troie et à Mycènes
montrent que les peuples égéens doivent avoir fait une
grande consommation d'*or* pour leurs parures et leurs
vases précieux. Cet or vint d'Égypte et de Nubie et fut
travaillé plus tard par les artistes de la Crète et du continent.

Le continent grec employait beaucoup d'*ambre* pour la
fabrication des bijoux; par contre, ce n'était pas le cas en
Crète; cela montre une fois de plus que Mycènes, au

contraire de Cnossos, entretenait des relations avec le nord. L'ambre venait, entre autres, des pays de la mer Baltique. On a pu le constater avec certitude, car l'ambre de la mer Baltique diffère de l'ambre roumain, sicilien ou libanais par sa couleur, sa dureté et sa composition chimique et aussi par l'agréable odeur qu'il répand lorsqu'on le brûle. Il est pratiquement prouvé que les Étrusques aussi reçurent plus tard leur ambre des bords de la mer Baltique.

C'est en Angleterre que l'on découvrit récemment une preuve des relations culturelles très diversifiées existant en Europe à l'époque égéenne. A *Stonehenge*, dans la plaine de Salisbury, se dresse un cercle de pierres énormes qui, pendant des siècles, furent un mystère pour la science. On ignorait qui avait érigé ce monument étrange, à quelle époque et dans quel but. Il y a quelques années, un archéologue en prit quelques photos. Il maniait la caméra avec une grande habileté, la lumière était ce jour-là on ne peut plus favorable... il découvrit donc sur le film développé quelque chose que personne n'avait vu avant lui. Dans la pierre étaient taillé des croquis représentant des armes, des haches et autres objets. Connaissant les caractéristiques de chaque pays et de leur période pré-historique, les archéologues constatèrent immédiatement que les objets dessinés étaient employés en Grèce à l'âge du bronze pendant la première partie de la période mycénienne. Peut-être travaillait-on déjà à cette époque dans les anciennes mines d'étain du sud-ouest de l'Angleterre ; nous savons que les Phéniciens ont exploité ces mines quelques siècles plus tard. Dans de nombreuses régions d'Europe, on sait que des rangées ou des cercles de grosses pierres tenaient un rôle important dans la religion et les usages funéraires de l'âge du bronze. Les pierres qui entourent les " tombes-puits " de Mycènes en sont un exemple.

On a retrouvé, en Angleterre, au voisinage des anciennes mines d'étain, le dessin d'un " labyrinthe " du type minoen. On l'a d'ailleurs trouvé partout en Europe, ce qui implique des relations culturelles avec les peuples créto-mycéniens. En certains points de la Scandinavie, de remarquables murs de terre forment des labyrinthes semblables. Leur âge est inconnu, mais leur dénomination commune " Trojaborg " nous renvoie à la culture égéenne.

C'est du sud, d'Afrique, que venait l'ivoire, marchandise très populaire dans la civilisation créto-mycénienne.

L'Égypte était l'un des marchés les plus importants ouverts aux exportations des Crétois et plus tard des Grecs mycéniens. Nous en possédons plusieurs preuves. En effet, on a retrouvé des antiquités égéennes dans la vallée du Nil et des antiquités égyptiennes en Crète et à Mycènes, parmi lesquelles des scarabées portant les noms d'Aménophis III et de la reine Tiy.

On peut se servir de la chronologie égyptienne, assez sûre, pour dater avec suffisamment d'exactitude les différents stades de l'évolution de la culture créto-mycénienne.

Quelques générations après la destruction définitive du palais de Cnossos, les Grecs possédaient donc l'hégémonie navale dans cette partie du monde. Homère appelle les Grecs qui assiégeaient Troie : les *Achéens*; le déchiffrement des tablettes de Mycènes a renforcé la théorie selon laquelle ces nouveaux maîtres de la mer se donnaient à eux-mêmes le nom d' " *Achéens* " et à leur territoire celui d'" *Achaie* " On a trouvé à Boghaz-Keui, la capitale des Hittites, un grand nombre d'inscriptions se rapportant aux relations du roi hittite avec un royaume appelé " Ahhijawa ". Tout d'abord, les savants ne purent s'entendre sur la signification de ce nom, mais actuellement il est probable qu'il s'agit des Grecs, une fois de plus. Le roi des Hittites, par ailleurs si plein de morgue, appelle le roi d'Ahhijawa son " frère ", comme il le fait vis-à-vis des souverains égyptiens et babyloniens; il n'est donc pas question ici de quelque petite colonie grecque d'Asie Mineure. Ahhijawa devait dépendre du grand royaume de Mycènes, chose dont se souvient Homère lorsqu'il décrit le roi de Mycènes comme le souverain le plus puissant et les autres chefs comme ses vassaux.

Il est intéressant de constater que le " royaume d'Agamemnon " était l'une des quatre plus grandes puissances de son temps. Ceci concorde avec les autres sources qui évoquent pour nous un pays bien peuplé, excellement organisé et civilisé, un peuple brave et industrieux qui exerçait son hégémonie sur la mer et s'étendait énergiquement sur tout le bassin oriental de la Méditerranée. Les sources hittites mentionnent quelque part la ville de *Vilusa* où régnait un roi *Alaxandus* et ailleurs la ville de

Taroisa. Ce sont peut-être deux noms de la même ville, cette Troie que les Grecs appelaient aussi Ilion. En ce cas, il est très facile de faire du nom *Alaxandus* celui d'*Alexandros* — un autre nom qu'Homère donne à Pâris, le fils du roi de Troie. Il est cependant possible qu'il ne s'agisse pas ici de la même personne. Mais ce pourrait être un prénom traditionnel dans la dynastie troyenne. Les chercheurs ont remué longtemps les archives de Boghaz-Keui à la recherche d'autres noms à consonnance homérique, mais les résultats sont très incertains. Par contre, nous rencontrons sur les tablettes de Mycènes un tas de gens tout à fait ordinaires qui se sont appelés Glaukos, Antanor, Hector et Achille. Taroisa était situé dans une région que les Hittites appelaient *Assuwa*; peut-être tenons-nous ici l'étymologie du nom " Asie ". En effet, " Asia " ne désignait au début que la province romaine comprenant la région entourant l'ancienne Troie; de même, " Africa " n'était à l'origine que le nom de la province romaine dont Carthage était le centre.

On retrouve des souvenirs du commerce mycénien tout le long des côtes de l'Asie Mineure. A l'ouest, les Grecs étendirent leur activité jusqu'à l'Espagne, les côtes françaises et la Méditerranée, la Sardaigne et la Sicile. En Italie, ils fondèrent un comptoir d'où naquit plus tard *Taras*, l'actuelle *Tarente*.

L'ÂGE DU FER

La migration égéenne

En général, les sources hittites semblent indiquer que les Grecs pouvaient être des voisins ennuyeux. La situation fait un peu penser à celle de la Syrie au temps d'El-Amarna. Tandis que les roitelets se querellaient, les sujets du roi de Mycènes, peut-être même ses parents, pouvaient pêcher en eau trouble et se rendre maîtres de divers territoires. Le roi de Mycènes n'accorda que peu d'attention à cet état de choses. Maintes fois, les Hittites firent appel à son autorité mais évidemment sans succès. A la fin du 13e siècle avant J.-C., l'empire hittite, très affaibli, n'était plus en mesure de maintenir son autorité.

Parmi les villes mentionnées, se trouve " Milawata " selon toute probabilité *Milet*, la ville commerciale ionienne qui allait connaître un si brillant avenir. Ce qui s'y passait

— et se reflète dans la correspondance diplomatique —
n'était rien moins que le début de la colonisation par les
Grecs de la côte orientale de l'Asie Mineure, phénomène
dont l'importance allait durer jusqu'après la Première
Guerre Mondiale. Sur l'ordre de la Société des Nations,
des flots de réfugiés quittèrent l'Asie Mineure pour
retourner dans la mère-patrie d'où, par la suite, beaucoup
émigrèrent en Amérique où leur énergie et leur intelligence
typiquement grecques leur ont acquis une nouvelle
importance (ainsi, par exemple, Onassis).

Les découvertes montrent qu'en même temps, Rhodes,
Chypre et des parties de la côte méridionale de l'Asie
Mineure furent " hellénisées ". En de nombreux endroits,
il y vivait une population étrangère qui fit alors connaissance avec la civilisation grecque et fut peut-être gouvernée
par des Grecs. Des fouilles françaises ont révélé un important centre commercial mycénien en Syrie du Nord,
à Ougarit, l'actuelle Ras Shamra. En certains endroits,
on pourrait peut-être comparer le rôle des Grecs à celui
de la Ligue Hanséatique dans les régions septentrionales
de l'Europe; en d'autres endroits, on songe aux conquêtes
et aux colonisations des Vikings. Le souvenir de cette
expansion se perpétue dans les légendes grecques où on
cite les noms de héros grecs (certains d'entr'eux semblent
avoir été de véritables personnages historiques) qui ont
fondé des villes outre-mer. Souvent, on les fait remonter
à la période qui suivit immédiatement la guerre de Troie.
Les Grecs ne craignaient pas de donner une date précise à
tous ces événements semi-légendaires. C'est ainsi que la
tradition antique place la chute de Troie en l'année 1183
avant J.-C., et cela correspond remarquablement bien
avec les découvertes de l'archéologie moderne.

Cependant, il faut surtout mettre l'accent sur le malaise
qui caractérise la phase finale de l'époque mycénienne.
" Les îles étaient inquiètes ", dit une source égyptienne.
Et parmi d'autres tribus, des " Aqaiwasta " — des
Achéens — vinrent en Égypte piller et conquérir le pays.
Comment expliquer tout cela?

La langue grecque connaissait, à l'époque classique,
trois importants groupes de dialectes : l'*ionien*, qui était
entre autres la langue d'Athènes, le *dorien* parlé à Sparte
par exemple et l'*achéen*, comprenant l'arcadien, parlé sur
le plateau du Péloponnèse, le cypriote et quelques dialectes

du nord et du nord-est. L'ionien et l'achéen forment un groupe dialectal appelé " grec oriental " tandis que les dialectes doriens forment le " grec occidental ". La langue des tablettes de Mycènes est du grec oriental. Elle est très proche de l'achéen; mais montre quelques similitudes avec l'ionien. Par contre, elle offre peu de ressemblance avec le grec occidental. Nous pouvons en conclure que les Ioniens et les Achéens (les plus importantes tribus grecques orientales) participaient à la culture mycénienne, tandis que la langue officielle est née de leurs dialectes. A l'époque classique, les Athéniens se glorifiaient que leur pays fût le berceau des Ioniens et que leurs ancêtres eussent toujours vécu en Attique. Les Achéens donnaient le ton à Mycènes, mais, en fait, ils ne formaient pas un peuple homogène. Nous pouvons supposer que, pendant l'époque mycénienne tout entière, des tribus grecques orientales pénétrèrent dans le pays, et, en chemin, se fondirent à la population du grand royaume. L'une de ces tribus était celle des Danaens réputés pour leurs attaques contre l'Égypte. Aussi longtemps que le royaume mycénien fut assez puissant aux points de vue militaire et culturel pour endiguer l'immigration et assimiler les nouveaux venus à son propre peuple, ce flot d'hommes ne fit qu'accroître sa force. Mais, petit à petit, le royaume donna des signes évidents de surpopulation. En même temps se faisait sentir un nouveau facteur économique et social de la plus haute importance : le fer.

Le fer était connu en Grèce depuis le début de l'époque mycénienne. Il était alors aussi apprécié que l'or; dans certains endroits, il servait à travailler les objets de bronze. La culture égéenne reposait uniquement sur le bronze.

Mais on s'apercevait maintenant que le fer était beaucoup plus abondant que l'étain et le cuivre, qu'on pouvait le travailler en y mettant l'effort nécessaire et qu'il était beaucoup moins onéreux que le bronze. Cette découverte fut la cause d'un grand bouleversement social; on peut se rendre compte de son ampleur en faisant une comparaison avec l'Europe Occidentale à la fin du Moyen Âge, lorsque les armes à feu annoncèrent la fin de la chevalerie.

Homère vivait à l'âge du fer, cela se remarque en différents endroits de ses poèmes : mais il avait conservé le souvenir des nobles guerriers carapaçonnés de bronze et en conséquence il parle de leurs armes comme de " cuivre coupant ". Le rôle de cette armée comme armature militaire — et, de ce fait, sociale — de l'État était terminé. Le centre de gravité politique et culturel se déplaça de la cour vers le peuple et le vieil État se mit à chanceler. Puis une nouvelle invasion rasa les châteaux royaux; ils ne furent jamais reconstruits.

Et maintenant, les Grecs occidentaux, les Doriens, entrent en scène. La tradition en fait des descendants d'Héraclès venus exiger le trône auquel leur ancêtre avait droit; ils auraient atteint le Péloponnèse par le Golfe de Corinthe en l'an 1104 avant J.-C. alors que les fils et les petits-fils des héros de la guerre de Troie gouvernaient encore. Pylos n'était pas prête à la guerre. Son palais s'écroule sous les flammes et disparaissent les tablettes couvrant les derniers mois qui précédèrent la catastrophe.

Les remparts massifs des châteaux mycéniens ne purent protéger le royaume et Tirynthe ne connut pas un sort meilleur. La tradition raconte que le dernier roi de " Mycènes la dorée ", Oreste — le fils d'Agamemnon — connu par les tragédies grecques classiques — dut s'enfuir en Arcadie, à l'intérieur du Péloponnèse. De tous les grands centres mycéniens, Athènes fut seule épargnée par l'invasion; les derniers survivants de la dynastie de Nestor fuirent Pylos pour s'y réfugier et firent ensuite partie de la plus haute noblesse athénienne. Les Doriens étaient apparentés aux Grecs orientaux. Ils soumirent le Péloponnèse et s'établirent en maîtres sur la presqu'île. Les villes mycéniennes perdirent toute leur importance et le centre de gravité du pays se déplaça en d'autres lieux. A l'âge du fer, ce ne furent pas les souverains qui imprimèrent leur marque à la culture, mais les couches les plus larges du peuple. C'est pourquoi l'invasion n'amena aucune rupture dans l'évolution culturelle.

La fuite hors des pays mycéniens et l'invasion dorienne du Péloponnèse ne forment qu'un épisode de ce puissant mouvement du mycénien récent que l'on appelle " la migration égéenne ". L'histoire de l'Égypte nous raconte comment les puissantes vagues de cette migration frappèrent aussi le delta du Nil et comment deux pharaons purent leur résister à grand peine. Ce raz de marée fit disparaître l'empire hittite; des tribus phrygiennes pénétrèrent loin à l'intérieur de l'Asie Mineure. Certains chercheurs pensent que même les *Étrusques* participèrent à cette migration. On peut rattacher avec certitude un autre peuple à la migration égéenne : celui des *Philistins*, les voisins et ennemis héréditaires d'Israël et de qui provient le nom de " Palestine ", " pays des Philistins ". Il semble qu'il faille voir une relation entre les Philistins et la Crète ; entre autres raisons, on trouve dans la Bible l'expression " des Céréthiens et des Phélétiens " [1] qui désigne une partie de la garde du corps de David et qui signifie probablement " des Crétois et des Philistins ".

Partout dans la Méditerranée Orientale, nous voyons un combat mortel, peuple contre peuple et fer contre bronze. Un monde vieux d'un millénaire est complètement bouleversé. De nouvelles puissances se lèvent, de plus anciennes perdent toute importance ou disparaissent. Les peuples affluent et refluent. Le commerce paisible et les connections internationales très diversifiées des siècles précédents disparaissent et les divers territoires culturels sont isolés. La navigation grecque ne cesse peut-être pas tout à fait, comme certains le prétendent, mais dans son ensemble, le commerce maritime dans la Méditerranée décroît fortement ; parmi les vestiges grecs postérieurs à l'époque mycénienne, on trouve relativement peu d'articles importés d'Orient. Lorsque le commerce connut un regain de vie, les villes phéniciennes prirent la première place. Homère parle de marchands phéniciens qui visitent la Grèce.

Ce n'est pas seulement pour l'époque mycénienne (son sujet) qu'Homère a élevé un monument grandiose, mais aussi pour la sombre période à laquelle il appartient lui-même — ces " siècles noirs " pendant lesquels la Grèce classique prend forme pour que la Hellas puisse se révéler au yeux du monde dans tout son éclat.

[1] II Samuel 23.

LES GRECS À L'ÉPOQUE LÉGENDAIRE

LA GUERRE DE TROIE

Ce combat entre l'Orient et l'Occident (on admet généralement qu'il eut lieu vers 1200 avant notre ère) avait en fait pour enjeu la domination de l'Hellespont. Mais pour l'imagination des foules, les causes économiques et politiques sont beaucoup trop abstraites et prosaïques. Elles désirent du sentiment et imaginèrent donc un tout autre motif de guerre : l'enlèvement de la belle Hélène, motif mythique qui fut repris d'un récit populaire. Des chants sur la guerre de Troie et ses héros sont nés les deux grands poèmes d'Homère : l'*Iliade*, qui concerne la guerre elle-même, et l'*Odyssée* qui décrit les errances du héros Ulysse après la fin des combats.

L'histoire de la guerre de Troie s'ouvre sur le récit de la pomme de discorde : Éris, la déesse de la Discorde tenta de semer la zizanie entre trois déesses : Héra, l'épouse de Zeus, Pallas Athéna la déesse protectrice des arts et des sciences, et Aphrodite, la déesse de l'amour. Lorsqu'un jour, Éris fut la seule à ne pouvoir assister à une fête où tous les dieux et les déesses étaient invités, elle se vengea en jetant au milieu des convives une pomme d'or portant ces mots : " Pour la plus belle ! " Et l'ambiance de la fête fut tout à fait gâchée.

Finalement le père Zeus réussit à ramener quelque peu à la raison les trois déesses qui se disputaient le prix; elles se mirent d'accord pour laisser la décision au prince Pâris, lui-même très célèbre pour sa beauté. Son père, Priam, était roi de Troie, ou Ilion comme on appelait aussi la ville.

Un beau jour, Pâris gardait les troupeaux de son père sur le mont Ida près de Troie; les trois déesses vinrent à lui et lui demandèrent de trancher leur différend. Elles n'épargnèrent aucune tentative de séduction pour s'assurer le prix. Héra promit de faire de lui le roi le plus puissant de la terre s'il lui accordait la pomme. Aphrodite lui promit qu'en récompense il recevrait pour épouse la plus jolie femme du monde.

" La pomme vous revient ", dit Pâris sans réfléchir et il offrit le fruit à la déesse de l'amour.

Hélène, l'épouse de Ménélas, roi de Sparte, était considérée comme la plus jolie femme du monde. Pâris se rendit donc à Sparte où le roi l'accueillit avec hospitalité. La belle Hélène fut rapidement très sensible à sa compagnie, mais elle hésitait cependant à être infidèle à son époux. Pâris décida alors de précipiter les choses. Avec quelques hommes, il pénétra une nuit dans la chambre de la reine; il la porta à bord de son bateau et cingla vers Troie.

A l'annonce de l'enlèvement d'Hélène, une vague d'indignation souleva toute la Grèce. Ménélas et son frère, le puissant roi Agamemnon de Mycènes appelèrent tous les princes grecs au combat pour se venger de l'infâme séducteur. Brûlant du désir de combattre, tous répondirent à l'appel et la flotte grecque ne compta pas moins de douze cents bateaux. Agamemnon fut fait généralissime de l'armée.

Lorsque les Grecs eurent atteint le pays des Troyens, ils tirèrent leurs bateaux sur la plage et les protégèrent par une muraille. Puis ils commencèrent le siège de la ville de Troie. Le combat fut dur et le sort des armes changeant; les années passaient sans amener de décision. Le plus fort des guerriers troyens était Hector, le frère de Pâris; le grand héros des Grecs était Achille. L'un ou l'autre n'avait qu'à paraître pour mettre l'ennemi en déroute.

Mais au cours de la dixième année de guerre, la fortune commença à abandonner les Grecs. Le partage d'un butin de guerre avait dressé Achille et Agamemnon l'un contre l'autre.

L'Iliade s'ouvre sur leur querelle. Les invectives qu'échangent les deux héros furieux ne manquent ni de saveur ni d'éloquence. Achille libère sa fureur dans ce discours :

" Sac à vin, ô toi qui as un œil de chien et un cœur de biche, jamais tu n'as eu pour la guerre le courage de prendre la cuirasse en même temps que tes troupes, ni d'aller avec les Achéens les plus braves te poster aux aguets; payer de ta personne te semble être la mort. Sans doute, il est bien plus profitable, dans le vaste camp des Achéens, de dépouiller de sa récompense celui qui ose te contredire. Tu es un roi qui dévore le peuple parce que tu règnes sur une troupe de lâches. S'il en était autrement, Atride, tu commettrais aujourd'hui ta dernière infamie " [1].

Dans sa colère et son amertume, Achille fit un serment lourd de conséquences : il ne tirerait plus jamais l'épée contre les Troyens. Il se retira sous sa tente et Patrocle, son ami et frère d'armes, fut le seul dont il supportait la présence.

Les Grecs savaient qu'Achille était irremplaçable; ils étaient donc au désespoir. Ils en avaient assez de cette guerre interminable et voulaient rentrer chez eux. De nombreux guerriers se précipitèrent vers les bateaux pour les remettre à flots. Mais l'artificieux Ulysse, roi d'Ithaque, vint vers eux et tenta d'empêcher une retraite aussi peu glorieuse. Il supplia les hommes de ne pas tout abandonner dans un moment de désespoir comme des enfants capricieux, mais d'encore tenir bon. Ses paroles trouvèrent un écho. La nostalgie des Grecs se transforma en désir de combattre et, avec des cris menaçants, ils se précipitèrent de nouveau sur les Troyens.

Lorsque les Troyens virent l'ennemi approcher, ils sortirent de la ville pour rencontrer les Grecs en rase campagne. Pâris marchait à la tête de l'armée. Dès que Ménélas aperçut le séducteur de son épouse et le vit " marcher à pas puissants à la tête de l'armée, fier comme un paon ", il se précipita sur lui, fumant de colère. Et c'en fut vite fait du courage du beau prince.

" De même qu'un homme ayant aperçu un serpent dans les replis de la montagne, revient d'un bond sur ses pas et s'écarte; un tremblement se saisit de ses membres, il retourne en arrière et la pâleur s'empare de ses joues; de même se replongea dans la foule des Troyens exaltés, par crainte de l'Atride, Alexandre beau comme un dieu.

---

[1] Traduction de Mario Meunier, éditée par l'Union Latine d'Éditions, Paris, p. 10.

Hector en le voyant l'interpella par ces mots outrageants :

— Maudit Pâris, bellâtre, coureur, suborneur, que n'es-tu né sans semence et mort sans mariage! Oui, je le souhaiterais et cela te vaudrait beaucoup mieux que d'être ainsi l'opprobre et le mépris des autres. En vérité, ils ricanent les Achéens aux têtes chevelues, eux qui te disaient un preux incomparable, parce que tu jouissais d'une belle prestance. Mais ni vigueur ni vaillance ne résident en ton cœur" [1].

Ces injures ranimèrent le courage de Pâris et il provoqua Ménélas en un duel dont l'enjeu serait Hélène. Ensuite, les Grecs retourneraient dans leur pays. Les Grecs et les Troyens mirent donc bas les armes et suivirent le combat en spectateurs pacifiques. Mais Pâris n'eut pas besoin de mettre beaucoup son courage à l'épreuve. Lorsque les choses parurent tourner à son désavantage, sa protectrice Aphrodite intervint pour le sauver. Elle l'enveloppa d'une épaisse nuée et le ramena vers " la chambre parfumée " dans le palais de Troie.

Il n'en essaya pas moins de se faire passer pour un héros aux yeux de son épouse en frottant ses armes avec énergie, armes avec lesquelles il n'avait arraché aucune victoire. Elle ne se laissa pourtant pas jeter de la poudre aux yeux. Elle se plaignit à son beau-frère, l'intrépide Hector.

" Maintenant que les dieux nous ont envoyé ce malheur, que n'ai-je au moins un époux plus vaillant qui soit sensible aux reproches et aux affronts des hommes ".

Quel abîme séparait Pâris et Hélène des deux époux modèles Hector et Andromaque! On ne peut trouver dans la littérature mondiale une image plus réussie de l'amour conjugal. Hector est la figure la plus attirante de toute l'Iliade. Le poète met beaucoup de sympathie dans le portrait d'Hector, fils, père et époux.

Après le duel entre Pâris et Ménélas, les Grecs jugèrent que leur champion avait gagné, mais les Troyens n'étaient pas d'accord. Et le combat reprit. On décida un nouveau duel, cette fois entre Hector et Ajax, le plus grand combattant grec après Achille. " Comme des lions furieux ", Ajax et Hector se jetèrent l'un sur l'autre et des deux côtés plurent les coups d'épée jusqu'à ce que l'obscurité mît fin au combat.

---

[1] Traduction de Mario Meunier, p. 64-65.

Le lendemain, monté sur son char, à la tête de ses hommes, Hector attaqua les Grecs. Bientôt le corps à corps fit rage auprès des vaisseaux. Plusieurs des grands héros grecs furent blessés. Et les Grecs n'avaient plus d'espoir qu'en Achille. Patrocle se hâta vers son frère d'arme et lui raconta à quel point la situation était désespérée. Il supplia Achille de les aider. Si seulement les Troyens le voyaient au milieu du combat, ils perdraient immédiatement tout courage.

Mais Achille demeura inébranlable. Toutefois, si son armure pouvait effrayer les Troyens, Patrocle pouvait l'emprunter et conduire les hommes d'Achille au combat.

Ainsi dit, ainsi fait. A la vue de l'armure d'Achille, tous pensèrent, amis comme ennemis, qu'Achille lui-même revenait prendre part au combat. Les Grecs reprirent courage.

Par contre, les Troyens furent remplis de crainte et n'eurent plus qu'une pensée : chercher leur salut dans la fuite. Les Grecs se mirent à leur poursuite.

Le char de Patrocle était loin en avant des lignes grecques et beaucoup de Troyens périrent de sa main. Mais aux portes de la ville, Hector retint son char; il fit demi-tour et se précipita à la rencontre de Patrocle. Finalement, il transperça son ennemi de sa lance; il emporta l'armure d'Achille comme trophée à Troie.

Lorsqu'Achille apprit qu'il avait perdu son meilleur ami et son armure, il entra en fureur. En larmes, il se jeta sur le sol. Il se promit de ne pas donner de sépulture à son ami défunt avant d'avoir ramené la tête d'Hector comme butin. Les lamentations d'Achille parvinrent à la grotte resplendissante où vivait, au fond de l'océan, Thétis, la mère du héros. Soucieuse, elle vint à la surface et tenta de le consoler. Elle lui promit qu'Héphaestos, le dieu du feu, lui forgerait, à sa demande, une nouvelle armure. Le lendemain matin, le héros put revêtir la nouvelle armure, plus belle que l'ancienne, et d'une voix de tonnerre, il rassembla les Grecs. Sous les acclamations de tous les guerriers, il se réconcilia avec Agamemnon. Et ensuite — au combat! La lutte fut si terrible que même les dieux, qui jusqu'à présent n'avaient aidé leurs protégés qu'aux moments critiques, durent maintenant en venir aux mains.

Achille n'avait qu'une pensée : venger son ami; il sema la terreur et le deuil chez les Troyens.

Les Perses.

La porte de Xerxès,
à Persépolis.

Bouquetin ailé en argent incrusté d'or, qui servait de poignée à un vase (VIᵉ-Vᵉ siècle av. J.-C.).

L'escalier monumental de Persépolis, bordé de chaque côté d'une rangée de guerriers présentant les armes.

Deux Phéniciens montés sur un char. Reconstitution d'une statuette votive du XIIIe siècle av. J.-C

" Le fils de Pélée, d'autre part, s'élança contre lui, tel un lion rapace qu'un rassemblement d'hommes, qu'un pays tout entier brûlent de massacrer. Le fauve d'abord s'avance dédaigneux ; mais, quand un des vigoureux chasseurs alertes au combat l'a frappé de sa lance, le lion se ramasse en ouvrant ses mâchoires, l'écume lui vient autour des dents, et sa forte vaillance reste à l'étroit dans le fond de son cœur ; de chaque côté, il fouette de sa queue ses hanches et ses flancs, et il s'excite lui-même à l'offensive ; enfin, le regard avivé par de glauques reflets, il est emporté tout droit par sa fureur, décidé à tuer un des chasseurs ou à trouver lui-même la mort au premier rang ; de la même façon, l'ardeur et la bravoure héroïque d'Achille le poussaient à venir affronter le magnanime Enée " [1].

La déroute gagna les Troyens qui s'enfermèrent dans leur ville. Seul Hector demeura hors des murs. Le vieux Priam vit avec effroi Achille, vêtu de son armure rayonnante, s'approcher de son fils. Lorsque le héros grec se trouva tout près de son ennemi, le grand Hector lui-même eut peur et prit la fuite. Achille le poursuivit autour des murs de la ville par trois fois. Enfin, Hector s'arrêta et fit front. Le duel commença. Les deux héros jetèrent d'abord leur javelot mais sans s'atteindre. Avec le courage du désespoir, Hector tira alors son épée et se précipita sur son ennemi ; mais Achille lança un autre javelot et cette fois avec tant de force qu'Hector en fut transpercé.

Achille prit l'armure du cadavre ; il vengea son ami défunt en traînant le corps du Troyen derrière son char. Il traîna ainsi le corps jusqu'à sa tente où il l'abandonna sans sépulture aux chiens et aux oiseaux de proie.

Par contre, une fête brillante fut organisée à la mémoire de Patrocle.

" Nombre de taureaux blancs mugissaient, égorgés sous le fer, nombre de moutons et de chèvres bêlantes. Et nombre aussi de porcs aux dents blanches, florissants de graisse, grillaient étendus au milieu des flammes d'Héphaestos. Partout, autour du cadavre, le sang coulait comme à pleine coupe " [2].

Ensuite, on dressa un énorme bûcher où l'on fit brûler

---

[1] Traduction de Mario Meunier, p. 212.
[2] Id., p. 276.

le mort avec ses chevaux et ses chiens préférés. Un tumulus fut élevé sur ses cendres.

Finalement, les dieux eurent pitié d'Hector et de sa famille. Zeus lui-même appela Thétis auprès de lui : elle devait persuader son fils de rendre, contre des cadeaux, le corps d'Hector à son père éploré. Lorsque Priam pénétra dans la tente d'Achille, le héros se laissa attendrir par les plaintes du vieillard. Il éclata même en sanglots et déclara qu'il voulait rendre le corps d'Hector contre la riche rançon que le roi avait apportée.

Troie retentit de lamentations lorsque la dépouille du héros fut ramenée dans la ville ; on l'incinéra en grande pompe.

Ainsi finit l'Iliade. Mais on a conservé d'autres poèmes et récits grecs et romains : ceux-ci racontent comment Achille fut mortellement touché d'une flèche tirée par le lâche Pâris. La flèche l'atteignit au talon, le seul endroit vulnérable de son corps. Lorsqu'il était enfant, sa mère l'avait en effet plongé dans le Styx, le fleuve des enfers, et l'avait ainsi rendu invulnérable à toutes les armes. Seul son talon, par lequel sa mère le tenait, n'entra pas en contact avec l'eau du fleuve et demeura vulnérable. Pour comble de malheur, la flèche était empoisonnée et Achille mourut de sa blessure.

Comme Achille, Pâris fut aussi frappé d'une flèche empoisonnée ; ce fut la fin de l'homme qui avait été la cause de la guerre.

Comme la guerre durait depuis dix ans et qu'on n'avait pas encore réussi à envahir Troie par la force des armes, l'artificieux Ulysse imagina une ruse. Sur ses conseils, on construisit un cheval gigantesque où lui-même et plusieurs autres grands héros se cachèrent. Les autres Grecs firent mine d'abandonner le siège et de faire voile vers leur pays. Mais en réalité, ils s'étaient cachés dans l'île de Ténédos, non loin de Troie.

Heureux de la fin de la guerre, les Troyens se précipitèrent hors de la ville et contemplèrent le puissant cheval. "Tirons-le dans la ville", dit quelqu'un, "et faisons-en un monument à la mémoire de nos vaillants défenseurs et de la retraite des Grecs !" Pourtant, le prêtre Laocoon pressentit une traîtrise et il conseilla de brûler le cheval [1]. "Qui sait ", s'écria-t-il, "ce que le monstre cache dans ses flancs? Laissez-moi voir! " A ces mots, il enfonça un épieu dans le flanc du cheval et en écho, on entendit un faible bruit d'armes entrechoquées.

Au même moment, l'attention du peuple fut attirée par un autre événement. Des cris fusèrent! "Un Grec! Ils ont fait un Grec prisonnier! "

C'était exactement ce qu'escomptait Ulysse. Il avait donné à un autre Grec rusé, Sinon, des instructions précises : Sinon devait se dissimuler dans les environs et se laisser capturer. L'homme fit mine d'être mort de peur et supplia les Troyens de lui laisser la vie sauve. "Mes compatriotes voulaient me sacrifier ", dit-il, " pour obtenir des dieux des vents favorables. Mais je réussis à leur échapper et me suis tenu coi, là-bas dans les roseaux, jusqu'à leur embarquement ". Mais que voulaient-ils faire de ce cheval géant?, demanda Priam. "Les Grecs l'ont construit pour en faire cadeau à Pallas Athéna. Pour qu'il vous soit impossible de le faire rentrer dans la ville, et vous attirer ainsi les faveurs de la déesse, ils l'ont fait si grand qu'il ne peut franchir la porte. Mais si vous endommagez d'une façon ou d'une autre le présent à la déesse, vous subirez sa fureur et votre chute est certaine ".

Tandis qu'il parlait, parvint de l'endroit où Laocoon et ses fils étaient occupés aux préparatifs d'un sacrifice, un cri de frayeur qui les glaça jusqu'à la moëlle. Ceux qui se précipitèrent au secours du prêtre furent témoins d'une scène horrible. Deux immenses serpents s'étaient enroulés autour du corps de ses fils et leur avaient déjà porté plusieurs morsures empoisonnées. En vain, le père avait tenté de sauver ses enfants. Les monstres l'avaient aussi ceinturé et mordu. Avant que l'on eût pu faire quelque chose pour les sauver, ils s'affaissèrent tous les trois dans un dernier sursaut. Les serpents relachèrent rapidement leur étreinte et glissèrent vers la mer où ils disparurent dans les profondeurs.

Sinon cria : "Regardez, voici la punition pour avoir endommagé le cheval. Laocoon l'a frappé de sa lance! "

---

[1] Timeo Danaos et dona ferentes ". "Je crains les Grecs même quand ils font des offrandes ". C'est ce que le poète romain Virgile lui fait dire, dans l'Énéide, l'épopée sur les aventures d'Énée. Cette phrase est devenue un dicton.

A ce moment, tous crurent les paroles de l'hypocrite. Les Troyens brûlaient tous d'un même désir : se gagner la bienveillance de Pallas Athéna. A tout prix, le cheval devait donc être amené dans la ville. Comme la porte de la ville était trop petite, on en abattit la voûte et une partie du mur d'enceinte. Le cheval fut monté sur roues et en rassemblant leurs forces, les Troyens réussirent à le faire glisser à l'intérieur et à l'installer sur la place de la ville. On célébra une grande fête accompagnée de festins et de beuveries. A la nuit tombée, tous les hommes de la ville étaient ivres et hors d'état de penser ou d'agir. Le grand moment était venu pour l'ennemi. Le rusé Sinon se hâta vers le rivage et alluma une torche — le signal convenu pour les Grecs de Ténédos annonçant que tout allait bien. Puis il rampa vers la place où les Troyens avaient installé le cheval et, de son bâton, il frappa trois fois le ventre du colosse. C'était aussi un signal convenu. Ulysse tira le verrou du volet de bois et sortit, suivi de ses hommes. Les Troyens, impuissants, ne purent se défendre. Les Grecs mirent le feu aux maisons et bientôt il ne resta plus de la puissante Troie qu'un tas de décombres. Presque toute la population mâle de Troie fut exterminée. Seuls quelques-uns parvinrent à s'enfuir sous la conduite d'*Énée*, qui put s'échapper grâce à la protection de sa mère Aphrodite. Portant son vieux père sur le dos et tenant son petit garçon par la main, il atteignit quelques bateaux et fuit sa patrie. Les Troyennes furent emmenées par les Grecs comme butin de guerre. Parmi elles, se trouvait Hélène, qui fut ramenée à Sparte. Rouge de honte, les yeux baissés, elle était revenue au milieu de ses compatriotes. Mais tous les Grecs restèrent muets d'admiration devant sa beauté. Et chacun d'eux sentait, qu'à la place de Ménélas, ils auraient agi de même ! tout lui pardonner.

LES ERRANCES D'ULYSSE

Lorsque les Grecs, après la chute de Troie, firent voile vers leur patrie, personne n'était plus heureux qu'Ulysse. Il se languissait de sa maison sur la rocheuse Ithaque, de son épouse Pénélope et de son fils Télémaque qu'il avait quitté petit garçon dix ans auparavant.

Il lui faudra beaucoup de temps avant de les revoir. Pendant dix ans, des vents contraires le jetèrent d'une côte à l'autre. A Ithaque, on considérait la fidèle Pénélope comme veuve et ils étaient nombreux les hommes qui prétendaient à sa main. Toute une troupe de prétendants s'établirent dans le palais d'Ulysse et y menèrent joyeuse vie aux frais du seigneur absent. Chaque année, ils devenaient plus pressants. Cependant, Pénélope caressait toujours l'espoir que son mari reviendrait. Pour gagner du temps, elle entreprit une magnifique tapisserie; elle ne donnerait pas sa main avant qu'elle ne fût terminée, déclara-t-elle. Tandis qu'elle se consumait du désir de revoir son mari, celui-ci errait sur la mer et vivait sur une côte étrangère les plus merveilleuses aventures. Ce sont ces aventures que conte l'*Odyssée*. L'œuvre s'ouvre sur une invocation du poète à sa muse.

" Quel fut cet homme, Muse, raconte-le-moi, cet homme aux mille astuces, qui si longtemps erra, après avoir renversé de Troade la sainte citadelle. De bien des hommes il visita les villes et s'enquit de leurs mœurs; il souffrit sur la mer, dans le fond de son cœur, d'innombrables tourments tandis qu'il s'efforçait d'assurer sa vie et le retour de ses compagnons " [1].

D'abord, Ulysse et ses compagnons atteignirent le pays des Cyclopes.

Le Cyclope Polyphème

Ulysse débarqua avec douze hommes choisis, pour essayer de savoir où ils se trouvaient. Ils emmenaient des provisions et une outre remplie " d'un vin noir, au goût délicieux, une boisson divine ". Tout près de la côte, il y avait une grotte où habitait le Cyclope Polyphème. Les Cyclopes étaient des monstres qui n'avaient qu'un œil au milieu du front. Pour l'instant, le géant était parti garder ses moutons et ses chèvres, mais les Grecs décidèrent d'attendre son retour. Laissons Ulysse raconter lui-même comment Polyphème revint dans son antre.

" Il portait une charge énorme de bois sec pour apprêter son repas du soir. Il le jeta à l'intérieur de l'antre avec un tel fracas que la peur nous chassa au fond de la caverne. Il poussa ensuite, dans cette vaste grotte, toutes les bêtes repues qu'il trayait d'habitude, tandis qu'il laissait les mâles à la porte, à l'intérieur de la spacieuse cour, qu'il réservait

---

[1] Traduction de Mario Meunier, p. 1.

aux béliers et aux boucs. Puis, soulevant en l'air un gros bloc de pierre, un énorme rocher qui lui servait de porte, il le mit à sa place. L'attelage de vingt-deux solides chariots à quatre roues n'aurait pas pu l'ébranler du sol, tant était gigantesque le bloc de pierre qu'il plaça sur sa porte. Il s'assit alors, afin de traire son troupeau bêlant de brebis et de chèvres, faisant tout selon l'ordre, puis sous chaque mère, il envoya têter un nouveau-né. Aussitôt après, il fit cailler la moitié de son lait éclatant de blancheur, le recueillit et le plaça sur des éclisses de jonc; quant à l'autre moitié, il la laissa dans les vases, pour n'avoir qu'à la prendre pour se désaltérer et la consommer à son repas du soir " [1].

Lorsque le géant eut ainsi terminé ses activités de la journée, il s'assit et alluma du feu.

A la lueur des flammes, il aperçut ses hôtes indésirables. Il éleva sa voix de tonnerre et leur demanda quelle sorte de gens ils étaient. Les Grecs ne pouvaient proférer aucun son tant ils étaient effrayés, mais Ulysse rassembla son courage et raconta qu'ils étaient Grecs, ils avaient été rejetés sur sa rive par la tempête et ils espéraient que, selon la volonté des dieux, il recevrait amicalement les étrangers et leur offrirait l'hospitalité.

Le géant répondit : " Il faut que tu sois un naïf, étranger, ou que tu viennes de loin, pour m'exhorter à craindre les dieux et à leur échapper! Les Cyclopes ne se soucient point de Zeus porte-égide, ni des dieux bienheureux. Nous sommes en effet beaucoup plus puissants. Non, ce ne serait point pour échapper à la haine de Zeus, que je t'épargnerais, toi et tes compagnons, si mon cœur ne m'y engageait point ".

Et avec un rire de mépris, furieux, il saisit dans chacune de ses mains un des compagnons d'Ulysse.

" Mais il bondit et jeta les bras sur mes compagnons; un par chaque main, il en saisit deux qu'il frappa contre terre, comme de jeunes chiens. Leur cervelle s'écoula sur le sol et détrempa la terre. Puis, découpant leurs membres, il en fit son souper. Il les dévora comme un lion nourri dans les montagnes; il ne laissa rien, engloutissant entrailles, chairs et os pleins de moelle. Pour nous, à la vue de ces horribles forfaits, nous élevions en pleurant nos mains vers Zeus, car notre cœur sentait son impuissance.

[1] Traduction de Mario Meunier, p. 188-189.

Lorsque le Cyclope eut rempli son énorme estomac, en se gorgeant de chair humaine et en buvant du lait pur par-dessus, il se coucha au milieu de son antre et s'étendit à travers ses troupeaux ".

Ulysse pensa d'abord tuer le Cyclope à la première occasion. Mais au dernier moment, il se reprit car il s'était rapidement rendu compte que ses hommes et lui ne pourraient jamais reculer la pierre qui fermait l'entrée de la grotte. S'il tuait Polyphème, ils seraient pour toujours enfermés dans cet antre. Lorsque vint le matin et que le Cyclope eut soigné ses animaux, il croqua de nouveau deux hommes, en guise de petit déjeuner. Puis, il fit glisser le bloc de rocher à l'entrée de la grotte, fit sortir son troupeau et remit la grosse pierre en place.

Le Cyclope avait laissé son gourdin dans la grotte; il était aussi grand qu'un mât de navire. Ulysse affûta l'une des extrémités et présenta la pointe à la chaleur du feu. Puis il cacha soigneusement le gourdin. Il comptait s'en servir pour aveugler Polyphème pendant son sommeil.

Le soir, le géant revint avec son troupeau et lorsqu'il eut terminé les tâches de la journée, il rejoua l'horrible scène de la veille. Mais lorsque Polyphème eut gobé ses victimes, Ulysse s'approcha de lui; il lui tendit une coupe du vin fort qu'il avait amené et le pria d'en boire. Le Cyclope vida la coupe d'un trait. Il parut satisfait et en redemanda.

Ulysse ne se fit point prier, mais remplit à nouveau la coupe de vin fort; et lorsque, pour la troisième fois, il présenta la boisson au géant, il remarqua avec plaisir que le vin ne manquait pas de faire son effet.

Le Cyclope était tellement ivre qu'il s'affala sur le sol et s'endormit profondément.

Voici qu'était arrivé le moment tant attendu. Ulysse et ses compagnons sortirent l'épieu de sa cachette, en firent rougir la pointe au feu et, unissant leurs forces, ils l'enfoncèrent profondément dans l'œil du monstre.

Polyphème se dressa avec un hurlement terrible.

A tâtons, il parvint à la sortie de la grotte; il roula la roche et s'assit devant l'ouverture, les bras tendus devant lui pour attraper immédiatement tout qui tenterait de sortir.

Les moutons et les chèvres qui se trouvaient dans la grotte commencèrent à s'agiter et voulurent sortir. Lorsque les animaux arrivaient près de l'entrée, le géant leur passait les mains sur le dos pour s'assurer qu'aucun des hommes ne tentait de s'échapper de la grotte. Ulysse remarqua ce geste et imagina une ruse. Il y avait dans le troupeau quelques béliers de très grande taille, assez forts pour porter un homme. Il les isola du troupeau et avec des rameaux flexibles trouvés dans la litière du Cyclope, il attacha un de ses hommes sous le ventre de chaque animal.

Pour empêcher le géant de tâter trop soigneusement les grands béliers, il attacha deux autres à leurs flancs; l'épaisse toison des animaux recouvrirait les liens, le Cyclope ne pourrait donc les sentir.

Lorsqu'Ulysse eut ainsi fermement attaché ses sept derniers compagnons d'infortune, il poussa vers la porte les béliers et leurs fardeaux; tous passèrent sans encombre. Ulysse choisit pour lui-même le plus grand bélier du troupeau et s'accrocha à son dos laineux. De cette façon, tous arrivèrent sains et saufs à l'extérieur de la grotte. Ulysse délivra ses amis; puis, poussant les animaux devant eux, ils retournèrent au bateau où leurs compagnons de voyage, qui se consumaient d'angoisse, les accueillirent avec des cris de joie. Ils prirent le large, mais lorsque le bateau fut à une distance respectable de la côte, Ulysse ne put plus se contenir.

" Polyphème ! cria-t-il. Le châtiment de tes crimes devait t'atteindre à coup sûr, puisqu'en ta cruauté tu ne redoutes point de dévorer tes hôtes au fond de ta demeure. Voilà pourquoi Zeus et les autres dieux viennent de te punir " [1].

Le Cyclope entendit ces paroles et il reconnut la voix d'Ulysse. Dans sa rage, il saisit un énorme bloc de rocher et le lança dans la direction d'où venaient les paroles d'Ulysse. Heureusement, le bateau ne fut pas touché; mais le rocher était tombé tout près et il souleva une vague gigantesque qui poussa de nouveau le bateau vers la côte. Les rameurs durent réunir toutes leurs forces pour empêcher le navire de s'échouer sur la plage.

Lorsqu'ils se crurent deux fois plus éloignés de la côte que la première fois, Ulysse fut de nouveau pris d'une envie dangereuse et lança d'autres injures au Cyclope :

" Cyclope, si quelqu'un des mortels te demande jamais qui t'infligea la honte de te priver de l'œil, dis-lui que

[1] Traduction de Mario Meunier, p. 201.

c'est Ulysse saccageur de cités qui te rendit aveugle, Ulysse fils de Laerte, qui réside en Ithaque " [1].

Alors, Polyphème implora son père Poseidon, le dieu de la mer; il lui demanda de venger son honneur et d'empêcher qu'Ulysse ne revienne en Ithaque ou, à tout le moins, de lui causer beaucoup d'ennuis sur mer. Ulysse allait bientôt apprendre à ses dépens que Poseidon avait exaucé la prière de son fils.

Ulysse aux enfers

Pendant son séjour dans l'île de l'enchanteresse Circé, Ulysse apprit qu'il ne pourrait revoir sa patrie s'il ne se rendait aux enfers et demandait au devin Tirésias comment il pourrait échapper aux dangers dont le menaçait Poseidon. Ulysse et ses hommes mirent donc à la voile et un vent favorable les poussa vers le nord-ouest où se trouvaient les enfers.

Au fur et à mesure que les Grecs se rapprochaient du sombre but de leur voyage, les jours devenaient plus courts. Bientôt, le soleil ne fut plus visible au-dessus de l'horizon et tout fut plongé dans l'obscurité. Ils arrivèrent sur une côte ténébreuse, jetèrent l'ancre et prirent pied sur la plage. Le fleuve Océanus sortait des enfers : ils le suivirent jusqu'à une sombre forêt. Le bruit d'une chute d'eau résonnait au loin. Sans peur, Ulysse avançait dans ce paysage à donner le frisson et ses hommes le suivaient, l'angoisse au cœur. Le grondement de la cataracte se rapprochait; ils atteignirent enfin l'endroit où la masse des eaux se précipite dans un abîme insondable. Là, Ulysse sacrifia aux défunts une chèvre et un bélier noirs comme le charbon.

Alors, les spectres des morts sortirent des enfers, attirés par le sang du sacrifice. Parmi eux, se trouvait l'aveugle Tirésias. Lorsqu'il eut bu du sang des animaux sacrifiés, il lui fut possible de parler à Ulysse. Celui-ci lui demanda comment il pourrait échapper aux dangers qui le menaçaient encore. Le devin répondit :

" Mais il se peut que vous puissiez pourtant, en dépit des maux qu'il vous faudra souffrir, parvenir en Ithaque, si tu veux consentir à maîtriser ton cœur et celui de tes gens, dès l'instant que tu feras approcher, après avoir

[1] Traduction de Mario Meunier, p. 202.

échappé à la mer violette, ton vaisseau bien construit de l'île de Thrinacie, et que vous trouverez parmi leurs pâturages les bœufs et les gros moutons du Soleil, du dieu qui voit tout, du dieu qui entend tout. Si tu laisses ces troupeaux sans dommage, si tu ne songes qu'à assurer ton retour, vous pourrez alors, en dépit des maux qu'il vous faudra souffrir, parvenir en Ithaque. Mais si vous leur nuisez, je te prédis la perte de ton navire et de tes compagnons. Et si toi-même tu viens à échapper, tu ne rentreras que tardivement, sur une nef étrangère, après avoir subi maintes traverses et perdu tous tes gens. Tu trouveras la ruine au sein de ta demeure. ''

Parmi les fantômes, Ulysse reconnut aussi sa mère; lorsqu'elle eut bu le sang du sacrifice, elle se mit aussi à lui parler. Elle lui raconta que le désir de revoir son fils l'avait conduite à la tombe, que son époux menait une vie de soucis et de misère, et que Pénélope et Télémaque attendaient, dans les larmes, le retour d'Ulysse.

Ulysse rencontra encore plusieurs de ses frères d'armes tombés devant Troie et notamment Achille et Ajax. Il fut aussi témoin des supplices imposés aux damnés. Il y avait là Tantale, ce roi dont la richesse était autrefois incommensurable; maintenant, il devait payer son orgueil d'une faim et d'une soif éternelles bien qu'il fût plongé dans l'eau jusqu'au cou, sous un arbre portant les fruits les plus succulents. A la vue de toute cette souffrance, Ulysse fut pris d'une telle frayeur qu'il retourna au bateau à toutes jambes et ordonna de lever l'ancre immédiatement. Un vent favorable poussa les Grecs vers l'Est. Ils firent une nouvelle visite à l'île de Circé où ils furent cordialement accueillis. Circé mit Ulysse en garde contre les Sirènes qui, par leurs douces chansons, attiraient irrésistiblement les marins vers leur rivage luxuriant; là, elles s'emparaient d'eux par traîtrise et les mettaient à mort. Mais surtout, elle lui recommanda bien de ne pas oublier l'avertissement de Tirésias concernant le troupeau du dieu-soleil.

Les Sirènes

Les Grecs approchaient de l'île des Sirènes. Ulysse raconta à ses hommes ce que Circé lui avait dit de ces êtres dangereux et quels moyens elle avait conseillé pour se protéger de leurs enchantements. Seul Ulysse pourrait entendre le chant des Sirènes, mais il demanda à ses

matelots de l'attacher au mât avec les cordes les plus
solides. Et s'il leur demandait de défaire ses liens, ils
devaient au contraire les serrer davantage. Avant de se
laisser attacher, il boucha les oreilles de l'équipage avec
de la cire. Ainsi, ils ne pourraient pas entendre les séductions
des Sirènes.

Lorsqu'il entendit l'adorable chanson, Ulysse perdit
tout contrôle ; par signes et par gestes, il supplia ses hommes
de défaire ses liens. Mais au lieu d'obéir, ils l'attachèrent
encore plus solidement au mât. Ils attendirent que l'île
des Sirènes eût disparu à l'horizon pour délivrer Ulysse
et ôter la cire de leurs oreilles.

Les bœufs du dieu-soleil

Lorsque les Grecs eurent passé le dangereux détroit
de Sicile, ils aperçurent à tribord une côte verte et
ensoleillée ; une large baie offrait au bateau un bon port
pour la nuit. Ulysse reconnut l'île Tinacria à la description
qu'il en avait reçue, et aurait préféré continuer sa route.
Mais ses hommes ne désiraient rien tant que débarquer
et se reposer après toutes les difficultés qu'ils avaient
traversées : ils persuadèrent Ulysse à force d'insistance.
Mais il leur fit d'abord prêter un serment solennel : ils ne
tueraient aucun des bœufs qui paissaient dans l'île, " car,
dit-il, ils appartiennent au dieu-soleil et sa vengeance
sera terrible s'il arrive malheur à son troupeau ".

Mais voici qu'une tempête terrible se leva et dura tout
un mois. Les vivres vinrent à manquer et les hommes
commencèrent à souffrir de la faim. Un jour, en l'absence
d'Ulysse, Eurylochus rassembla les autres marins et montra
les beaux bœufs, bien nourris, qui paissaient sur le rivage.
A son avis, il valait mieux se rassasier une bonne fois,
quitte à subir en mer la colère du dieu-soleil, que de mourir
lentement de faim.

Tous approuvèrent ces paroles. Ils abattirent immédiatement deux bœufs choisis parmi les plus gras et
s'apprêtaient à faire griller leur chair lorsqu'Ulysse revint.
Il les réprimanda sévèrement pour leur désobéissance.
Mais ce qui était fait était fait. Il laissa donc les choses
poursuivre leur cours.

Une semaine plus tard, la tempête s'apaisa enfin et
les Grecs purent quitter l'île. Mais lorsqu'ils furent en

pleine mer, un nuage d'un bleu noir monta à l'horizon.
Il approcha de plus en plus, toujours plus grand et plus
sombre, et s'arrêta finalement juste au-dessus du bateau,
énorme et de mauvais augure. Bientôt, une tempête
effroyable se leva et brisa le mât. Celui-ci toucha le
timonier en tombant et le tua net. Au même moment,
un coup de tonnerre éclata et un éclair frappa le bâteau.
Dans leur frayeur, tous les hommes d'Ulysse se jetèrent
par-dessus bord et furent engloutis par les hautes vagues.
Le bâteau résista encore un peu aux éléments déchaînés,
mais il était si gravement endommagé qu'il finit par tomber
en pièces. Ulysse réussit à lier ensemble le mât et la quille
et put se maintenir à flot grâce à ce radeau improvisé.

Sur l'île de Calypso

Neuf jours et neuf nuits, le naufragé fut balloté par
les flots. Il dut employer ses toutes dernières forces pour
se cramponner à la quille de son malheureux navire;
enfin, le flux le conduisit sur la plage d'une île. Des fleurs
splendides et parfumées poussaient sur ses rives vertes.
Au milieu d'une merveilleuse forêt, pleine de chants
d'oiseaux, un sentier conduisait à une grotte. Les grappes
mûres d'une vigne en ornaient l'entrée. Dans cette grotte
vivait la jolie nymphe Calypso. Lorsqu'elle vit l'étranger,
elle lui souhaita cordialement la bienvenue; elle le reçut
avec hospitalité et lui demanda de rester auprès d'elle
pour agrémenter sa solitude.

Sans bateau et sans outils pour en construire un nouveau,
Ulysse ne pouvait quitter l'île. Il n'avait donc pas le choix
et devait bien donner suite à la demande de la jolie nymphe.
Mais dans son cœur, le désir de retourner chez lui devenait
chaque jour plus violent.

Sept années passèrent ainsi. Un beau jour, alors qu'il
se trouvait au bord de la mer, le visage baigné de larmes
comme cela lui arrivait très souvent, il sentit une main
se poser sur son épaule et entendit une douce voix derrière
lui. C'était Calypso qui surprenait son chagrin pour
la première fois. Voyant combien il désirait retourner
chez lui, elle promit de l'aider à revenir en Ithaque. Elle
lui donna une hache et d'autres outils pour construire
un radeau, sur lequel il pourrait traverser la mer. Lorsque
l'esquif fut prêt et pourvu d'un mât et de voiles, Calypso
offrit à Ulysse des provisions et de précieux vêtements

qu'elle avait tissés elle-même. Tristement, elle prit congé de lui et elle lui souhaita un heureux voyage.

Le retour d'Ulysse et sa vengeance

Ulysse reprit la mer et parvint enfin en Ithaque. La première personne qu'il vit en débarquant fut une jeune et svelte bergère en qui il reconnut sa protectrice, la déesse Pallas Athéna. Elle l'aide d'abord à cacher dans une grotte les trésors qu'il avait apportés et à la fermer d'une grosse roche. Puis elle lui dit : " Tu devras d'abord te faire passer pour un étranger et pour cela, je vais te rendre tout à fait méconnaissable ". Elle le touche de sa baguette magique et voyez : sa peau se plisse rapidement, ses cheveux blonds comme l'or disparaissent de sa tête, ses beaux habits blancs deviennent des haillons de mendiant, et un bâton de chemineau remplace son épée.

" Va d'abord chez Eumaeus, le vieux gardien de porcs ", dit la déesse. Il vous est très dévoué, à toi et à ton fils Télémaque. Il pourra te mettre au courant de la situation chez toi. Mais ne dévoile à personne ta véritable identité ". Le vieux berger fidèle accueillit le pauvre étranger, lui souhaita la bienvenue et lui offrit à manger et à boire. C'est lui qui apprit à Ulysse la joyeuse vie que menaient dans sa maison les " hôtes " de Pénélope, qui prétendaient à sa main et s'étaient invités eux-mêmes.

Le lendemain, le fils d'Ulysse, Télémaque, vint rendre visite au berger; il salua amicalement le vieux mendiant. Mais tout à coup, Ulysse fut de nouveau transformé par Pallas Athéna et reprit sa forme première; Télémaque passa bien vite de l'étonnement à la joie lorsqu'il sut que son père en personne se trouvait devant lui. Ils discutèrent ensuite de la meilleure façon de se débarrasser des hôtes importuns qui accablaient Pénélope de leurs demandes en mariage. Télémaque ne devait parler à personne du retour d'Ulysse ni se préoccuper de la façon dont les " prétendants " traiteraient le vieux mendiant.

Le lendemain, accompagné du fidèle berger, Ulysse s'en fut au palais royal. Athéna lui avait rendu son apparence de mendiant. En chemin, ils rencontrèrent le chevrier d'Ulysse, qui conduisait au palais les plus belles bêtes de son troupeau, destinées à la table des hôtes. C'était un complice des prétendants et il couvrit Ulysse d'injures.

A l'entrée du palais, le chien d'Ulysse était couché sur un tas de fumier. L'animal, autrefois rapide et vif, était maintenant si affaibli par la vieillesse et le manque de soins qu'il ne pouvait plus courir. Mais lorsque le chien vit Ulysse, il reconnut son maître malgré son déguisement. Il tendit la tête vers lui, en remuant la queue et en jappant de bonheur. Cette preuve de fidélité émut tant Ulysse qu'il dut essuyer une larme. La brave bête mourut quelques instants après avoir retrouvé son maître.

Dans la grande salle du palais, on menait joyeuse vie et bruyante fête. Les nombreux hôtes étaient assis devant des tables chargées de mets et de boissons, tandis que le maître de maison lui-même mendiait à chacun un peu de nourriture. Antinous, le plus orgueilleux de tous ne répondit que par des plaisanteries et lui jeta finalement un petit banc à la tête. Ulysse se mordit la langue et s'assit humblement sur le seuil.

Un autre mendiant fit alors son apparition, un certain Irus, célèbre pour sa paresse et sa gourmandise. Il avait toujours eu pour lui seul une petite place près de la porte ; lorsqu'il y vit un étranger, il entra dans une grande colère et cria à Ulysse de vider les lieux immédiatement.

La querelle entre les deux mendiants réjouissait fort les convives. Ils les excitaient au combat et promirent une grande saucisse au vainqueur. Mais Irus, plus prompt à l'injure qu'au combat, reçut d'Ulysse un coup de poing si violent qu'il s'étendit de tout son long, inerte et ensanglanté. A ce moment, les spectateurs avaient tant de plaisir qu'ils " en mourraient presque de rire ". Rires qui se firent encore plus violents lorsque le vieillard releva son jeune adversaire et d'une poigne solide le jeta dans la cour. Puis, il partit le déposer devant la porte et ajouta : " Tu peux rester assis ici toute ta vie et défendre la porte contre les chiens et les porcs. Mais prends garde de ne plus te montrer brutal envers les étrangers ! "

L'attitude des fêtards ne faisait aucun doute : le vieux mendiant leur inspirait quelque respect. Les esclaves par contre ne lui montraient pas la moindre déférence ; à chaque mot intelligent qu'il disait, elles se moquaient de lui avec de petits rires. La plus acharnée était la jolie Mélantho, que Pénélope avait élevée comme sa propre fille.

L'heure du règlement de comptes approchait. Pénélope

avait pris une décision : il était de son devoir envers Télémaque de mettre fin à ces ripailles quotidiennes. Le lendemain, elle fit dire aux prétendants qu'elle désirait faire son choix. Celui qui pourrait tendre l'immense arc d'Ulysse et tirer une flèche avec la même habileté que lui deviendrait son époux.

L'épreuve consistait à tirer une flèche à travers les anneaux de douze haches placées l'une derrière l'autre. Tous les prétendants donnèrent leur accord à cette proposition.

Il apparut bientôt qu'aucun d'eux ne pouvait tendre l'arc d'Ulysse bien qu'ils fissent de leur mieux. C'est pourquoi ils crièrent à l'impertinence lorsque le vieux mendiant voulut aussi tenter sa chance. Mais Pénélope dit : " Ce ne serait pas convenable de mépriser un hôte au point de lui refuser sa chance. Et personne ne peut être assez stupide pour craindre que ce vieillard ne fasse de moi sa femme. "

Sous les quolibets des prétendants, Ulysse se mit donc en devoir de bander l'arc. Coup de théâtre! Le vieux mendiant banda l'arc avec autant de facilité que s'il s'était agi d'un jouet d'enfant et, d'une main ferme, il tira une flèche à travers les douze anneaux. Puis il prit une nouvelle flèche et dit : " Maintenant, je vais voir si je peux toucher un but qui ne fut encore jamais atteint auparavant par une flèche ". Il tira. Antinous s'écroula, touché à mort. Alors, tous voulurent prendre leurs arcs et leurs lances. Mais, la veille au soir, Ulysse et Télémaque avaient enlevé toutes les armes de la salle. Le plus courageux des prétendants tira son épée et se précipita sur Ulysse, mais il fut transpercé d'une flèche. Et Télémaque, Eumaeus et un autre serviteur fidèle vinrent prêter main forte à Ulysse. Ensemble, ils firent un véritable massacre.

Les jeunes filles qui essayaient encore d'aider les prétendants, leurs amants, en leur apportant des armes durent partager leur destin. Elles furent pendues sur la place. Le chevrier mourut lui aussi d'une mort honteuse.

Enfin, Ulysse était de nouveau maître chez lui. Il fit emporter les cadavres, éponger le sang et purifier l'air de la salle en y brûlant du soufre; puis il envoya une servante dans les appartements de Pénélope pour lui annoncer le retour de son mari. Pénélope ne pouvait croire à un tel bonheur. Mais ses doutes disparurent bientôt et sa joie ne connut plus de bornes. Les époux avaient bien des choses à se raconter!

Ainsi finit le grand récit d'Ulysse où se retrouve un motif souvent traité dans la littérature mondiale : l'épouse fidèle qui attend le retour de son mari et le retrouve enfin, après toutes sortes de difficultés.

HOMÈRE ET LA QUESTION HOMÉRIQUE

Selon la tradition, Homère, le poète aveugle, a écrit l'Iliade ainsi que l'Odyssée. La seule chose que nous connaissions du grand poète est son nom. Quelques savants ont même nié son existence, mais, de nos jours, on ne pousse plus le doute aussi loin.

Pendant près de cent cinquante ans se poursuivit une discussion animée sur ce qu'on appelait la " question homérique ". Les poèmes homériques ne constituent-ils pas une unité, l'œuvre d'un seul poète? L'œuvre entière est-elle de la main d'un seul poète ou est-elle un mélange d'œuvres de différents poètes? Cette savante controverse remonte déjà très loin. Actuellement, on admet plus ou moins généralement que les poèmes homériques trouvent leur origine dans les anciennes légendes et chansons qui faisaient partie de la tradition orale populaire. De nombreux chercheurs ont découvert dans l'Iliade comme dans l'Odyssée, certains passages contradictoires; de là, on pensait pouvoir conclure que les poèmes étaient l'œuvre de différentes personnes. Pourtant, les savants penchent de plus en plus vers cette opinion : dans la première moitié du huitième siècle avant J.-C., un grand poète a effectivement vécu qui a insufflé une vie nouvelle aux anciennes légendes sur la chute de Troie. L'œuvre impérissable que nous connaissons sous le nom de l'Iliade a dû être écrite par lui. On pense que l'Odyssée forme une sorte de suite à l'Iliade, mais sans doute d'un auteur un peu plus jeune qui, inspiré par le désir d'aventures propre à son époque, — époque où les Grecs devinrent un peuple de marins et commencèrent à concurrencer les Phéniciens — en fit une chronique de la navigation. Les poèmes homériques appartiennent incontestablement à ce que la littérature mondiale a produit de plus grand et de plus beau. Ils sont la première preuve de l'inspiration créatrice des Grecs. L'esprit grec s'élève ici bien au-dessus de ce que les peuples civilisés de l'Orient ont apporté à la littérature épique. Ces chants vieux de près de trois millénaires sont si profondément humains qu'ils doivent forcément toucher tous les hommes de tous les temps. Parmi les " instantanés " qui apparaissent dans les scènes de combat, de nombreuses images témoignent d'un vif sentiment de la nature chez le poète. Il compare le rassemblement du peuple à un champ de blé qui ondule sous le vent. Le roi marche au milieu de ses guerriers comme un bouc au milieu des chèvres; dans les hommes qui se lancent au combat, avec des cris sauvages, il voit un envol bruyant de cigognes et de cygnes. Ainsi, le poète orne continuellement la grande fresque des héros grecs et troyens de petites comparaisons frappantes.

L'Iliade et l'Odyssée sont les produits d'une époque naïve, une époque d'instincts primitifs, de passions sauvages et incoercibles. Les héros pleurent aussi facilement qu'ils rient. La colère et le chagrin font couler des flots de larmes. Mais ils pleurent aussi de joie et de bonheur.

L'Iliade rend avec réalisme la fureur des combats; ni le poète ni ses auditeurs ne reculent devant les détails horribles. La tête du héros vaincu vole comme une balle à travers la mêlée; le vainqueur du duel transperce son ennemi et l'élève à la pointe de sa lance comme le pêcheur lance sur le rivage le poisson accroché à sa ligne.

L'Iliade ne donne pas le récit complet de la Guerre de Troie, elle n'en peint qu'un seul épisode. Mais le poète a su choisir un événement où se concentre le drame tout entier. Grâce à cela, son épopée n'est pas descendue au niveau d'une chronique écrite en vers.

On ne peut surestimer l'influence des poèmes d'Homère sur le caractère du peuple grec. L'Iliade et l'Odyssée étaient les lectures préférées de la jeunesse et ont toujours aidé de nouvelles générations à devenir de vrais Hellènes, pour qui la liberté et la beauté sont les valeurs les plus hautes. La différence entre l'esprit grec et l'esprit romain éclate dans leur méthode d'éducation respective : les jeunes Grecs étaient nourris d'Homère et les jeunes Romains de la Loi des Douze Tables. Ainsi, dit un auteur, les Grecs ont conquis le cœur des hommes, tandis que les Romains ne purent conquérir que le monde. Pendant des siècles, aucun poème ne fut aussi largement diffusé et apprécié que ceux d'Homère. On en trouve une autre preuve dans des papyrus égyptiens de l'époque hellénistique en Égypte. Mais les poèmes homériques ont naturellement exercé leur influence la plus forte sur la religion et les arts des Grecs eux-mêmes.

LA VIE À L'ÉPOQUE D'HOMÈRE

Mycènes, Pylos et Cnossos n'existaient plus. Une époque glorieuse s'était achevée. La langue des tablettes d'argile s'était tue, l'écriture oubliée ou rejetée comme inutile et superflue dans un milieu qui ne connaissait plus l'administration des grands royaumes. Les tombes découvertes par les archéologues sont simples et rustiques comme les poèmes d'Hésiode. La façon de vivre et la situation sociale avaient peu à peu changé de caractère. Les poèmes d'Homère nous parlent du milieu pauvre dans lequel il vivait. Pas directement cependant, car Homère veut donner une image fidèle de la splendeur passée. Ce but lui est toujours présent à l'esprit et les images de sa propre époque sont peu fréquentes. Mais il décrit souvent l'âge du bronze sous des aspects grotesques. Ceci nous montre combien il en était éloigné en réalité.

On trouve chez Hésiode, le " poète paysan " de Béotie, un passage remarquable. D'après lui, l'histoire du monde commença par un âge d'or où régnait Chronos, le père des dieux; l'or étincelait partout. Suivirent l'âge d'argent et l'âge du bronze, " le temps des héros ". Il n'existe maintenant plus rien de la gloire d'antan; nous vivons un âge de fer triste et prosaïque; la vie est difficile. C'est ainsi que le poète mélancolique, ce chantre de la vie quotidienne, s'évade en pensée vers le paradis perdu; dans son profond pessimisme, il considérait l'histoire de l'humanité comme une errance sans espoir vers des lendemains toujours plus pénibles. Le poète et ses contemporains chérissaient un vague souvenir de ces temps glorieux où le bronze remplissait les fonctions du fer.

La pauvreté de l'époque homérique s'exprime en de nombreux endroits de l'*Odyssée*. Devant la porte du " palais " d'Ulysse, un vieux chien est couché sur un tas de fumier; le " chevrier-en-chef " pousse ses animaux devant lui et les attache dans le château royal où les murs sont de bois et le sol de terre battue. La " reine ", fidèle à son devoir, est assise devant son métier à tisser et la

" princesse " va en personne laver le linge à la rivière. D'autres petits traits représentent les " seigneurs divins " comme des paysans avides. Alcinoüs, le roi des Phéaciens, presse les " nobles et les anciens du pays " de donner des cadeaux à l'étranger : " un manteau nouvellement tissé et un talent d'or ". Et malgré sa hâte de rentrer à la maison, Ulysse prend le temps d'attendre ces cadeaux. Ithaque l'accueillera avec d'autant plus de respect, dit-il, s'il revient chargé de choses précieuses plutôt que les mains vides. Lorsqu'il pose le pied sur le sol d'Ithaque, son premier soin est de chercher un endroit sûr où cacher les cadeaux.

La royauté est un concept obscur pour Homère et déjà à la fin de la période mycénienne, la décentralisation de la puissance des souverains avait commencé. Nous connaissons quelques cas où le pouvoir passa à la famille royale tout entière, dont les membres se partageaient les différents " ministères ". Peu à peu, comme à Athènes, un État républicain bien organisé pouvait naître avec des fonctionnaires élus et des mandats limités dans le temps, État toujours étroitement lié à l'aristocratie, le " gouvernement des meilleurs ".

C'était un développement logique de l'organisation politique de l'époque mycénienne, et, comme c'est compréhensible, il se produisit le plus progressivement et le plus naturellement dans les territoires ioniens. Homère était un Ionien et pendant longtemps, les Ioniens prirent une place prépondérante dans cette évolution, non seulement en poésie, mais aussi dans de nombreux autres domaines. Dans les royaumes doriens, un autre élément entrait en ligne de compte : celui des anciennes monarchies tribales de l'époque primitive antérieure aux migrations. La tradition freinait la naissance d'un nouvel État; c'est pourquoi, la culture dorique acquit dans son ensemble un caractère conservateur. Il ne faut pas en déduire que la culture du Péloponnèse fut en retard sur le reste de la Grèce, mais qu'il existait une profonde différence entre la mentalité des Grecs de l'Est et de l'Ouest. L'Ouest est plus prudent et moins ouvert aux nouveautés; il raisonne de façon plus disciplinée, il sait garder la mesure en toutes choses et est conscient de chaque étape; l'Est, par contre, montre une impatience, une naïveté et un enthousiasme qui font penser à la Crète minoenne. C'est précisément cette opposition interne au sein de la culture grecque qui l'a faite ce qu'elle était et ce qu'elle est devenue pour nous.

Ce n'était pas une période de grandeur, ce n'était pas une période d'héroïsme ni d'expansion. Mais l'élément typiquement grec eut le temps de croître et de mûrir. Les poèmes terre à terre d'Hésiode et les rêves de grandeur d'Homère ont jeté les bases de l'efflorescence classique. S'il est exact qu'Homère a vécu au début du huitième siècle, les premiers Jeux Olympiques ont eu lieu à son époque; selon la tradition, ils ont commencé en 776 avant J.-C. Les précurseurs de la grande colonisation à l'ouest et au nord-est étaient partis de Corinthe, d'Eubée et de l'Asie Mineure ionienne. Dans l'Odyssée, nous voyons comment naquit l'intérêt pour la navigation et les pays lointains, après quelques siècles d'une vie rustique et paisible.

A l'époque d'Homère et d'Hésiode, l'art ne se préoccupait pas de l'homme. On ne trouve les tableaux, comme ceux peints dans les poèmes, que sur les objets de métal introduits dans le pays par les Phéniciens; ces objets montrent un art de troisième ordre que des hommes d'affaires habiles destinaient aux " indigènes ". Ils étaient pourtant une source d'inspiration et de renouvellement pour les artisans grecs.

Nous ne trouvons pratiquement pas d'œuvres d'art de grandes dimensions. Personne ne pouvait se permettre une telle somptuosité. C'est la céramique qui, en premier lieu, témoigne de l'évolution du style. Vers la fin de l'époque mycénienne, la décoration naturaliste fit place de plus en plus à un art plus purement ornemental, et cette évolution était terminée vers 1000 avant J.-C. Les Grecs passent consciemment à des formes abstraites, géométriques. On emploie le compas et la règle, et les lignes droites et pures dominent. Il devient courant d'orner les tombes de grands vases, de plus d'un mètre de haut.

Un peu plus tard, dans cette période, des figures humaines apparaissent sur ces vases. Ce sont surtout des représentations simples et schématiques de défunts et de pleureurs — il s'agit toujours de vases funéraires — mais l'époque d'Homère produisit aussi quelques illustrations des récits légendaires. Les silhouettes humaines sont ici minutieusement assorties aux ornements abstraits. Elles sont elles-mêmes devenues des figures géométriques formées de triangles et de lignes avec le minimum indispensable de traits humains. Nous possédons ici le premier exemple, peut-être le plus significatif, d'un des principes les plus importants de l'art grec : on ne représente pas l'homme, mais le *concept de l'homme*. Il ne faut pas comparer l'artiste grec à un photographe qui rend d'une façon mécanique la réalité extérieure. Les impressions du monde sensible étaient recréées dans l'esprit des artistes grecs en une nouvelle réalité qui ne prenait forme qu'au moment où il approchait son ciseau du bloc de pierre, au moment où il prenait son pinceau.

L'homme prit une plus grande importance dans la décoration notamment sous l'influence des marchandises phéniciennes; il fut aussi conçu d'une façon plus réaliste. Ici apparaît une différence caractéristique entre les Corinthiens doriens et les Athéniens ioniens. Les premiers en effet ne rompirent pas brusquement avec les principes traditionnels d'harmonie et de bon goût. Ils n'adoptèrent que graduellement ces nouvelles formes et toujours avec mesure et un sens critique aigu. Par contre, les peintres athéniens sont immédiatement conquis par la nouvelle liberté artistique et se lancent, pleins d'enthousiasme, dans toutes sortes de peintures qu'ils ne purent jamais réussir étant donné leur manque d'expérience; il faut plusieurs générations avant que leurs peintures n'acceptent à nouveau une certaine discipline. Pourtant, de nombreuses décorations " proto-attiques " éclatent de vivacité et de fraîcheur. La silhouette géométrique ne pouvait satisfaire le désir de réalisme; cette décoration figée finit par ne plus convenir du tout au goût des Grecs. Ils regrettaient l'ancien contraste entre la lumière et l'obscurité; c'est ainsi qu'ils découvrirent les figures noires silhouettées sur un fond clair. Mais ce n'est que quelques générations après la mort d'Homère que les tableaux multicolores que le poète avaient vu en imagination sur le bouclier d'Achille firent leur entrée dans l'art figuratif.

LE MONDE DES DIEUX GRECS

Le monde des dieux grecs, tel qu'il vit encore de nos jours dans l'art et la littérature, a jailli principalement de l'imagination d'Homère et d'autres poètes.

La pierre Omphale de Delphes, les chênes sacrés de Zeus à Dodonée, l'olivier d'Athéna, la source salée de Poseidon sur l'Acropole d'Athènes prouvent que les Grecs ont été fétichistes aux temps les plus reculés. Ils adoraient des animaux sacrés, des arbres et différents objets de bois ou de pierre, considérés comme le séjour de puissances divines. A l'époque mycénienne, nous trouvons un culte des morts qui rappelle celui des Égyptiens.

L'époque mycénienne connut des dieux personnifiés et pourvus d'un nom, qui se perpétuèrent aux temps historiques. *Zeus* (celui qui rassemble les nuages, le dieu du ciel et du tonnerre) porte un nom que nous retrouvons chez d'autres peuples indo-européens et qui doit avoir une origine très ancienne. Il est le *Jupiter* des Romains et le *Tyr* des anciens Scandinaves. La demeure de Zeus — l'*Olympe* couvert de nuages — ne fait pas partie de la zone centrale d'expansion de la culture mycénienne ; les conquérants de l'helladique moyen auront vraisemblablement remarqué cette montagne et ils en auront fait le séjour de leurs dieux, avant d'envahir la Grèce.

Mais ce fut seulement au cours de l'époque homérique que le monde des dieux grecs prit la forme que nous lui connaissons maintenant. Hérodote dit que Homère et Hésiode ont offert aux Grecs leur mythologie. Ils ont donné leur nom aux dieux, ils ont déterminé leurs tâches et délimité leur puissance, ils ont décrit leur aspect extérieur et leur comportement. Les poètes ont fait des dieux des êtres humains, aux sentiments et aux passions humaines, mais plus beaux et plus forts que les hommes. De plus, ils étaient immortels et ne vivaient pas d'aliments et de boissons ordinaires, mais d'ambroisie et de nectar.

Au contraire des religions orientales, la religion grecque ne passa jamais sous l'autorité de prêtres dogmatiques. En effet, ce ne furent point des prêtres mais des poètes et des chanteurs qui lui donnèrent la vie.

Les anciens dieux locaux continuaient à vivre dans la foi populaire à côté de la religion officielle valable pour tous les Grecs ; ici, la croyance dans les démons, les bons et les mauvais esprits avait une fonction essentielle. On retrouve une réminiscence d'un très ancien culte des animaux dans les *satyres*, hommes portant des pattes de bouc et des cornes, les *tritons*, hommes à queue de poisson et les *centaures*, des êtres mi-homme mi-cheval.

Ils côtoient toute une armée de jolies *nymphes*, de géants effrayants comme les *Cyclopes* à l'œil unique et d'horribles créatures comme *Hécate*, la déesse aux nombreuses têtes qui traînait à sa suite des spectres et des chiens hurlants. Pour le Grec moyen, ces démons avaient plus d'importance que les Olympiens d'Homère. Ils représentaient les forces de la nature avec lesquelles il devait chaque jour se mesurer et qu'il devait se concilier à tout prix.

Il ne faut pourtant pas s'imaginer que les dieux de l'Olympe ne jouaient aucun rôle chez les Grecs — au contraire ! Le peuple les aimait et les respectait. Il s'adressait à eux quand il avait besoin de leur aide. Ils protégeaient l'État, prenaient sous leur égide certains groupes sociaux particuliers. *Athéné* et *Héphaestos* par exemple, protégeaient les artisans tandis que *Hermès* était le protecteur des voyageurs qu'ils soient diplomates, marchands — ou voleurs.

Zeus était le dieu suprême des Grecs. Autrefois, dans la nuit des temps, son séjour de l'Olympe fut assailli par une race de géants malfaisants, les *Titans* et les *Gigans*, mais Zeus vainquit les rebelles et les rejeta dans le sombre précipice du *Tartare*. Dans ce récit, nous trouvons la vieille idée indo-européenne du combat entre les forces bénéfiques et maléfiques de la nature : cette antithèse est aussi présente dans la doctrine de Zarathoustra et dans les anciennes légendes germaniques sur le combat de Thor contre les géants.

Zeus partage la souveraineté du monde avec ses frères *Poseidon* (le Neptune des Romains) et *Hadès* (Pluton); de même, le Marduk des Babyloniens régnait avec ses frères. Poseidon est le seigneur des mers et va sur les flots dans un char tiré par des hippocampes. Hadès n'est pas seulement le souverain du royaume des morts, mais aussi le dieu de la richesse, car, sous la terre, germe le blé et gisent les métaux précieux.

La vie dans le palais de Zeus ressemble fort à la vie d'une famille noble et fortunée. La paix familiale laisse parfois un peu à désirer, mais ainsi va la vie et dans quelle famille n'y a-t-il pas de temps en temps de petits scandales, des scènes de ménage et des intrigues? Le père Zeus est lui-même juste et bon, mais il a une croix à porter dans son ménage. Il n'a pas épousé sa sœur *Héra* (la Junon des Romains) par amour, mais parce qu'aucune autre déesse n'égalait ses nobles origines. Héra, la sœur aînée, ne peut s'empêcher de le chapitrer comme un enfant. Elle n'a d'ailleurs que trop de raisons de le faire, car Zeus n'a rien d'un époux fidèle. Zeus et Héra ont un fils *Arès* (Mars) dont la spécialité, comme celle de sa sœur Athéna, est la guerre. Il n'a que faire des finesses de la stratégie. Arès " le sanguinaire " se complaît dans le sang et le tumulte de la bataille. Le but du combat le laisse indifférent tant qu'il peut prendre plaisir à de hauts faits d'armes et à d'énormes massacres.

De *Léton*, une ancienne déesse tombée dans l'oubli, recréée par la légende sous les traits d'une princesse mortelle, Zeus avait eu deux enfants, les jumeaux *Artémis* (la Diane des Romains) et *Apollon*. Artémis est la jeune déesse des animaux et de la nature, mais, à l'origine, elle se présentait sous des dehors moins aimables. Les Grecs voyaient aussi en elle la déesse de la lune; il y a là une survivance du temps lointain où Artémis appartenait à la nuit et à la mort, à l'inconnu, et se trouvait sur le même pied que *Hécate*, la déesse infernale et l'horrible *Méduse* dont le seul regard changeait les hommes en pierre. L'idée grecque éleva Artémis de la terre où elle errait avec ses flèches et son arc jusqu'à l'Olympe où elle devint une jeune femme idéale — pure, sage, saine et courageuse — semblable à Athéna.

Son frère *Apollon*, le dieu de la vérité et de la lumière, le protecteur de la poésie et de la musique, se range également parmi les figures les plus rayonnantes de l'Olympe. Neuf déesses forment sa suite : ce sont les *Muses* qui protègent chacune un domaine de la science ou de l'art. Ainsi, *Clio* était la muse de l'histoire, *Uranus* la muse de l'astronomie, *Thalie*, la muse de la comédie et *Terpsichore*, la muse de la danse; les Muses ont toujours été considérées comme des divinités de la montagne; on croyait donc qu'elles habitaient des pics comme l'*Hélicon* (en Attique au nord-ouest d'Athènes), le *Pinde* (au nord de la Grèce) et le *Parnasse* (en Phocide); ces noms sont encore employés aujourd'hui comme expressions figurées pour la poésie.

Athéna (Minerve) était une autre fille de Zeus, mais elle n'avait pas de mère. La tradition raconte qu'un jour Zeus souffrit d'une violente migraine; un autre dieu lui frappa violemment la tête et une nouvelle déesse en sortit, adulte et jolie, vêtue d'une armure et portant en main une lance et un bouclier. C'était Athéna, la déesse de l'art militaire, de la culture et des sciences, et la divinité tutélaire de la ville d'Athènes.

De même que Zeus avait une fille sans mère, Héra avait un fils sans père. C'était *Héphaestos*, le patron des forgerons. Sa mère, le trouvant par trop laid, le rejeta de l'Olympe sur la terre. Héphaestos passa sa jeunesse sur l'île volcanique de Lemnos, auprès des Cyclopes qui lui enseignèrent l'art du forgeron.

Il ruminait continuellement sa vengeance et un beau jour, il offrit à sa mère une chaise, un magnifique spécimen de son art. Héra s'y assit, mais il lui fut impossible de s'en relever. La pauvre Héra ne le laissant pas en paix, Zeus promit de donner en mariage *Aphrodite*, la déesse de la beauté et de l'amour (la Vénus des Romains) à celui qui la libérerait. Arès voulut tenter sa chance; il y avait longtemps qu'Aphrodite et lui s'étaient sentis attirés l'un vers l'autre. Il promit d'emmener par la force Héphaestos sur l'Olympe. Mais le dieu de la guerre devait revenir bredouille. Il ne put que s'asseoir piteusement dans un coin et bouder tandis qu'Athéna le couvrait de ses sarcasmes. La scène est représentée sur un vase célèbre, conservé au Musée Archéologique de Florence.

La délivrance fut l'œuvre d'une divinité que les Olympiens n'avaient jamais vraiment admis en leur cercle. C'était *Dionysos*, le dieu du vin. Il se rendit à Lemnos avec une joyeuse suite de satyres et de nymphes et devint bientôt l'ami du maître-forgeron. Héphaestos fléchit devant une coupe de vin. En outre, lorsque Dionysos lui promit la belle Aphrodite pour épouse, ses dernières réticences fondirent comme neige au soleil. L'esprit légèrement brumeux mais le cœur content, les deux dieux autrefois méprisés retournèrent sur l'Olympe et Héra fut délivrée de sa chaise.

Le vilain Héphaestos, gauche, noir et bossu épousa donc la primesautière Aphrodite, l'incarnation de la beauté; les Grecs devaient trouver grand plaisir à ce contraste. Et pourtant, il montre à merveille comment la beauté peut récompenser un travail manuel.

Le vieil ami d'Héphaestos, *Dionysos* (Bacchus) était comme lui, un dieu cher au cœur des Grecs. A l'origine, il était un " jeune Zeus ", le fils du " vieux Zeus " et d'une divinité terrestre — une de ces divinités primitives, apparentée aux dieux de la nature des Crétois et à leur cycle de mort et de résurrection annuelle de Zeus, comme des plantes. Pendant la période classique, Dionysos devint uniquement le dieu du vin. L'ivresse — pas seulement l'ivresse provoquée par le vin — et l'extase sont les traits caractéristiques de son culte; il parcourut le monde pour faire connaître la vigne aux hommes et l'on se représentait son voyage comme une expédition solennelle et triomphale. La tête ceinte d'une couronne de laurier et portant le *thyrse* entouré de lierre toujours vert, il voyageait dans un char tiré par des panthères, escorté de *Bacchantes* — femmes extatiques — et de satyres, mêlés dans une danse échevelée.

Dionysos acquit aussi un rôle culturel et peut-être le plus important de tous. En effet, il est devenu le dieu de l'art dramatique. Le théâtre s'est toujours développé à partir d'un rituel primitif où des acteurs masqués chantaient la gloire de Dionysos.

Hermès (Mercure) est un autre fils de Zeus. Étant messager des dieux, il portait un bâton, un chapeau et des sandales ailés. A l'origine, il était peut-être la colonne de pierre qui s'élevait là où finissait la ville et où commençait la route vers la ville voisine — donc la dernière chose que voyait le voyageur lorsqu'il partait vers des régions inconnues et la première chose qui lui souhaitait la bienvenue lorsqu'il revenait vers le monde habité. Tous ceux qui devaient quitter la protection de la ville — les bergers, les ambassadeurs, les marchands, mais aussi les voleurs et les brigands — demandaient à Hermès aide et assistance; il les accompagnait, leur apportant sa sagesse et sa bienveillance. Hermès accompagnait aussi les âmes dans le plus long et le moins sûr des voyages : celui qui conduisait les défunts au royaume d'Hadès. Il avait pour fils *Pan*, le dieu aux pattes de bouc, l'inventeur de la flûte, aussi joyeux et bon vivant que son père et, comme celui-ci, grand amateur de polissonneries.

Les Grecs n'avaient pas comme les Orientaux le sentiment du péché et de la faute; ils donnent l'impression d'un peuple particulièrement heureux et harmonieux. Sur un point seulement, leurs conceptions religieuses étaient sombres : la mort était la fin de tout. Comme un oiseau de nuit, l'âme quittait le corps, avec un soupir plaintif et devenait un spectre triste, errant dans le royaume d'Hadès. " Il vaut mieux se tuer au travail comme journalier dans la plus misérable des fermes que d'être le souverain des morts ", dit Achille lorsqu'Ulysse le fait sortir des enfers. Il fallait sans doute beaucoup de courage pour mener une vie joyeuse devant de telles perspectives.

Mais alors quels étaient le sens et le but de la vie? Acquérir une bonne réputation! Ne pas sombrer dans l'oubli mais rester un exemple, de génération en génération — là était l'immortalité, la vie éternelle. Aussi préférait-on une mort héroïque dans la fleur de l'âge à une vie longue mais obscure. Achille dut choisir lorsqu'il attela ses chevaux avant son dernier combat. Un des chevaux courba la tête, balaya le sol de sa crinière et dit à son maître : " Ta dernière heure approche, cette fois nous allons te conduire à la mort ".

" Je le sais ", répondit le héros, " mais je ne recule pas ". Et avec un grand cri, il lança son char au plus fort du combat. Advienne que pourra!

LÉGENDES HÉROÏQUES

Entre les dieux et le commun des mortels, se trouvent les héros, les héros que chantent quantité de légendes et de poèmes. On les croyait, la plupart du temps, les enfants d'un père divin et d'une mère mortelle, ou vice-versa. On trouve des héros dans les récits sur la guerre de Troie; Thésée et plusieurs personnages des grandes tragédies grecques comptent également parmi ces demi-dieux.

Orphée et Eurydice

Une des plus belles légendes héroïques est celle d'Orphée et d'Eurydice.

Il y a quelques milliers d'années, vivait en Thrace un chanteur appelé Orphée; il était le fils de Calliope, la muse de l'épopée. Il chantait et jouait d'une façon si parfaite que même les animaux sauvages venaient l'écouter. Les arbres aussi l'écoutaient, et même les rochers. Ses accords harmonieux faisaient taire la tempête et se coucher les vagues. On disait que les dieux eux-mêmes lui avaient offert sa lyre.

Orphée vivait heureux avec sa femme Eurydice. Mais le malheur les frappa. Eurydice fut mordue par un serpent et mourut avant qu'on eût pu lui porter secours. Le chagrin d'Orphée fut immense. Il cherchait des endroits isolés et clamait sa peine aux pierres et aux arbres. Finalement, il prit la décision de descendre aux enfers et de supplier Hadès de lui rendre l'épouse aimée.

Au fond d'un précipice sauvage, au terme d'une longue route souterraine, il atteignit le Styx qu'il franchit sur la barque de Charon. Il arriva enfin dans la salle où trônaient Hadès et son épouse. Le regard du dieu se fit dur lorsqu'il demanda à Orphée comment il avait osé pénétrer dans son royaume sans y avoir été appelé par la mort. Sans dire un mot, Orphée prit sa lyre et exprima sa douleur en quelques accords pathétiques. Puis il se mit à chanter. Ses vers étaient si émouvants que le terrible Hadès se laissa fléchir. Il promit qu'Eurydice pourrait le suivre et revenir sur terre. Mais à une condition : Orphée ne pouvait pas se retourner avant d'avoir quitté les enfers et retrouvé le ciel libre. Si, par crainte ou amour, il se retournait pour voir sa femme, il la perdrait pour toujours.

Orphée, fou de joie, était résolu à ne pas se retourner avant d'avoir atteint la terre. Il arriva sans difficulté auprès de Cerbère, le monstre à trois têtes qui gardait l'entrée du royaume des morts. Quelques accords de sa lyre et le chien se coucha docile, à ses pieds.

Orphée n'avait cessé d'entendre le bruit des pas d'Eurydice derrière lui. La sortie des enfers était maintenant si près qu'il pouvait voir la lumière du jour dans le lointain. Mais, tout à coup, il n'entendit plus le moindre bruit de pas. L'angoisse lui enlève toute prudence, il se retourne : oui, sa femme était là, juste derrière lui! Mais près d'elle se trouvait Hermès, le guide des âmes. Il avait déjà posé la main sur le bras d'Eurydice pour l'emmener avec lui. Orphée la vit disparaître et l'entendit seulement lui murmurer un adieu — un adieu pour l'éternité.

La légende d'Hercule

Hercule, que les Grecs appelaient Héraclès, devait à sa force immense d'être plus populaire que tous les autres héros des anciennes légendes grecques. Il était fils de Zeus et d'une reine de Thèbes. Au berceau déjà, Hercule donna des preuves de sa vigueur exceptionnelle. Un jour, on le trouva tranquillement couché, un grand serpent dans chaque main. Il avait étranglé les bêtes qui l'atta-quaient.

Lorsqu'il fut devenu un jeune homme, il gardait les troupeaux de son père terrestre. Alors qu'il conduisait ses animaux, il arriva à un carrefour où il rencontra deux déesses : l'une était belle comme le jour et promit au jeune homme une vie de plaisir s'il voulait la suivre. Il lui demanda qui elle était; elle répondit : " Je suis la déesse du plaisir ". L'autre déesse avait un aspect sévère et sérieux. Elle était la déesse du devoir. Elle dit à Hercule : " Le chemin où je veux te mener est plein de difficultés et exige beaucoup de sacrifices, mais au bout t'attendent une gloire immortelle et une place parmi les Olympiens ".

" Tu seras mon guide ", dit Hercule.

Hercule dut alors entrer au service du lâche roi de Mycènes, Eurysthée; son maître lui imposa les douze missions les plus difficiles qu'il pût imaginer. Hercule ne serait délivré de son esclavage que lorsqu'il les auraient accomplies toutes. Hercule sut mener ces tâches à bien; le souvenir en est resté vivant dans la légende sous le nom des " Travaux d'Hercule ".

Son premier exploit fut de tuer le *Lion de Némée*. Plus tard, il se fit un manteau de la dépouille de ce lion et le vêtement le protégea des coups.

Puis, il combattit l'*Hydre de Lerne*, un monstre effrayant, une sorte de serpent à plusieurs têtes; il vivait dans les marais de Lerne, dans le pays du même nom. Hercule coupa d'abord quelques têtes de l'Hydre, mais pour chaque tête coupée, il en poussait rapidement deux nouvelles. Alors, il demanda à un serviteur de cautériser les blessures avec un morceau de bois incandescent avant que de nouvelles têtes ne pûssent croître. Lorsque le monstre fut enfin mort, il trempa ses flèches dans le venin, les rendant ainsi mortelles.

Hercule accomplit les pénibles tâches l'une après l'autre. Un travail qui semblait tout à fait impossible fut le nettoyage de l'*écurie du roi Augias*, où le fumier de milliers de bœufs s'était amoncelé pendant trente ans. Mais Hercule résolut le problème en faisant passer la rivière Alpheius à travers l'écurie. En peu de temps, tous les tas d'ordures furent emportés par les eaux.

Enfin, Hercule parvint à la limite dernière du monde

où se trouvait le géant Atlas; celui-ci portait sur ses épaules la voûte du ciel. Hercule l'incita à voler quelques pommes d'or dans le jardin des Hespérides, les Filles du Soir; pendant ce temps, il prendrait la place du géant et porterait lui-même la voûte du ciel. Mais lorsque Atlas revint avec les pommes, il refusa de reprendre son fardeau. " Oui, alors je serai bien forcé de rester ici ", dit Hercule. " Mais aide-moi un peu, je voudrais mettre un coussin sur mes épaules! "

Naturellement, Atlas n'allait pas lui refuser ce petit service. Mais dès qu'Hercule se sentit délivré du fardeau, il s'enfuit avec les pommes et laissa Atlas à ses imprécations.

La dernière tâche dont Eurysthée l'avait chargé était de faire sortir le chien Cerbère des enfers. Hercule était très courageux, mais il avait le cœur battant lorsqu'il partit vers le sombre séjour des spectres. Et sans l'aide d'Hermès, il n'aurait sans doute pas réussi cette fois-là. Grâce au messager des morts, il put arriver chez Hadès qui l'autorisa finalement à emmener le chien sur la terre.

Il ne fut pas facile de dompter ce monstre furieux qui avait trois têtes et des serpents en guise de poils. Hercule se jeta sur le chien et serra ses trois têtes dans ses mains; étouffant, presque asphyxié, le chien était réduit à l'impuissance. Puis, Hercule le laissa reprendre son souffle. Le furieux Cerbère était mâté. Il se coucha tremblant aux pieds d'Hercule et se laissa conduire de bonne grâce. Lorsque Hercule arriva devant Eurysthée, et lui montra le chien, le prince fut paralysé par la peur et supplia Hercule d'emmener l'animal.

Hercule était libre maintenant; mais il ne profita pas de cette tranquillité chèrement acquise : il s'en alla de par le monde pour rendre inoffensifs d'autres monstres et mettre sa force au service des hommes. Il épousa la jolie princesse Déjanire.

Un jour, tous deux arrivèrent devant un fleuve rapide qu'ils devaient franchir. Hercule se demandait comment il pourrait le faire traverser à sa femme quand un centaure vint auprès d'eux, un être mi-homme mi-cheval. Il s'appelait Nessus et offrit de prendre Déjanire sur son dos et de nager avec elle jusqu'à l'autre rive. Ce qui fut fait. Mais lorsque le centaure eut atteint l'autre rive, il s'enfuit en emmenant

Déjanire. Hercule lui lança la flèche qu'il avait trempée dans le sang de l'Hydre. Mourant, le centaure imagina une vengeance. Il conseilla à Déjanire de recueillir son sang. " Si Hercule veut un jour t'abandonner ", dit-il, " tu n'auras qu'à tremper ses vêtements de mon sang pour faire renaître son amour ".

Quelques temps plus tard, Hercule fit prisonnière une princesse belle et jeune. Déjanire, consumée de jalousie, trempa dans le sang de Nessus une splendide tunique qu'elle avait brodée pour son mari. Le sang était empoisonné par la flèche d'Hercule. A peine le héros eut-il revêtu sa nouvelle tunique qu'il fut pris d'une douleur cuisante. La vengeance de Nessus s'était accomplie. Hercule devait mourir. Son âme fut accueillie parmi les dieux de l'Olympe; Zeus et Héra lui donnèrent en mariage leur fille Hébé, la déesse de l'éternelle jeunesse.

L'ORACLE DE DELPHES

Les dieux faisaient connaître leur volonté aux hommes par des présages et surtout par des oracles. Le plus célèbre était l'oracle de Zeus à Dodone en Épire où le bruissement d'un très vieux chêne sacré répondait aux questions, et celui d'Apollon à Delphes qui fut longtemps l'oracle le plus important du monde entier. La Delphes antique se nichait dans la montagne sur un plateau dominé par le Parnasse; la ville bâtie au pied de parois escarpées surplombait un profond précipice; encastrée dans ses montagnes sauvages, elle était coupée du monde. On se trouve ici dans le monde du grand silence, au milieu des forces primitives de la nature.

Sur les hauteurs du Parnasse, au-dessus de l'ancien lieu de culte dont Apollon avait fait son sanctuaire, les Bacchantes célébraient leurs orgies sauvages en l'honneur de Dionysos. A l'époque où il semblait que l'obscurité allait vaincre la lumière, elles arrivaient de Delphes, de Béotie et d'Attique pour des danses sauvages et nocturnes; elles dansaient les cheveux dénoués, portant en main des torches, des thyrses et des serpents sacrés, elles dansaient au son de la flûte grêle et du tambour obsédant. Elles pensaient que, dans cet état de " folie sacrée ", l'âme se libérait du corps et s'unissait à la divinité, leur permettant ainsi de voir dans l'avenir et de prophétiser. [1]

Mais, plus bas, sur le Parnasse, Apollon, le dieu de la lumière, était adoré. De tout le monde hellène, les hommes venaient à son temple pour lui demander conseil et assistance. Ils demandaient si la récolte de l'année serait bonne ou mauvaise, s'ils devaient acheter un esclave, se marier ou non.

Des délégations entières de villages et de villes venaient aussi interroger l'oracle sur la volonté des dieux, lorsqu'ils avaient vu des présages obscurs, lorsque régnaient la famine et la peste et lorsqu'on se trouvait devant d'importantes décisions.

Avant de pénétrer dans le temple d'Apollon, les pèlerins se baignaient dans l'eau cristalline de la célèbre source Castalienne ; puis, ils rendaient des sacrifices sur le grand autel devant le sanctuaire.

Dans l'entrée du temple, des devises écrites en lettres d'or sur les murs réclamaient l'attention et la méditation. Elles étaient attribuées aux sept sages de la Grèce et recommandaient la maîtrise de soi et la modération. Les Grecs considéraient l'orgueil (Hybris) comme le plus grave des péchés. Le premier devoir de chaque mortel était de connaître ses propres limites ; la plus importante inscription du temple d'Apollon était la suivante : " Connais-toi toi-même ! " [2] À côté de ses sages paroles, on lisait encore : " Garde en tout la mesure ! " et " Garde-toi de l'exagération ".

Les sept sages de la Grèce sont aussi les auteurs d'autres sentences qui témoignent d'une profonde expérience de la vie, comme " N'est malheureux que celui qui ne peut pas supporter le malheur ", et " La sécurité précède le déclin ".

Au plus profond du temple se trouvait l'endroit d'où les pèlerins recevaient leurs réponses, mais où il leur était interdit d'entrer. Là se trouvait la Pythie, la prêtresse d'Apollon, assise sur un trépied au-dessus d'une fente dans le sol reliée à une grotte souterraine. Elle entrait

---

[1] Ainsi les derviches tourneurs et hurleurs, les chamanes ou prêtres-sorciers des Laponie et de Sibérie et les " hommes-médecine " indiens.

[2] Nous verrons comment, plus tard, Socrate donna à cette sentence un sens plus profond encore.

en extase comme un médium moderne, et proférait des mots sans suite ; les prêtres d'Apollon en prenaient note, puis les rangeaient en phrases ordonnées et pleines de significations.

L'oracle avait une influence énorme non seulement parce qu'il prédisait l'avenir, mais surtout parce qu'il conseillait les hommes dans leurs conflits de conscience et les aidait à vivre en paix avec les dieux. D'innombrables hommes torturés par l'incertitude, étaient reconnaissants à l'oracle de leur souffler enfin la décision à prendre. Nous pouvons être certains que l'oracle dictait généralement la meilleure conduite à suivre ; en effet, les prêtres étaient des hommes sages, ils devaient avoir une grande expérience de la vie et une profonde connaissance de l'homme. Leurs relations couvraient tout le monde hellène ; ils connaissaient donc de façon précise la situation de chaque région et pouvaient ainsi donner les meilleurs conseils. Lorsque l'un ou l'autre État venait demander comment mener sa politique, les prêtres connaissaient les rapports de force en présence. Et l'oracle se faisait une règle d'être toujours en bons termes avec le plus fort dans les luttes politiques. Pour plus de sécurité, les prêtres prenaient soigneusement note des questions et des réponses. Elles étaient inscrites sur des tablettes de bois qui formaient peu à peu toute une archive. On s'en servait lorsque c'était nécessaire, par exemple en cas de retour d'un pèlerin qui avait déjà consulté l'oracle auparavant. L'oracle et ses archives sont donc comparables à un grand bureau moderne d'informations ; les prêtres se trompaient parfois, bien sûr, mais ils pouvaient généralement sauver la face grâce à la formulation très vague des réponses, que l'on pouvait interpréter de multiples façons. Ç'aurait été très étrange si l'oracle n'avait pu trouver une issue à de telles difficultés. Ainsi, la Pythie avait dit au grand homme d'État et général thébain Épaminondas qu'il devait se garder de " Pelagus ". Et " pelagus " signifie " mer ". Mais Épaminondas trouva la mort dans l'intérieur du pays, en Acadie, aussi loin de la mer qu'il est possible dans le Péloponnèse. Les prêtres de l'oracle réussirent à se tirer de cette situation embarrassante en faisant remarquer qu'un bois des environs du champ de bataille s'appelait Pelagus — ou était appelé ainsi depuis lors. L'oracle eut plus de chance lorsqu'il prédit que la guerre du Péloponnèse durerait 27 ans. Les prêtres devaient comprendre la situation à merveille puisqu'ils prédirent une longue guerre. Trois fois neuf n'était peut-être qu'une formule établie pour désigner une période de longue durée, mais dans ce cas, le chiffre mystique avait été particulièrement bien choisi. L'oracle eut aussi l'immense chance d'être aux côtés des Spartiates depuis le début de la guerre jusqu'à sa fin ; et Sparte finit par l'emporter. Par contre, les prêtres furent moins heureux lors du grand conflit entre les Grecs et les Perses ; ils avaient surestimé les forces perses et cru que la puissante armée d'invasion foulerait les Grecs aux pieds. Il se produisit exactement le contraire. Les prêtres expliquèrent que la victoire était due à l'intervention de l'oracle auprès des forces surnaturelles.

On peut considérer comme un fait établi que l'Apollon de Delphes a contribué dans une importante mesure à la disparition de la vendetta en Grèce. Il a créé des refuges où l'on était à l'abri de tout poursuivant. Les prêtres d'Apollon ont donc fait œuvre pie au service de l'humanité.

Pendant longtemps, Delphes fut le centre religieux de toute la Grèce. "Le foyer de l'Hellas" comme on appelait l'oracle, était pour les Grecs ce que Rome est devenue pour les chrétiens du Moyen Âge et La Mecque pour les musulmans. Cet endroit était considéré comme le centre du monde ; cette idée se symbolisait par une pierre sacrée en forme de demi-œuf et placée dans le temple ; on l'appelait " Omphale ", le nombril du monde. Deux aigles envoyés par Zeus s'étaient autrefois rencontrés au-dessus de cette pierre, l'un venant de l'est, l'autre de l'ouest. Une reproduction de la pierre sacrée était exposée à l'extérieur du temple ; les fouilles l'ont mise à jour. De partout affluaient des cadeaux pour l'oracle, en si grande quantité que le temple d'Apollon ne pouvait les contenir tous. Les États grecs les plus riches firent alors construire à Delphes des chambres fortes où ils conservaient leurs présents à la divinité.

Ce fut évidemment le roi Crésus qui offrit au dieu son plus fastueux cadeau : un véritable trésor en or et en argent.

Le temple fut détruit par un tremblement de terre quatre siècles environ avant notre ère ; il fallait donc le reconstruire ; les dons affluèrent de partout ; même de Crimée; le pharaon également envoya une somme considérable. Rien ne pourrait mieux prouver la renommée mondiale dont jouissait l'oracle.

Mais il vint un temps où les richesses de Delphes incitèrent les hommes au vol et au pillage. Des hordes thraces leur firent une première visite. Puis les Romains emportèrent une grande quantité des trésors du temple et de nombreux objets d'art; enfin, des chrétiens fanatiques dirigèrent leurs attaques contre ce " bastion du paganisme ". Les fureurs destructives s'exercèrent surtout sur l'endroit le plus sacré du temple, là où siégeait la Pythie. Des tremblements de terre et des inondations achevèrent les ravages commencés par les hommes.

Finalement, les hommes bâtirent leurs maisons sur ce terrain voué au dieu de la lumière. Ce sol consacré vit naître tout un village, que les archéologues durent déplacer lorsqu'ils commencèrent en 1812 de grandes fouilles financées par la France.

Le travail des chercheurs fournit d'abord une riche moisson d'inscriptions. Plus tard, des objets d'art et des vestiges de l'architecture grecque ancienne. Peu de fouilles ont aussi grandement enrichi notre connaissance de la culture et de l'histoire grecques.

OLYMPIE ET LES JEUX OLYMPIQUES
(de 776 avant J.-C. jusqu'en 393 après J.-C.)

Lucien est un célèbre écrivain grec, le créateur du dialogue satirique; il vivait dans la première moitié du deuxième siècle après J.-C. Dans un de ses dialogues, un Scythe demande à Solon à quoi pouvaient bien servir les compétitions sportives des Grecs. " Ils se roulent comme des porcs dans le sable ", dit le Scythe, " et ils se battent comme des boucs. Cela devient parfois terriblement brutal et pourtant, ils ne sont pas séparés par cet homme au manteau pourpre qui, à en juger par ses vêtements, doit être un représentant de l'autorité. J'aimerais savoir à quoi cela sert : cela me paraît être pure folie ".

Solon tenta de faire comprendre au " barbare " la grande valeur de ces exercices physiques qui pouvaient paraître si déplaisants et dangereux. " Le corps d'un homme courageux ne doit pas être gras et blanc comme celui d'une femme, pâli par le séjour dans la maison. Regardez

nos jeunes gens bronzés! Ils sont comme doivent être
des hommes, pleins de vie, de chaleur et de force virile,
rayonnants de santé; ils ne sont ni ridés ni desséchés
et encore moins empâtés, car leur sueur a fait disparaître
la graisse superflue et il ne leur est resté que les muscles
et la force. Et cela grâce à la diète et à la gymnastique.
Car ces deux éléments sont pour le corps humain ce que
le van est pour le blé : toute la balle du grain s'envole
et il ne reste que le blé pur. "

L'État aussi a intérêt à ce que les jeunes citoyens
s'exercent à la gymnastique et aux sports; " Ils ne
s'entraînent pas seulement pour gagner des prix aux fêtes,
car seuls quelques-uns y parviennent, mais ils y acquièrent,
tant pour l'État que pour eux-mêmes, un avantage bien
plus grand. Tous les citoyens devront peut-être un jour
prendre part à des combats beaucoup plus importants —
je veux dire le combat pour la liberté de l'individu et
l'indépendance et la prospérité de sa patrie. Ces exercices,
ces luttes dont nous parlons en sont la préparation ".

Lucien met aussi l'accent sur l'aspect esthétique des
exercices gymniques : " Comme les jeunes gens doivent
ôter leurs vêtements devant une grande assemblée
d'hommes, nous pensons qu'ils se donneront de la peine
pour acquérir un aspect extérieur agréable, afin de ne pas
avoir honte de se présenter nus ".

Ces quelques mots montrent la grande signification
que les exercices gymniques ont eu pour l'art grec. Le Grec
cultivé n'avait pas à rougir de sa nudité. Les sculpteurs
et les peintres n'avaient qu'à fréquenter le gymnase pour
trouver des modèles admirables. Leurs formes harmonieuses
s'imprimaient si bien dans la mémoire des artistes que
les plus grands purent exprimer la majesté et la beauté
éternelles du divin dans le corps de l'homme comme
personne ne l'a fait avant ou après eux.

Les Grecs révéraient la beauté, non seulement dans
l'art, mais aussi dans la vie réelle. Des concours de beauté
étaient ouverts aux hommes à Elis, aux femmes à Lesbos.
Dans plusieurs temples, il fallait avoir remporté un prix
de beauté dans sa jeunesse pour accéder aux fonctions
de prêtre.

Les plus beaux jeunes gens se rencontraient dans les
grandes compétitions du stade d'Olympie, qui rassemblaient
tous les quatre ans les meilleurs athlètes du monde grec.

Plus qu'aucun autre peuple, les anciens Grecs appliquaient ce dicton : " Un esprit sain dans un corps sain ". Aussi étaient-ils le peuple le plus heureux et le plus harmonieux de la terre. Pour un jeune Hellène, la mollesse ou l'indolence physique étaient aussi graves que l'ignorance ; l'une et l'autre étaient un manque de civilisation et d'éducation.

Tout cela était aussi naturel pour les Grecs de l'Antiquité que pour les Anglais d'aujourd'hui, par exemple. Il est impossible de s'imaginer une ville grecque sans plaine de sports publique parsemée d'ombrages et d'eaux courantes. Celui qui voulait s'attirer la considération de ses concitoyens devait, pendant sa jeunesse, passer une grande partie de son temps sur le stade. Là seulement, il acquérait l'aisance et la maîtrise de soi qui caractérisaient les hommes libres et les rendaient aptes à participer à la vie publique.

Olympie vient du nom de Zeus Olympien ; le protecteur des jeux. A Delphes, dans l'isthme de Corinthe et à Némée se déroulaient d'autres jeux, toujours en l'honneur de l'une ou l'autre divinité. Les Israélites adoraient Yahweh par des chants et des danses ; de même les Grecs honoraient Zeus et Apollon par des concours de lutte, par des courses et par la beauté de leurs corps harmonieux. En des temps plus reculés, des compétitions avaient aussi lieu en l'honneur de héros morts. L'Iliade parle des jeux dont Achille honore la mémoire de Patrocle. Les Jeux Olympiques étaient de loin les plus réputés. Les Grecs leur donnaient une telle importance qu'ils divisaient le temps en Olympiades ; chacune couvrait les quatre années d'intervalle entre les Jeux.

La première Olympiade commença en 776 avant J.-C., mais les Jeux Olympiques datent de plus d'un siècle auparavant.

Au moment des Jeux, la forêt sacrée de Zeus sur les bords du fleuve Alpheus vibrait d'acclamations. Des centaines de milliers de personnes envahissaient Olympie et suivaient dans l'enthousiasme ce spectacle unique au monde.

A l'origine, le stade Olympique n'abritait qu'une seule compétition, la course, mais peu à peu vinrent s'y ajouter d'autres spécialités sportives. Les coureurs grecs sont célèbres dans l'histoire. Lorsque, en 490 avant J.-C., les Perses envahirent l'Attique, les Athéniens envoyèrent le coureur Philippidès à Sparte pour prévenir les Spartiates du danger. Il couvrit 220 kilomètres en deux jours. Plus renommé encore est le coureur qui, peu après, vint de Marathon à Athènes annoncer la brillante victoire de Miltiade sur les Barbares; il s'écroula mort après avoir délivré son message. Les concours de *saut* ne comprenaient pas seulement des sauts en hauteur et en longueur, mais aussi des sauts en profondeur. Après ces concours vinrent vraisemblablement ceux du lancement du disque et du javelot. La technique du javelot différait plus ou moins de la nôtre; les Grecs attachaient une courroie au javelot et la tenait à deux doigts pour effectuer leur lancer. La vitesse initiale du javelot était ainsi remarquablement augmentée.

Le concours de lutte.

Puis venait le palpitant *concours de lutte* : on devait par trois fois jeter son adversaire à terre et lui faire toucher le sol du dos ou de la hanche.

La *boxe* était encore plus dangereuse. Plus d'une fois, le vainqueur laissait son adversaire mort sur le terrain. Les boxeurs s'entouraient les mains de lanières de peau de bœuf garnies de morceaux de cuir durs et pointus, eux-mêmes renforcés de clous de cuivre et de petites billes de plomb. Après quelques combats, un boxeur n'était plus très beau à voir.

La compétition la plus variée était le *pentathlon* comprenant la course, le lancement du disque, le saut, le lancement du javelot et la lutte. Ceux qui participaient à cette épreuve étaient les athlètes les plus complets, alliant la force à la souplesse et à la rapidité.

C'était cependant les *courses de chars* qui éveillaient le plus d'enthousiasme parmi les spectateurs. Les quadriges s'élançaient au signal des trompettes, en soulevant des nuages de poussière. Ils devaient doubler douze fois la borne placée à l'extrémité du stade. Les chevaux s'emballaient presque en approchant du virage. Certains chars quittaient la piste ou entraient en collision et étaient complètement détruits.

Le sommet de la fête était naturellement la distribution des récompenses, non pour la valeur intrinsèque des prix — les vainqueurs ne recevaient qu'une couronne de lauriers — mais pour l'honneur impérissable qui s'y rattachait. On comprendra mieux le prestige d'une couronne olympique en lisant l'anecdote suivante : le vieil athlète Diagoras de Rhodes avait, en son temps, gagné les Jeux Olympiques et il vécut assez longtemps pour voir ses deux fils remporter la même victoire. Les deux jeunes hommes couronnèrent leur père de leurs lauriers et le portèrent en triomphe autour du stade sous une pluie de fleurs. Les spectateurs criaient : " Meurs, Diagoras! Tu peux mourir car tu n'as plus rien à désirer maintenant! " Et le vieil homme mourut de joie.

Lorsqu'un vainqueur des Jeux Olympiques retournait dans sa ville, il y était reçu avec les plus grands honneurs. On lui élevait des statues; parfois, il recevait une récompense en argent ou une rente viagère; parfois aussi, il était nourri sa vie durant aux frais de l'État. Ses concitoyens les plus riches et les plus distingués se disputaient l'honneur de l'avoir pour gendre. L'anniversaire de sa victoire était célébré par la ville tout entière et des poètes comme Pindare chantaient ses exploits dans le stade.

Parmi la foule qui se pressait à Olympie pendant les jeux sacrés se trouvaient toujours beaucoup d'hommes appartenant à l'élite du monde culturel grec. Des milliers de personnes suivaient les jeux, curieuses, délivrées pour quelque temps de leur travail quotidien; les écrivains et les poètes trouvaient en elles un public tout prêt à les entendre. Ce fut aux Jeux Olympiques que l'historien Hérodote lut pour la première fois quelques-uns de ses écrits. Les artistes y exposaient leurs œuvres, les chercheurs scientifiques y faisaient connaître les résultats de leurs travaux, les orateurs et les philosophes y tenaient des conférences.

Les derniers Jeux Olympiques de l'Antiquité se disputèrent en 393 après J.-C. L'empereur romain Théodose, qui combattait ardemment toutes les coutumes païennes, interdit cette manifestation qui d'ailleurs se mourrait d'elle-même. Une génération plus tard, le second empereur du même nom fit raser les temples sacrés d'Olympie. La destruction fut achevée par un tremblement de terre et des déplacements de terrains; enfin, l'Alpheius et un de ses affluents recouvrirent le site entier d'une épaisse couche d'alluvions. L'endroit glorieux où pendant mille années avaient retenti les hymnes et les acclamations n'était plus qu'un désert et son nom même tomba dans l'oubli.

On doit au travail d'archéologues allemands, soutenus par leur gouvernement, l'exhumation des trésors d'Olympie. Ils creusèrent la couche d'alluvions qui recouvrait le champ de ruines et offrirent à la science plusieurs milliers d'objets antiques. Ces découvertes prouvent qu'Olympie formait avec Delphes le plus grand réservoir artistique du monde. Ses monuments les plus remarquables étaient les temples de Zeus et d'Héra. Le temple d'Héra est le plus ancien de tous les sanctuaires grecs connus. Sous sa forme originale, il remonte probablement au septième siècle avant J.-C. On y a retrouvé l'Hermès de Praxitèle, peut-être le plus beau produit de l'art grec, une des rares œuvres *originales* qui nous restent de l'âge d'or. Le temple de Zeus, par contre, était depuis longtemps dépouillé du plus précieux trésor d'Olympie : la célèbre statue de Zeus par Phidias. Elle était faite d'or et d'ivoire sur un cadre de bois. Le manteau du dieu était en or, les parties visibles de son corps en ivoire. Le visage de Zeus exprimait une telle majesté, une telle douceur et une paix tellement céleste que sa vue était un bonheur en soi. Un écrivain grec affirme qu'un homme accablé de soucis et de malheurs oubliait toutes ses peines dès qu'il se trouvait devant cette statue.

Le buste du Zeus d'Otricoli ne donne qu'une idée très vague de la beauté qu'avait le chef-d'œuvre de Phidias.

La légende veut que le dieu se soit révélé au sculpteur sous une forme humaine. Lorsque Phidias eut terminé la statue, il implora Zeus de manifester son approbation. Et la statue lança un éclair comme son divin modèle.

TRANSFORMATIONS ÉCONOMIQUES ET SOCIALES DE LA GRÈCE

DE PAYSANS, LES GRECS DEVIENNENT MARINS

A l'époque homérique, le centre de gravité de la vie culturelle s'était déplacé vers les villes ioniennes d'Asie Mineure. La Grèce proprement dite était encore un pays agricole, alors que les Grecs peuplant les côtes d'Asie Mineure avaient déjà conquis la richesse matérielle et culturelle grâce au commerce, à la navigation et à l'industrie. De plus, les Ioniens avaient alors pour modèles les Phéniciens, les Babyloniens et les Lydiens.

Cependant, au cours des siècles, la civilisation atteignit l'ouest. A l'époque des grandes luttes entre l'Occident et l'Orient, c'est-à-dire entre les Perses et les Grecs, les Hellènes de l'Est furent, avec leurs compatriotes de la péninsule grecque, les sauveurs de la culture occidentale. La culture hellénique connut ainsi une période de grandeur et ce ne fut pas chez les Ioniens d'Asie Mineure, mais sur la péninsule grecque même que cette culture connut son plus haut degré de perfection. Alors, le génie hellénique créa chef-d'œuvre sur chef-d'œuvre ; il atteignit un niveau qui ne sera jamais égalé par les générations futures, car le monde ne produira plus jamais un peuple à la civilisation aussi harmonieuse que celle de celui qui vécut sur le sol grec il y a bientôt 2500 ans. Aucune culture ne peut tout à fait échapper à l'influence étrangère, et la civilisation grecque ne fit pas exception à la règle ; mais la force spirituelle des Grecs était telle, qu'elle put harmoniser les influences orientales avec ses propres aspirations. Les Grecs créèrent ainsi une culture purement hellénique dans sa forme comme dans son contenu.

Comment expliquer cela? La naissance en cet endroit de cette culture qui exerça sur la terre tout entière une influence incommensurable est l'un des phénomènes les plus singuliers dans toute l'histoire des hommes. D'où les Grecs tenaient-ils ces qualités intellectuelles et morales qui, au point de vue culturel, les ont rendus supérieurs à tous les autres peuples de l'Antiquité? A quoi devaient-ils leur intelligence, leur sens de la discipline et de l'harmonie, leur amour de l'indépendance, leur individualisme, leur optimisme souriant? Comment se fait-il que cette race déjà favorisée par la santé et la beauté, put devenir en même temps une race d'artistes et de penseurs?

Certains trouvent l'explication dans le doux climat de la Méditerranée. Ces régions bénies de la nature ont dû rendre le Grec modéré, sain de corps et d'esprit; le ciel clair et les paysages paisibles, aux contours bien dessinés, lui ont fait l'esprit clair et ouvert aux grandes idées. Son âme n'offrait pas de prise à cette mélancolie qu'évoquent les paysages septentrionaux. Les formes et les couleurs de la Grèce ont sans doute formé le goût artistique de ses habitants. Dans cette perspective, il ne faut pas oublier combien le marbre dont le sol grec produisait de grandes quantités, fut essentiel au développement de la sculpture et de l'architecture.

Et pourtant, si les Grecs n'avaient pas formé à l'origine une race saine et dure, ils n'auraient pu fournir, même sur les rives de la Méditerranée, les grandes prestations culturelles qui leur ont valu une place d'honneur dans l'évolution de l'humanité. Car, malgré son climat favorable, la Grèce n'a rien d'un pays de Cocagne; le sol était loin d'y être aussi fertile qu'en Égypte ou en Mésopotamie. Au contraire, Hérodote dit que " la pauvreté a toujours habité la Grèce ". Mais, ajoute-t-il, " les Grecs sont courageux et c'est pourquoi ils peuvent écarter la pauvreté ". Il aurait pu dire également : " grâce à leurs besoins limités " — car celui qui comprend l'art de régler ses dépenses sur ses revenus ne se sentira jamais pauvre.

Les Grecs étaient sobres, comme les autres Méridionaux. L'homme de la rue vivait tout un jour d'un pain, d'une poignée d'olives ou d'oignons, peut-être de quelques figues.

Un morceau de viande était un rare festin ; ceci se remarque à la façon dont Homère parle d'un rôti. Le petit vin du pays était toujours coupé d'eau. Seul, un peuple robuste et travailleur pouvait défricher et cultiver les quelques terres fertiles qui étaient le plus souvent disséminées dans les montagnes et ne s'élargissaient un peu que sur le cours inférieur des rivières. Les terres arables les plus étendues formaient la plaine de Thessalie, le grenier de la Grèce. On y élevait des chevaux et en si grand nombre que la région pouvait mettre sur pied une cavalerie imposante. Mais la Thessalie ne faisait pas partie de l'Hellade proprement dite.

Ailleurs, les régions fertiles sont comparables à des oasis dans un grand désert montagneux. Des montagnes couvrent les quatre cinquièmes du pays, et même plus si l'on compte les îles. Les montagnes n'ont pu empêcher la mise en valeur du sol. Ne reculant devant aucun effort, les Grecs bâtirent en rangées infinies les murs de soutènement qui, en empêchant la terre d'être emportée par les eaux de pluie, ont permis la culture de la vigne sur les versants ensoleillés.

A l'origine, les Grecs vivaient donc de ce que la terre voulait bien leur donner. Les rois des poèmes homériques possédaient des troupeaux de bœufs, de chèvres et de porcs que leurs esclaves et leurs serfs menaient paître dans les forêts et sur le versant des montagnes. Au fil du temps, la culture du blé, des raisins, des olives et des figues prit de l'importance. Mais les Grecs montrèrent bientôt leur habileté en d'autres domaines : ils devinrent d'excellents pêcheurs, marins et commerçants.

A l'époque légendaire, ils firent leurs premiers pas sur le chemin de la civilisation lorsque les tribus autrefois nomades se furent établies dans leur nouvelle patrie pour s'y adonner à l'agriculture. Ils atteignirent un nouveau stade de leur évolution lorsqu'ils se familiarisèrent avec l'océan, cette immensité devant qui tremblent toujours les peuples qui ne la connaissent pas encore. Hésiode, le poète-paysan, ne pouvait regarder la mer sans frémir. Il fallut longtemps avant que ces bergers et ces paysans ne se risquent sur les flots. Mais ceux qui les avaient précédés dans le pays avaient été de grands marins et la configuration des côtes les invitait, pour ainsi dire, à le devenir à leur tour. De tous les pays méditerranéens, c'est la Grèce qui possède les côtes les plus découpées. En Grèce, aucun endroit ne se trouve à plus de quatre-vingt-dix kilomètres de la mer.

Lorsqu'un peuple devient marin, son développement prend toujours une direction nouvelle. Cependant, il ne suffit pas d'avoir des bateaux et de savoir s'en servir ; il faut aussi avoir de quoi faire du commerce. Tout le blé que produisait la Grèce était nécessaire à sa population. Ce fut donc l'*industrie* qui fournit aux marins grecs des articles négociables sur les côtes étrangères. L'industrie prit son essor lorsqu'on se mit à travailler d'énormes quantités de laine sur une si grande échelle qu'il devint possible d'exporter des étoffes. La Grèce possédait du fer en abondance, surtout en Laconie, dans l'île d'Eubée et dans les Cyclades. Lorsque les Grecs furent devenus maîtres dans l'art de travailler ce métal, ils purent exporter des armes et des outils. Certaines régions produisaient une argile fine dont on fit des vases splendides. La céramique fleurit surtout à Corinthe (pendant des siècles, la ville expédia ses produits vers tout le bassin occidental de la Méditerranée) et à Athènes où les potiers se groupaient dans un quartier de la ville appelé " Kerameikos " (ce quartier devint par la suite le centre économique et politique de la cité). Au cours du sixième siècle, la céramique attique conquit le marché mondial et détrôna les produits ioniens comme les produits corinthiens [1].

Les artistes qui décoraient ces vases ne s'en tenaient pas à des motifs ornementaux, comme pendant la période égéenne, mais dessinaient de petits tableaux tirés de la vie quotidienne : exercices de gymnastique, guerriers en armes, batailles navales, enterrements, etc.

LA SECONDE COLONISATION GRECQUE

Plus le commerce et l'industrie se développaient, plus il fallait trouver de matières premières et de marchés pour les produits finis. Ce besoin était d'autant plus impérieux que la population de la péninsule grecque et des colonies ioniennes s'accroissait à un point tel qu'il fallait importer du blé de régions plus fertiles. Celles-ci se situaient surtout sur les rives de la mer Noire. Des hommes courageux et entreprenants pouvaient donc chercher à l'étranger une vie

---

[1] Par exemple, en Etrurie, on voit clairement comment les importions de vases phéniciens furent supplantées par des importations corinthiennes et comment les vases corinthiens durent à leur tour faire place aux produits attiques.

meilleure. L'émigration est encore relativement insignifiante au huitième siècle, mais augmente fort au
septième lorsque le commerce et l'industrie prennent tout à
coup un essor remarquable. Ceci est dû à deux circonstances:
les *monnaies* d'or et d'argent entrent en circulation à cette
époque et le paiement comptant remplace petit à petit
l'ancien troc.

Longtemps la valeur d'échange la plus répandue fut le
bétail. Mais, contrairement à une opinion courante, ce
n'était pas la seule. Nous lisons, en effet, au chant VII de
l'*Iliade :* " Là les Achéens chevelus se fournissaient de vin,
les uns contre du bronze, d'autres contre du fer brillant,
d'autres contre des peaux de vaches, d'autres contre les
vaches elles-mêmes, d'autres contre des prisonniers… "

Les prédécesseurs immédiats de la monnaie étaient de
petits lingots d'or ou d'argent, parfois en forme de spirale,
dont on coupait un morceau déterminé pour payer un
achat. Mais il fallait évidemment recourir à la balance et à
la pierre de touche pour la moindre transaction et le
procédé n'était guère pratique!

On admet généralement que la monnaie proprement dite,
c'est-à-dire la pièce de métal dont une estampille de l'État
garantit le poids, la forme et la dimension apparut au
VIIIe siècle avant J.-C. en Lydie, sous le règne de Gygès.
Le royaume de Lydie devait, en partie, sa richesse à
l'abondance de l'or dans les sables du Pactole et les mines
des massifs montagneux. Vers la même époque, la monnaie
fut utilisée en Argolide, sous forme de pastilles d'argent
estampillées d'une tortue symbole de la ville d'Égine.

Quoi qu'il en soit, l'usage des monnaies se répandit aussi
bien vers les centres commerciaux ioniens que vers ceux de
la mère-patrie. Bientôt, il s'y développa une économie
purement monétaire. L'ancien troc se maintint dans les
états situés à l'intérieur des terres, comme à Sparte où
l'agriculture était l'activité principale.

L'apparition des monnaies doit avoir contribué au
septième siècle au départ d'un véritable flot humain qui
héllénisa fortement les côtes de la Méditerranée et de
la mer Noire. Les grandes migrations des huitième,
septième et sixième siècles avant J.-C. sont appelées la
seconde colonisation grecque pour la distinguer de la
première constituée par les migrations achéenne et dorienne.
Elle différent de la première colonisation — à supposer que

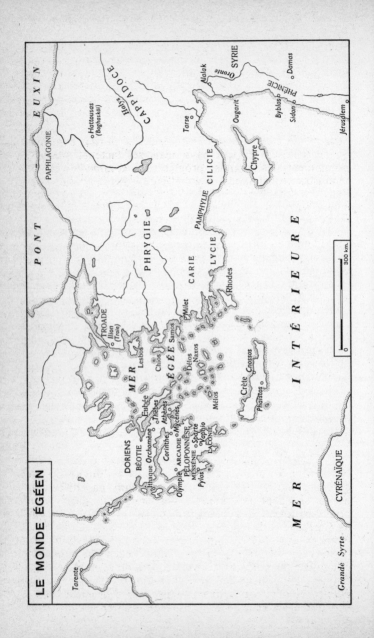

LE MONDE ÉGÉEN

Tarente

DORIENS

Ithaque ○Orchomène ○Thèbes
BÉOTIE
○Corinthe Eubée
Olympie ○ARCADIE ○Athènes
PÉLOPONNÈSE ○Mycènes
MESSÉNIE ○Sparte
Pylos ○ ○Amyclées
LACONIE

MER

MER

Thèbes

MER
ÉGÉE

TROADE
○Ilion (Troie)
Lesbos

Chios

Samos

Délos

Naxos

Milet

CARIE

LYCIE

Rhodes

Mélos

Crète ○Cnossos
○Phaïstos

MER

INTÉRIEURE

PONT

E U X I N

PAPHLAGONIE

○Hattousas
(Boghazköi)

Halys

CAPPADOCE

PHRYGIE

PAMPHYLIE CILICIE

Tarse

Chypre

SYRIE

Alalak

Oronte

○Damas

PHÉNICIE

Ougarit

Byblos
Sidon

Jérusalem

CYRÉNAÏQUE

Grande Syrte

0 _____ 300 km.

l'on puisse appeler ainsi ces migrations — par ses causes et son déroulement. La soi-disant première colonisation était une fuite et non une colonisation au sens habituel du terme : un peuple s'enfuit devant un autre peuple et se réfugie sur des côtes étrangères. La deuxième migration n'est pas une fuite massive, mais l'émigration de citoyens isolés qui espèrent améliorer leur position dans des pays étrangers. Cette fois, ce ne sont pas des hordes ennemies qui les chassent de leur pays, mais des facteurs internes, notamment les grands progrès du commerce et de l'industrie. Ainsi naquit ce grand mouvement d'émigration, l'un des chapitres les plus glorieux de l'histoire des colonisations.

La seconde colonisation grecque se distingue encore de la première en ceci : les nouvelles colonies furent fondées *séparément* par des *villes*. Des liens solides — principalement de nature religieuse — unissaient les nouveaux colons à leur ville natale (metropolis). Ils avaient emporté en terre étrangère un peu du feu sacré de leur ville natale ; ils envoyaient des délégations prendre part aux grandes fêtes religieuses de la vieille cité et sacrifier à ses dieux tutélaires. Les vieilles et les nouvelles cités maintenaient donc des relations très étroites. De véritables familles de villes se formèrent ainsi : la ville-mère et les différentes villes qu'elle avait fondées ; les colonies ayant la même métropole étaient appelées villes-sœurs. Lorsque les colons étaient en danger, ils cherchaient refuge dans leur métropole. La guerre entre une colonie et sa ville-mère était tenue pour impie, aussi impie que l'est un fils qui frappe sa mère. N'empêche qu'une colonie pouvait devenir un concurrent dangereux pour le commerce de sa métropole.

La colonisation grecque diffère fort de celle des Phéniciens, ses rivaux. On peut résumer les différences en quelques mots : les colons grecs n'étant pas dispersés, ne se sentaient pas comme des émigrants dans leurs nouveaux foyers. Les colonies phéniciennes — à l'exception de Carthage et des villes de Sicile — n'étaient rien de plus que des comptoirs commerciaux fondés pour servir les intérêts de Tyr, de Sidon et d'autres villes phéniciennes. Par contre, les colonies grecques étaient de véritables villes, domicile permanent des colons ; et d'autres Grecs s'étaient établis comme agriculteurs dans leur voisinage. Ceci explique également pourquoi la colonisation grecque eut une influence culturelle beaucoup plus profonde que la colonisation phénicienne. Les colonies grecques étaient des postes avancés de la civilisation grecque tandis que les colonies phéniciennes ne reposaient que sur l'appât du gain.

Dans la compétition toujours serrée qui les opposait aux Phéniciens, les Grecs possédaient d'importants avantages sur leur concurrent : la Grèce occupait une position centrale particulièrement favorable au commerce tout autour de la Méditerranée, la pays comptait de nombreux ports et jouissait de l'indépendance politique. Au contraire, les Phéniciens écartelés entre trois grandes puissances rivales (l'Égypte, l'Assyro-Babylonie et les Hittites) vivaient dans un état d'insécurité politique qui devait forcément freiner le développement de leur commerce.

Comparer les résultats *durables* de la colonisation grecque et de la colonisation phénicienne, c'est essayer de comparer le jour et la nuit! De nombreuses villes grecques ont résisté brillamment à toutes les puissances destructrices et ce jusqu'à nos jours! Les colonies phéniciennes ont perdu toute leur signification ou presque; elles ont subi le sort des anciennes cités d'Égypte, d'Assyrie, de Babylonie et de Perse. Mais l'ancienne Byzantium, aujourd'hui Istamboul, est toujours le centre du commerce levantin et Marseille — l'ancienne Massilia — maintient son rang de plus grand port de France, position qu'elle occupait déjà sous les Grecs. Nice est l'une des plus anciennes cités fondées par ses habitants. L'influence de Massilia se fit sentir sur toute la côte française et sur la côte espagnole jusqu'à l'embouchure de l'Èbre; les populations provençales furent progressivement hellénisées.

Massilia prouve que les colons grecs savaient allier une œuvre culturelle à leurs entreprises commerciales. Les Phéniciens exploitèrent leurs colonies pendant des siècles sans leur offrir la moindre compensation, mais les Grecs enseignèrent l'écriture littérale aux populations de France et d'Espagne. Les Grecs de Massilia introduisirent la vigne et l'olivier d'abord dans leur propre territoire qui ne se prêtait pas à la culture, puis dans tout le Midi de la France. Avant eux, le vin était inconnu des populations autochtones qui avaient toujours bu de la bière.

Les habitants de Massilia établirent des relations commerciales étendues, non seulement autour de la Méditerranée, mais aussi le long d'un réseau de fleuves dont les liaisons Rhône-Saône-Seine et Rhône-Saône-Moselle-Rhin étaient les branches les plus importantes. On a retrouvé des monnaies frappées d'un côté d'une tête d'Artémis et de l'autre d'un lion dans toute la France, en Suisse et en Italie du Nord jusque dans les vallées alpines. La semence plantée autrefois par les marins hellènes à l'embouchure du Rhône, dans cette terre " barbare " d'Occident, allait porter de nouveaux fruits plus tard, au Moyen Age. La Provence exerça alors une profonde influence sur presque toutes les œuvres de la littérature chevaleresque en Europe.

L'Italie du Sud devint une deuxième Grèce. Les Grecs eux-mêmes l'appelaient " Grande Grèce " par opposition à leur patrie, plus pauvre et plus petite. Ces riches territoires étaient couverts de colonies grecques. La terre fertile de l'Italie et de la Sicile constituait le grenier des Grecs; ils en recevaient aussi un cheptel important. Il semble que les Grecs aient introduit l'olivier en Italie et en Sicile, comme ils l'avaient fait dans le Midi de la France.

En Sicile, les Grecs devaient cependant partager les régions côtières avec les Carthaginois à qui appartenaient la côte nord et l'ouest de l'île : souvent, il leur fallait combattre les Sicules, populations indigènes très belliqueuses. L'Italie du Sud par contre était presque complètement hellénisée. Les Grecs portaient une affection toute spéciale aux rives du Golfe de Tarente qui, plus tôt, avaient attiré les Phéniciens par leur richesse en pourpre et en poissons. Les moutons qui paissaient dans ces régions donnaient une laine renommée; la présence d'une excellente argile à poterie y fit naître une industrie florissante. Plusieurs des colonies de la " Grande Grèce " étaient célèbres pour leurs richesses; ainsi Tarente, Crotone et la prospère Sybaris, qui, au sommet de son expansion, était plus riche qu'aucune autre ville hellène. Les Sybarites mettaient sans doute leur point d'honneur à s'amollir dans leurs richesses et à se plaindre du moindre inconfort. Ils étaient si assoiffés de plaisirs et si efféminés qu'aujourd'hui encore le mot " sybarite " désigne quelqu'un qui se vautre dans une vie de plaisirs.

Comme bien on pense, une société aussi affaiblie devait finalement s'écrouler. Crotone et Sybaris devinrent des rivales implacables. Les gens de Crotone étaient faits d'un tout autre bois. Les athlètes de la ville avaient gagné les sept compétitions des Jeux Olympiques. L'hostilité entre Crotone et Sybaris dégénéra finalement en guerre ouverte; on raconte qu'au moment de livrer le combat décisif, les chevaux de la cavalerie sybarite se mirent à danser au son des trompettes ennemies. La guerre se termina par la chute de Sybaris vers 510 avant J.-C. Les vainqueurs rasèrent la ville pour effacer toutes traces du concurrent détesté; et, d'après la tradition, ils détournèrent même le cours d'une rivière pour qu'elle recouvrît l'endroit où s'élevait auparavant la riche Sybaris. De toutes façons, il ne reste plus le moindre indice de sa gloire passée.

A l'ouest, les Grecs suivirent les traces de leurs rivaux macédoniens et passèrent les Colonnes d'Hercule pour atteindre l'embouchure du Guadalquivir; ils s'y procuraient du cuivre, métal fort apprécié, et le ramenaient dans leur patrie.

La deuxième colonisation grecque s'étendit de l'Espagne à la Crimée. Des villes commerçantes se développèrent dans presque tous les ports et le grec était parlé partout. On faisait également un commerce régulier avec l'Égypte et, sur l'un des bras du Nil, les Milésiens fondèrent Naucratis, la plus grande ville marchande du pays jusqu'à la naissance d'Alexandrie. Les Grecs étaient maintenant un peuple de marins, la mer était devenue leur élément. Sur les pentes des montagnes, les bois retentissaient du bruit des haches; on construisait des flottes; les larges et lents " cargos " lourdement chargés tanguaient sur les vagues, tandis que les navires de guerre, plus petits et plus légers, semblaient voler sur les eaux; leur mission était de protéger le commerce — ou de se livrer à la piraterie!

Ce ne furent pas seulement les habitants de la métropole qui prirent part à la nouvelle colonisation, mais aussi les vieilles colonies ioniennes d'Asie Mineure et surtout Milet, qui ne fonda pas moins de quatre-vingt dix nouvelles villes.

Intrépides, les marins milésiens se lancèrent sur la mer Noire. Les premiers Grecs l'avaient appelée la " mer inhospitalière " et avaient tremblé devant cette immensité sans îles, devant l'aplomb des menaçantes falaises de sa côte orientale, devant les plages marécageuses du nord où la brume rendait l'air humide et lourd. Le Grec, qui tournait le dos à son accueillante patrie pour entrer en mer Noire, était transplanté dans un autre monde, un monde exposé à la fureur des tempêtes du Nord. Là, il n'est plus possible de vivre au soleil, comme en Grèce.

Mais les explorateurs remarquèrent bientôt que ce pays offrait certains avantages. Ils y trouvaient au lieu de petits champs écrasés entre les montagnes, des plaines infinies et très fertiles. Ici, le blé poussait sur des distances si grandes qu'un œil grec avait peine à y croire. En d'autres endroits, poussait le chanvre, marchandise très recherchée. Les bœufs et les moutons grecs n'étaient pas à comparer aux énormes troupeaux qui paissaient dans les steppes et fournissaient des réserves inépuisables de viande, de peaux et de suif!

D'autres parties du pays étaient couvertes de véritables forêts vierges qui donnaient les meilleurs essences de chêne, de frêne et d'orme pour la construction navale. Il n'y avait ni ports côtiers ni rideau d'îles protecteur, mais cet inconvénient était compensé par des fleuves puissants et navigables que l'on pouvait remonter loin à l'intérieur des terres. La première chose que remarquèrent les explorateurs fut sans doute l'incroyable richesse en poissons. Les énormes bancs de thons qui, venant de l'est, envahissent le Bosphore chaque automne ont probablement, avant toute autre raison, attiré les marins grecs vers la mer Noire.

Des tribus guerrières du Caucase se frayèrent également un chemin vers les rives de cette mer; elles descendaient les rivières avec de pleines cargaisons d'esclaves qu'elles désiraient vendre. Les meilleurs esclaves venaient cependant de la côte sud.

Enfin les Grecs prirent un intérêt nouveau aux voyages vers la mer Noire lorsqu'ils s'aperçurent que la population autochtone arborait des bijoux en or; un examen plus attentif leur fit découvrir de riches filons dans les montagnes de l'intérieur.

Au fil du temps, leur " mer inhospitalière " se changea donc pour les Grecs en " mer hospitalière " et il ne fallut pas longtemps pour que Milet l'entourât d'une chaîne de colonies, plus particulièrement aux embouchures des fleuves et en Crimée. Les fleuves apportaient à ces colonies les produits des grandes plaines russes; en Crimée, les Grecs avaient acquis des terres arables d'une richesse insoupçonnée. Les marchandises grecques remontaient le cours des fleuves jusqu'en Russie. Milet exportait surtout des étoffes. Les Grecs firent d'excellentes affaires sur les bords de la mer Noire, car ils y introduisirent l'olive et le vin. Les habitants de ces pays humides et froids firent au vin un accueil délirant. Dès que les " Barbares " eurent goûté cette boisson stimulante, il leur en fallut toujours plus. Aujourd'hui encore, la Russie méridionale est l'un des marchés les plus importants pour les vins grecs; il en était déjà ainsi il y a vingt-cinq siècles. Innombrables furent en ce temps-là les cruches d'argile pleines du précieux liquide, qui passèrent la mer Noire; on a retrouvé des cruches ioniennes jusqu'à Kiev. Une culture composite, mi-grecque mi-persane naquit sur les bords de la mer d'Azov, au nord du Caucase.

Grâce à leurs colonies sur la rive méridionale de la mer Noire, les Grecs étaient proches des grandes routes commerciales qui y arrivaient pour aboutir en Babylonie et jusqu'au plus profond de l'Asie. Les ports de la mer Noire ont contribué dans une grande mesure au bien-être de la Grèce. Mais ces régions ne devinrent jamais une zone d'*expansion culturelle* des Hellènes. La civilisation grecque ne put y cueillir de nouveaux lauriers. Ce pays de brumes et de vents glacés ne s'y prêtait guère. A quelques exceptions près, les colonies grecques n'y étaient que de petites communautés isolées au milieu d'une population barbare. Une véritable hellénisation du pays, comme en Italie méridionale, dans le Midi de la France et partiellement en Sicile, ne fut pas possible ici.

Plusieurs colonies grecques de la mer Noire maintinrent leur importance commerciale jusqu'au Moyen Age. Les petites communautés furent submergées par des vagues de peuples étrangers, mais avec un courage admirable, la population grecque parvint à garder presque intactes ses coutumes nationales. Tout comme les souvenirs de la découverte de la Sicile et de l'Italie du Sud se perpétuent dans les légendes sur les voyages d'Ulysse, les explorations grecques en mer Noire sont à la base de la légende des Argonautes, ces héros qui, sous les ordres de Jason, cinglèrent vers Colchos sur la mer Noire; là, ils conquirent la Toison d'or avec l'aide de Médée, la fille du roi de Colchos.

Ce furent des circonstances économiques qui firent essaimer les Grecs sur les côtes de la Méditerranée et de la mer Noire, mais les résultats de cette émigration ne furent pas exclusivement matériels. Elle eut une importance historique, puisqu'elle étendit la culture grecque à tout le bassin méditerranéen. La colonisation elle-même eut une influence sur cette culture ; elle élargit l'optique des Grecs dans des proportions incroyables. Dans la mère-patrie, les vallées étaient étroites et les distances courtes. Lorsque les Grecs devinrent marins et marchands, la mer leur ouvrit de larges horizons. Une ville comme Millet était d'un cosmopolitisme inouï pour l'époque. Ce n'est pas par hasard qu'elle fut le berceau de la philosophie grecque et que la ville, " l'orgueil de l'Ionie ", devint ainsi la métropole de toutes les sciences.

Enfin, la colonisation fut très utile aux Grecs eux-mêmes, car elle évita des troubles graves à l'intérieur du pays. Ceux qui étaient mécontents de leur situation sociale dans la mère-patrie avaient l'occasion de se bâtir une vie plus satisfaisante à l'étranger.

La seconde colonisation grecque prit fin vers le milieu du sixième siècle lorsque Cyrus conquit le puissant royaume de Lydie ; les Ioniens devinrent ainsi les vassaux du roi de Perse. A partir de ce moment, l'émigration vers l'Est perdit beaucoup de son charme pour les Grecs épris de liberté. En même temps, la situation changea aussi à l'Ouest, et de façon similaire. Là, ce furent les Carthaginois et les Étrusques qui freinèrent l'expansion grecque.

UN PEUPLE DIVISÉ
MAIS POLITIQUEMENT ACTIF

A première vue, la péninsule grecque semble former une unité géographique, mais un examen plus attentif nous montre que la nature l'a divisée en un grand nombre de vallées et de plaines, séparées l'une de l'autre par des baies et des chaînes de montagnes. Dans ce pays, comme dans d'autres pays semblables, en Syrie, en Norvège, en Écosse ou en Suisse, naquirent de nombreuses petites communautés, toutes animées d'un farouche patriotisme local. De même, les îles grecques, innombrables, contribuèrent à favoriser une vie politique indépendante.

Chez les gens pour qui la patrie n'était qu'une vallée entre deux montagnes, une baie et les côtes avoisinantes ou une île, l'État et la région natale se fondaient en un seul et même concept. L'État n'était pas pour eux, comme pour l'homme moderne, une abstraction que l'on ne peut comprendre qu'avec l'aide de la carte, mais une réalité concrète et vivante. Un Athénien n'avait qu'à grimper sur l'Hymette pour embrasser d'un seul regard tout l'État athénien jusqu'aux montagnes lointaines qui le limitaient. Lorsque le Grec partait défendre l'État, il combattait toujours pour son propre foyer. La région natale et la patrie formaient pour lui un tout indissociable. En effet, un *État* grec ne se composait généralement que d'une seule *ville* et des campagnes environnantes.

La Cité n'est, d'ailleurs, pas un territoire mais un peuple, un ensemble de citoyens. Dans le langage officiel du temps, on ne parle pas d'*Athènes* ou de *Lacédémone* mais bien des *Athéniens* et des *Lacédémoniens*. A cet égard, la phrase bien connue d'Aristote est révélatrice : " On ne peut faire une cité avec dix hommes, mais avec 100 000 il n'y a pas de cité non plus ! "

La liste serait longue s'il nous fallait citer tous ces petits noyaux d'activité politique sur le continent et dans les îles. Plusieurs communautés urbaines indépendantes existaient dans la plupart des régions. Ce ne fut qu'en Attique et en Laconie qu'une seule ville parvint à exercer son autorité sur une région tout entière. Naturellement, ces villes, Athènes et Sparte, accrurent d'autant leur puissance politique. En Attique, Athènes acquit cette autorité grâce à son port, par où passaient toutes les importations et exportations de la contrée.

Les habitants des villes se consacraient corps et âmes aux débats politiques. La vie politique se jouait le plus souvent dans les rues et sur les places publiques.

Aussi grand que fut le rôle des Grecs sur le théâtre de la civilisation, leur vie politique n'est que trop fréquemment frappée du sceau de la mesquinerie et de la méfiance réciproque. Mais aux moments critiques de leur histoire, lorsqu'un danger pressant les menaçait à l'extérieur, ils surent unir leurs forces et combattre pour la liberté de tous. Aucun poète de la Grèce antique n'a chanté l'Hellade ; les Grecs n'ont jamais possédé de symbole commun comme la statue de Rome dont les Romains ornaient leurs temples, comme la Germania des Allemands ou la statue de la Liberté des Américains. Mais c'est précisément dans tous ces États miniatures que nous rencontrons, pour la première fois dans l'histoire, la liberté de l'individu et le sens civique.

De grands États au gouvernement despotique ne pouvaient pas se développer dans un pays que la nature avait morcelé. La Grèce devait abriter un grand nombre de petits États indépendants. Ici, chaque individu pouvait progresser sans encombre et faire entendre sa voix. Beaucoup de peuples indo-européens semblent faits pour l'individualisme et la liberté; ces dispositions étaient particulièrement fortes chez les Grecs. Ils ont tracé le chemin de l'individualisme. Les États grecs adoraient la compétition; aux Jeux Olympiques comme dans la vie politique, ils ne cessaient de se disputer la puissance et la gloire.

Mais où tous les Grecs trouvaient-ils le temps de se consacrer à la politique avec une telle ardeur? Leurs esclaves ou leurs serfs les délivraient de tous les gros travaux. En fait, seule une classe dirigeante se préoccupait de culture intellectuelle, et cela, malgré l'organisation démocratique de la société.

Les Grecs avaient le droit et l'habitude de participer aux décisions touchant les affaires de l'État. En Orient, il était naturel que le roi, unique maître du pays, prît seul toutes les décisions. Là, il n'était venu à l'idée de personne que le peuple pût avoir son mot à dire sur la façon dont il était gouverné. Les grands États autocratiques de l'Orient ne connaissaient aucune assemblée populaire. Une administration démocratique n'était possible que dans de petites communautés, car là seulement, le peuple tout entier pouvait être réuni lorsqu'il fallait prendre des décisions importantes. Aux temps historiques, les Grecs créèrent le concept du " *citoyen libre* " que l'Orient ignorait totalement. Ils ont ainsi ajouté quelque chose de neuf à tout ce que les peuples orientaux avaient fait pour l'humanité et apporté une de leurs plus importantes contributions à la civilisation. Le bon citoyen est un homme qui cherche à progresser non seulement pour son propre profit, mais pour être utile à ses concitoyens, à sa patrie.

Les Grecs forment le premier peuple politiquement actif que nous rencontrons dans l'histoire. Par leur sens civique et leurs activités dirigées vers l'extérieur, ils sont l'antithèse des Indiens; introvertis et tournés vers une perfection continuelle de leur individualité, ceux-ci restaient plus ou moins indifférents à des choses aussi extérieures que les lois ou les formes de gouvernement.

Malgré leur manque d'unité, les Grecs avaient conscience de ne former qu'un seul peuple au point de vue culturel. Tout d'abord, ils parlaient la même langue, bien qu'elle se divisât en plusieurs dialectes. Ils avaient la même religion, léguée par Homère et Hésiode. Plus que tout autre facteur, l'épopée homérique a forgé la solidarité grecque.

Enfin, le bois sacré de Zeus à Olympie fut pendant des siècles l'endroit où les Grecs ne formaient plus qu'un seul peuple. Là s'apaisaient toutes les querelles politiques, là s'effaçaient tous les intérêts locaux.

DE LA MONARCHIE
A LA RÉPUBLIQUE ARISTOCRATIQUE

La monarchie patriarcale de l'époque homérique différait totalement de la monarchie à tendance absolutiste de l'époque mycénienne. Dans les États grecs les plus anciens, le roi était à peine plus que le *primus inter pares*, le premier parmi les égaux. Ces pairs formaient le conseil du roi, " les anciens " comme on les appelait; parfois même, ces notables portaient également le titre de " rois ". Le changement ne fut donc pas bien grand lorsque la noblesse remplaça la monarchie à la tête de l'État. Il n'y eut aucune révolution, aucun bouleversement profond — la royauté disparut progressivement, presque sans qu'on s'en aperçût. Petit à petit, ses attributions politiques lui furent enlevées; le roi finit par n'être plus que grand-prêtre. Nous pouvons suivre ce processus à Athènes notamment. A l'origine, le roi régnait jusqu'à sa mort. Par la suite, son mandat fut réduit à dix, puis à une seule année, où son rôle se bornait à conduire les processions et à diriger les festivités religieuses, tandis que la puissance politique se concentrait dans les mains du haut fonctionnaire portant le titre d'archonte. Celui-ci était en fait l'héritier de la monarchie, mais devait partager le pouvoir avec huit autres archontes.

Sparte, au début, suivit une évolution presque semblable, bien que la monarchie subsistât en théorie. En fait, cet État devint également une république aristocratique. Cette forme politique était naturelle dans un pays où une noblesse puissante possédait de grands territoires; mais la Laconie resta toujours une région agricole et l'évolution s'arrête là.

En Attique par contre, et dans d'autres États maritimes importants, elle continue jusqu'au jour où la noblesse elle-même doit céder la place.

Il n'empêche que la royauté se maintint encore longtemps dans d'autres États de la péninsule grecque.

SPARTE : L'ÉTAT QUI N'A PAS CHANGÉ
Un État militaire et aristocratique

Sparte est située dans le haut de la vallée de l'Eurotas. Homère déjà chante la fertilité de cette vallée. Aujourd'hui encore, une population prospère y vit.

Sparte était autrefois la plus puissante cité hellène; ce n'étaient point les remparts qui faisaient sa force — car Sparte n'en avait pas — mais le courage et l'unité de ses citoyens. Si l'on demandait à un Spartiate pourquoi sa ville ne possédait pas de murs comme les autres cités, il répondait avec orgueil : " Les poitrines de nos citoyens sont nos remparts ". En fait, Sparte n'avait nul besoin de fortifications, étant suffisamment protégée par les montagnes inaccessibles qui entouraient la vallée.

La Sparte de l'Antiquité n'était pas une ville homogène, mais se composait de plusieurs villages.

La générosité de la nature à leur égard aurait facilement pu amollir les Spartiates, s'ils n'avaient eu deux antidotes. Le premier était le *Taygète*, la majestueuse chaîne de montagnes qui domine toute la *Lacédémonie*. Ses sommets abrupts, presque toujours recouverts de neige, assombrissent le paysage. Le deuxième antidote était les terribles lois spartiates. Sans ces lois, le peuple spartiate ne se serait pas taillé une place d'honneur dans l'histoire par son courage et son patriotisme. La tradition attribue cette législation spartiate au sage *Lycurgue*. Mais l'histoire le connaît aussi peu qu'elle connaît Homère.

Lorsque les Doriens s'emparèrent de la Laconie (ou Lacédémonie) ils soumirent la population achéenne. C'est sans doute de ces vaincus que sortit la classe sociale des *hilotes*. Au cours des siècles, des querelles incessantes éclatèrent entre les États doriens fondés dans cette région; les guerres même furent fréquentes. Sparte finit par l'emporter sur les autres États et soumit toute la Lacédémonie. Les habitants de Sparte (ou Spartiates — c'est le nom qu'ils se donnaient en tant que classe sociale) rassemblèrent alors toute la puissance politique entre leurs mains. Ils laissèrent à leurs frères de race vaincus la liberté et une partie de leurs terres, mais leur refusèrent tout droit politique bien que les astreignant au service militaire et les obligeant à lutter pour Sparte. Ainsi naquit, pense-t-on, la classe sociale des " périèques ", ou " habitants des alentours ".

Les Spartiates se réservèrent la riche vallée de l'Eurotas et la divisèrent en parcelles égales qui ne pouvaient plus être morcelées; lorsqu'un homme avait plus d'un fils, tous les fils héritaient du domaine indivis. D'après l'historien grec Plutarque, Lycurgue voulait répartir les terres de telle façon que " disparaissent complètement les conséquences fâcheuses de la richesse et de la pauvreté ". Cette division du sol n'était pas caractéristique de Sparte seule. Tous les peuples grecs l'avaient appliquée aux terres nouvelles dont ils prenaient possession. Mais Sparte, au contraire des autres cités, décida de fixer légalement l'égalité économique et sociale qui donnait à sa bourgeoisie force et homogénéité.

Le Spartiate ne se préoccupait pas de travailler sa terre. Le travail nécessaire à son entretien et à celui de sa famille était réservé aux hilotes. On a dit que les hilotes étaient des esclaves; mais ils ne l'étaient pas dans le sens habituel du terme. Il est vrai que chaque hilote avait un maître, mais ce maître ne le *possédait* pas; le maître ne pouvait pas vendre son hilote, le chasser, le tuer ou le maltraiter; il ne pouvait pas non plus l'affranchir. Les hilotes, en effet, étaient la propriété de la nation, une sorte de *serfs d'État*, mis à la disposition de particuliers pour le travail de la terre. L'hilote n'était pas lié à un propriétaire, mais à la terre. Il ne pouvait quitter la terre, mais ne pouvait pas davantage en être chassé. Son sort était nettement meilleur que celui de l'esclave. Il pouvait posséder sa maison, vivre avec sa famille sur le lopin de terre qu'il était chargé de cultiver, mais il était tenu de fournir chaque année au propriétaire une quantité déterminée de blé, de vin et d'huile.

On a écrit des récits terribles sur la cruauté des Spartiates à l'égard des hilotes; ils auraient par exemple forcé les hilotes à s'enivrer pour donner une leçon de sobriété aux jeunes Spartiates et organisé de temps à autre des chasses où un hilote remplissait le rôle de gibier. Il ne fait aucun doute que les Spartiates traitaient leurs subordonnés avec cruauté et dureté — ils montraient d'ailleurs la même dureté envers eux-mêmes. Mais, par ailleurs, l'État avait intérêt (intérêt purement égoïste, bien entendu) à ce que les hilotes ne fussent pas maltraités. En temps de paix, on avait besoin d'eux pour l'agriculture et en temps de guerre, ils devaient porter les armes pour les Spartiates.

Le Spartiate considérait l'artisanat et le commerce indignes de lui, autant que le travail de la terre. La loi lui interdisait formellement de gagner son pain par son travail; il devait se consacrer tout entier au métier des armes et à la politique. Et les périèques faisaient fonction d'artisans et de marchands. Cependant, le commerce se limitait presque entièrement à la seule province de Laconie; le troc formait l'essentiel des transactions, ce qui rendait l'argent fort peu nécessaire. Il existait une lourde monnaie de fer, mais elle n'avait pas cours hors des frontières de Laconie.

Les lois et l'organisation sociale de Sparte avaient pour but de créer un puissant peuple de guerriers. L'État n'était pas au service du citoyen, mais le citoyen au service de l'État. L'État disposait du jeune Spartiate depuis le jour de sa naissance. Lorsqu'un enfant naissait, les parents le présentaient à des fonctionnaires qui jugeaient si la robustesse du nouveau-né justifiait la peine que causerait son éducation. Si ce n'était pas le cas, le bébé était abandonné sur le Taygète. " On trouvait illogique ", dit un historien de l'Antiquité, " de sélectionner les petits des chevaux et des chiens, et de laisser vivre les enfants nés d'idiots ou de vieillards malades. Et il valait mieux, pour l'enfant autant que pour l'État, faire mourir l'enfant que la nature avait rendu inapte à vivre ".

Lorsqu'il avait sept ans, le garçon était enlevé à ses parents de peur qu'ils ne le gâtent. L'État prenait alors son éducation en mains. Les enfants étaient réunis et groupés sous les ordres de jeunes hommes très adroits. Chaque jour, ils devaient s'exercer à la lutte, à la nage, à la course, au lancement du javelot et à d'autres sports préparant au combat. Dès que l'occasion s'en présentait, les hommes poussaient les jeunes garçons à se battre entre eux. Ceux-ci devaient s'entraîner à supporter la douleur, la faim et le froid sans la moindre plainte. Ils ne portaient pas de chaussures pour s'endurcir les pieds. Ils devaient nager dans l'Eurotas chaque jour de l'année; ils n'étaient pas plus chaudement vêtus en hiver qu'en été. Plus tard, on les conduisit une fois l'an devant l'autel d'Artémis pour les battre jusqu'au sang; plus d'un jeune Spartiate mourut sous le fouet, sans une plainte. Les garçons recevaient une nourriture très simple et bien souvent insuffisante; mais il leur était permis de voler pour apaiser leur faim. Celui qui était pris en flagrant délit de vol, recevait des coups — non parce qu'il avait volé, mais parce qu'il s'était laissé prendre. Cette méthode d'éducation, qui, à première vue semble aller à contresens, voulait enseigner aux garçons la ruse et la roublardise, qualités qui leur viendraient à point lorsqu'ils auraient à combattre. Une anecdote bien connue montre l'efficacité de l'éducation spartiate. Un jeune garçon avait volé un renard. Voyant arriver quelqu'un, il fit disparaître son butin sous son manteau. Le renard se mit à mordre et ouvrit le ventre du jeune garçon qui ne laissa rien paraître. On ne découvrit le vol que lorsque le jeune homme s'écroula mort.

L'éducation intellectuelle du jeune Spartiate comprenait un peu de lecture et d'écriture. Mais il apprenait surtout " à dire beaucoup de choses en peu de mots ". Aujourd'hui encore, ce genre de style est appelé " laconique ". Il existe plusieurs exemples célèbres de réponses laconiques. Un Athénien qui plaisantait les Spartiates sur leurs épées très courtes s'entendit répondre : " Elles sont assez longues pour atteindre nos ennemis ". Philippe de Macédoine, qui voulait soumettre toute la Grèce, dit un jour à l'ambassadeur de Sparte : " Si j'entre à Sparte, je n'y laisserai pas une pierre ". " Oui ", répondit le Spartiate, " si...! ".

On considérait le Spartiate de vingt ans apte à porter les armes. A ce moment, il commençait son éducation militaire; son service armé ne se terminait qu'à soixante ans. Les jeunes garçons étaient éduqués en groupe; de même, les hommes vivaient sous la tente, en chambrées de quinze. Dans l'optique spartiate, les hommes mariés appartenaient à l'État avant d'appartenir à leur famille. Ils vivaient ensemble dans des camps de tentes et y prenaient leurs repas, connus pour leur frugalité. Leur fameux " brouet noir " se composait de lard, de sang, de vinaigre et de sel. Toutes les activités des Spartiates convergeaient vers un seul but : être prêts à la guerre. Leur ville était un camp militaire. Leurs plaisirs mêmes étaient de nature belliqueuse. La seule distraction qui leur fût permise était la chasse.

Un entraînement aussi sévère fit des Spartiates les meilleurs fantassins de toute la Grèce. Lorsque sonnait la trompette de guerre, l'armée de Sparte, composée de soldats-citoyens lourdement armés, les Hoplites, s'avançait sur le champ de bataille, en rangs serrés, au son des flûtes. L'hoplite était armé de la lance et d'un sabre de bataille très lourd. Il portait le casque, la cuirasse, les cuissards et s'abritait derrière un grand bouclier de bronze.

L'ordre de bataille était la phalange, d'une profondeur de huit à douze rangs. Cette formation était difficile à briser, elle manquait cependant de souplesse et de mobilité dans l'attaque. Mais ces qualités se retrouvaient dans l'infanterie légère, composée de périèques, d'hilotes et de mercenaires. Ils portaient le sabre et un bouclier léger. Il faut attendre la guerre du Péloponnèse pour voir de la cavalerie dans l'armée spartiate.

Les armes spartiates ont sauvé plusieurs fois la patrie commune lorsque la liberté du peuple grec était en jeu. C'est en ces périodes de crise que l'étroitesse de vue des Spartiates trouvait sa justification. Intellectuellement peu évolués, mais d'une santé physique à toute épreuve, les Spartiates formaient la grande réserve de puissance de la Grèce.

Cependant, si dans toute la Grèce l'éducation avait été basée exclusivement sur l'instruction militaire, l'humanité y aurait beaucoup perdu. Sparte n'a produit aucun grand penseur, aucun chercheur scientifique, aucun artiste. Elle ne s'est jamais embellie comme Athènes de temples splendides et d'œuvres d'art.

Les Spartiates devaient épouser des femmes capables de mettre au monde des enfants robustes. Un roi de Sparte fut un jour condamné à l'amende par les éphores pour avoir choisi une femme " qui ne pouvait offrir aucun roi à Sparte, mais seulement des avortons chétifs ".

Pour préparer les jeunes filles spartiates à leur rôle de mère, on leur donnait aussi une éducation sévère, destinée à les endurcir. Elles participaient aussi à des compétitions sportives. Les Athéniens souriaient du manque de féminité des femmes spartiates. Mais ils n'hésitaient pas à confier leurs enfants à des nourrices spartiates. Et ils respectaient ces mères qui, pleines d'un noble orgueil, plaçaient l'intérêt général au-dessus de toute autre considération. Lorsque leurs fils partaient au combat, elles leur tendaient le

bouclier en disant : " Reviens *avec* ce bouclier ou dessus ! ".
Ce qui signifiait " Vaincs ou meurs !». C'était en effet la
coutume en Grèce après une victoire d'étendre les tués sur
leur bouclier pour les emporter hors du champ de bataille.
D'autre part, le bouclier était si lourd qu'il fallait s'en
débarrasser si l'on voulait prendre la fuite. Un Spartiate qui
s'enfuyait face à l'ennemi était déshonoré pour toujours. De
même, celui qui rentrait vivant après une défaite s'exposait
au mépris général.

Le monde n'a plus jamais connu de mères comme les
mères spartiates — à l'exception peut-être des célèbres
matrones romaines. Un jour, un messager vint dire à une
Spartiate que son fils avait trouvé la mort au combat; la
première parole de la mère fut : " A-t-il remporté la
victoire? " Le messager l'affirma et elle poursuivit :
" Alors, je suis heureuse. J'ai toujours su que j'avais mis au
monde un mortel ". Une autre Spartiate apprenant que ses
cinq fils avaient péri, courut au temple pour remercier les
dieux d'avoir donné aux jeunes gens le bonheur de mourir
pour la patrie.

Les femmes spartiates étaient des mères admirables. A
Sparte, la femme était mieux considérée et plus libre que
dans la plupart des autres États grecs où, après l'époque
homérique, les femmes menaient le plus souvent une vie de
harem.

Quelle était l'organisation politique à la base de cette
société guerrière? Sparte était le seul État de la Grèce
proprement dite à avoir maintenu la monarchie. Mais la
Sparte des temps historiques était en fait une république
aristocratique, et les rois — car il y en avait deux —
n'étaient que des présidents du conseil dont la charge se
transmettait de père en fils. Certes, les rois étaient
commandants en chef de l'armée en temps de guerre, mais
le gouvernement réel du pays était aux mains d'un *conseil*
de trente membres qui était également la plus haute instance
judiciaire. Le conseil se composait des deux rois et de
notables âgés de soixante ans au moins. Ces conseillers
étaient élus à vie par l'*assemblée du peuple* (assemblée des
Égaux ou de l'aristocratie); celle-ci nommait également
les autres magistrats, décidait lequel des deux rois conduirait
l'armée lors d'une campagne; enfin, l'assemblée du peuple
examinait les projets de lois. Les Spartiates n'avaient nul

besoin de s'exercer à l'éloquence, car les discussions n'étaient pas permises à l'assemblée qui répondait aux propositions du gouvernement par oui ou par non. L'assemblée se composait de tous les Spartiates ayant atteint trente ans.

Le plus haut organe de cet État aristocratique était l'*éphorat*, une fonction typiquement spartiate. Les éphores — les " surveillants " — étaient cinq hommes aux compétences très étendues, choisis par l'assemblée. Ils avaient pour mission d'empêcher tout changement dans la structure politique du pays et de protéger les privilèges de la classe dirigeante (les Spartiates) contre les rois d'une part, les périèques et les hilotes d'autre part. Car ces derniers possédaient une supériorité numérique écrasante et présentaient donc un danger permanent pour les Spartiates. Les éphores devaient veiller à l'éducation de la jeunesse et faire la police. Ils pouvaient châtier toute action qui leur paraissait répréhensible. C'était eux qui convoquaient l'assemblée ; les rois, comme tous les autres fonctionnaires, étaient tenus de leur rendre des comptes. En campagne, le roi était le chef de l'armée, mais il était placé sous la surveillance des éphores qui avaient le droit de le réprimander et, s'ils le jugeaient nécessaire, de l'emprisonner. Le pouvoir des éphores ne connaissait qu'une limite ; leur mandat ne dépassait pas une année. Une fois ce terme écoulé, ils devaient rendre compte de leur administration au peuple.

On peut facilement imaginer comment ces " chiens de garde " de la société spartiate traitaient les pauvres hilotes. Les éphores pouvaient faire exécuter un hilote sans autre forme de procès. Ils pouvaient faire " disparaître " des centaines et des milliers d'hilotes si ces serfs de l'État étaient trop prospères ou s'ils se multipliaient trop rapidement. Les hilotes dont le travail était la base matérielle de l'État spartiate, étaient une menace permanente pour cet État.

Une police secrète fut mise sur pied pour prévenir une éventuelle révolte des hilotes. De temps en temps, les jeunes Spartiates devaient envahir les villages des hilotes, capturer ou massacrer tous ceux qui paraissaient assez intelligents (ou assez adroits) pour fomenter une révolte. Ces affreuses chasses à l'homme entraînaient la jeunesse de Sparte aux combats sanglants et assuraient en même temps la puissance de l'aristocratie régnante. Bien que la vie quotidienne des hilotes n'était pas aussi difficile que la tradition voulait le faire croire, ce système d'espionnage entretenait chez eux une angoisse permanente qui devait leur rendre l'existence infernale. Car un hilote ne savait jamais s'il n'allait pas être la prochaine victime de ces " purges ". Par cette terreur organisée, l'aristocratie de Sparte parvint à maintenir son hégémonie alors qu'elle s'écroulait dans presque tous les autres États hellènes. Mais elle n'y arriva qu'en supprimant toute liberté individuelle. Les Spartiates eux-mêmes étaient soumis à la surveillance tyrannique des éphores. En fait, ils acceptaient de tout subir en silence leur vie durant. Ils ne pouvaient même pas éduquer leurs propres enfants et goûter aux joies de la famille. Les années les plus heureuses de leur enfance étaient sacrifiées aux intérêts de l'État.

En Laconie, tout le monde avait la vie dure. Un Sybarite prétendait comprendre l'intrépidité des Spartiates depuis qu'il avait vu de ses yeux comment on vivait à Sparte. " Il est facile de ne pas craindre la mort ", disait-il, " quand on doit mener une vie pareille. Le plus lâche des Sybarites préférerait mourir trois fois que de vivre dans une société aussi impitoyable que celle des Spartiates ". Les Spartiates devaient se soumettre à des contraintes insupportables pour des gens ordinaires, mais cela ne les empêchait pas de se considérer comme supérieurs à tous les non-Spartiates. Ils formaient une caste militaire très exclusive, très orgueilleuse et très fermée. Ils étaient de terribles tyrans pour tous leurs inférieurs. Et c'est pourquoi ils devaient se tenir continuellement sur leurs gardes.

Pratiquement, les Spartiates n'avaient de contacts avec les autres peuples que sur les champs de bataille. Ils limitaient autant que possible les relations pacifiques pour qu'aucune coutume étrangère ne pénétrât dans leur pays.

Les Spartiates sont l'un des peuples les plus conservateurs que l'histoire connaisse; ils le sont autant que les Chinois et les Égyptiens. Ils préservaient leurs anciennes coutumes et institutions avec un entêtement jaloux. Aussi leur civilisation ne dépassa-t-elle que de peu le niveau déjà atteint avant leur arrivée dans le Péloponnèse. Au milieu de la Grèce classique, Sparte était une relique des temps anciens, un vestige de l'obscurité primitive. Il n'y a qu'une façon d'expliquer ce paradoxe : faire remonter toutes les

La civilisation égéenne.

Le palais de Cnossos ; les grands arcs de pierre (à droite) symbolisent les cornes du taureau qui jouait un rôle encore inexpliqué dans la religion crétoise.

Les remparts de Tirynthe, « la ville aux nombreux murs » chantée par Homère. ▶

Un bijou grec archaïque d'influence orientale. (VIIIe-VIIe siècles av. J.-C.) ▶▶

Grand vase mycénien décoré d'un poulpe sepia sur fond clair
(hauteur : 50 cm.).

réglementations sociales de Sparte très loin dans le passé et en attribuer la plupart à un seul législateur, Lycurgue.

La tradition nous parle de Lycurgue d'une façon si contradictoire et si incertaine que beaucoup d'historiens mettent son existence en doute. Ils pensent que Lycurgue est un autre nom pour Apollon ou Zeus; il aurait également pu être un demi-dieu, un héros comme Hercule ou Achille. Une chose est sûre : Lycurgue était déjà adoré comme un dieu à l'époque d'Hérodote. Il possédait un sanctuaire à Sparte et recevait des offrandes annuelles. Mais, même si Lycurgue avait réellement existé et avait été un des plus grands législateurs du monde, il est difficile d'admettre qu'il ait transformé d'un seul coup la vie sociale de tout un peuple.

La forme politique de Sparte peut être facilement expliquée par l'isolement des Spartiates dans leur vallée à l'extrême-sud du Péloponnèse. Les Spartiates s'y étaient un jour établis en conquérants. Depuis leur arrivée dans la région, ils avaient traité les autochtones comme des gens de deuxième ou de troisième ordre, à surveiller constamment pour éviter une révolte. Les Spartiates n'avaient jamais cessé de vivre comme une armée d'occupation et leur société portait la marque d'une contrainte militaire permanente.

Si l'on veut se faire une idée exacte des Spartiates et de leur genre de vie, il ne faut surtout pas oublier que la tradition nous en brosse un tableau très subjectif. Sparte était le type de la société aristocratique et devint de ce fait l'idéal de la classe dirigeante dans tous les États grecs, et surtout à Athènes. L'historien Xénophon et le philosophe Platon considéraient la société spartiate comme l'ultime perfection; ils ne voyaient donc pas (ou refusaient de voir) ses mauvais côtés, lorsqu'ils la donnaient en exemple à leurs concitoyens. La société spartiate inspirait du dégoût aux peuples nourrissant des sympathies démocratiques et de l'admiration à leurs adversaires. Pour son malheur, Sparte ne fut décrite que par des admirateurs aveugles ou des ennemis acharnés.

Les guerres Messéniennes

Il est facile de considérer un peuple aussi militarisé que les Spartiates comme un peuple *belliciste*, prêt à frapper au moindre prétexte et à se jeter sur de paisibles voisins. Dans une certaine mesure, ce fut le cas aux débuts de l'État lorsque la classe des Spartiates était en pleine expansion et devait acquérir de nouvelles terres pour se les partager. Mais la situation changea au cours des siècles. Lorsqu'ils comprirent que la guerre coûtait plus qu'elle ne rapportait et causait des pertes irréparables, les Spartiates ne prirent plus les armes que lorsque le combat était pour ainsi dire inévitable [1].

Les Spartiates étaient lents à se mettre en mouvement et pouvaient supporter beaucoup avant de rendre coup pour coup. Ils ne faisaient pas la guerre pour la gloire, mais dans un but pratique ou simplement parce qu'ils y étaient forcés. Dans les situations historiques où nous les voyons apparaître, ils font plutôt penser à un ours pataud qu'à un lion agile.

Lorsque les Spartiates étaient encore un peuple de conquérants, une région voisine, la fertile Messénie, leur était une tentation permanente. La guerre finit par éclater et ils en rejetèrent naturellement la responsabilité sur les Messéniens. Le combat fut long et pénible. Il fallut vingt ans aux Spartiates pour chasser les Messéniens dans les montagnes environnantes. Ceux qui étaient restés furent réduits à l'état d'hilotes et durent travailler pour leurs vainqueurs les terres dont ils avaient été les maîtres. Après quelques générations — vers le milieu du septième siècle avant J.-C. — les opprimés se révoltèrent. Cette rebellion ne devint que plus dangereuse lorsque les Messéniens reçurent l'assistance des Arcadiens et d'autres peuples du Péloponnèse. Le sort sembla d'abord défavoriser les Spartiates. Lorsque la situation leur parut franchement désespérée, ils demandèrent aux Athéniens, sur l'avis de

---

[1] Le nombre de Spartiates diminua régulièrement par suite de leurs pertes à la guerre — en effet, le Spartiate se faisait tuer sur place plutôt que de prendre la fuite. Au temps d'Hérodote — au milieu du cinquième siècle — les Spartiates étaient 8.000. Un siècle plus tard, selon Aristote, mille à peine. Par la suite, on voit sur les différents champs de bataille fondre leurs effectifs. Les Spartiates sont 5.000 à Platées en 479; à Leuctres, un siècle plus tard, ils ne peuvent aligner que 700 hommes, dont 400 périrent. Par contre, le nombre de périèques va dans la direction opposée. Plus les rangs des Spartiates s'éclaircissent, plus il y a de périèques et même d'hilotes, qui servent comme hoplites. A Platées, il y avait autant de Spartiates que de périèques; mais à Leuctres, on compte de 2 à 3 périèques pour un Spartiate.

l'oracle de Delphes, de leur envoyer un général. D'après la tradition, les Athéniens leur envoyèrent le poète Tyrtée. Tyrtée n'était pas un chef militaire, il était d'ailleurs invalide; mais il enflamma si bien les Spartiates par ses hymnes guerriers que la victoire leur sourit à nouveau. Les soldats chantaient ses chansons de marche bien rythmées au son des flûtes qui les menaient au combat. Mais le Tyrtée que nous offre la tradition est par trop invraisemblable. Selon certains auteurs de l'Antiquité, il n'était pas Athénien mais Spartiate de naissance.

La seconde Guerre Messénienne fut aussi longue et aussi sanglante que la première. Elle se termina par une victoire de Sparte, mais les conséquences en furent mauvaises. Le problème des hilotes devint beaucoup plus pressant. A partir de ce moment, les Spartiates vécurent dans la crainte d'une révolte des Laconiens et des Messéniens unis dans la haine de l'oppresseur. Un État de quelques milliers de conquérants se basait entièrement sur l'exploitation d'autres peuples à qui il était étroitement apparenté; cette situation contre nature devait se payer par une inquiétude perpétuelle. Les hilotes allaient être une menace toujours présente dans l'histoire future de Sparte.

La soumission des Messéniens fit de Sparte l'État le plus puissant de la Grèce et au cours du sixième siècle, elle put persuader presque tous les autres peuples du Péloponnèse de s'unir dans la " Ligue du Péloponnèse " dont l'armée était placée sous le haut commandement des rois spartiates.

ATHÈNES ET SES BOULEVERSEMENTS POLITIQUES

De la république aristocratique à la république démocratique

Athènes est le cœur et la tête de la Grèce. Sans Athènes, la Grèce n'aurait jamais été ce qu'elle fut et ce qu'elle est encore pour nous aujourd'hui. C'est de l'Acropole que le génie grec prit son envol.

Athènes était déjà, à l'époque mycénienne, une véritable ville dominée par le rocher de l'Acropole où se dressait le château du roi. Le développement de la région n'eut pas à souffrir des migrations. L'immigration dorienne a touché l'Attique, il est vrai, mais l'élément dorien n'a pas eu la moindre influence sur le caractère du peuple athénien.

Dans l'histoire de la Grèce, Sparte, située à l'intérieur des terres, représente l'élément conservateur et la stricte discipline, tandis qu'Athènes, ville de marins, fut toujours ouverte aux nouvelles idées, inquiète et impulsive. La devise de Sparte était " l'ordre ", celle d'Athènes " la liberté ".

La même différence se retrouve dans les structures politiques de Sparte et d'Athènes. La monarchie fut abolie très tôt à Athènes ; à ce moment, l'autorité passa aux mains de neuf *archontes*, qui se répartirent les anciennes prérogatives royales, c'est-à-dire les fonctions de grand-prêtre, de commandant en chef de l'armée en temps de guerre et de juge suprême. Ils étaient assistés par un conseil l'*Aréopage* [1] dont les membres étaient élus à vie. Les archontes faisaient automatiquement partie de l'Aréopage à la fin de leur mandat d'un an. L'Aréopage était la juridiction la plus élevée d'Athènes. On raconte que ses juges se réunissaient la nuit lorsqu'ils avaient à trancher une cause pénale, pour ne pas s'attendrir à la vue des accusés. L'Aréopage se préoccupait aussi de la vie privée des

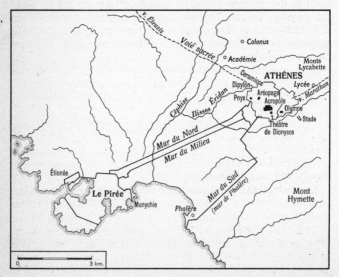

[1] Ainsi appelé selon une colline voisine de l'Acropole où il tenait ses réunions.

citoyens. Un jour, il condamna un jeune garçon à mort parce qu'il avait crevé les yeux à quelques cailles. Le verdict fut justifié par cet attendu : " Un garçon comme celui-là fera forcément du tort à ses compatriotes lorsqu'il deviendra adulte ".

Les lois de Dracon

Les dissensions politiques et sociales qui se poursuivent pendant toute l'histoire d'Athènes commencèrent très tôt. D'ailleurs les conflits sociaux y étaient d'un tout autre genre qu'à Sparte. Comme Athènes, au contraire de Sparte, n'avait jamais été livrée aux immigrations de peuples étrangers, elle ne connut pas d'opposition entre une classe de conquérants et une population opprimée.

Les malaises sociaux avaient à Athènes des causes purement économiques. La passage d'une économie de troc à une économie monétaire y avait causé, comme en beaucoup d'autres endroits, l'apparition d'énormes fortunes que côtoyait la plus noire misère. La Grèce vit s'établir ainsi le même rapport entre le capital bancaire et la sueur du paysan qu'autrefois la Babylonie. Les énormes taux d'intérêt écrasaient les lopins de terre des petits paysans d'hypothèques toujours plus lourdes; il venait fatalement un jour où le petit propriétaire ne pouvait plus payer. En ce cas, il devenait la propriété de son créancier qui pouvait disposer de lui jusqu'à ce que la dette fût remboursée avec les intérêts composés. Les lois sur les dettes étaient d'une telle barbarie que le créancier avait le droit de vendre comme esclaves, même à l'étranger, l'ancien propriétaire du terrain, sa femme et ses enfants. Dans son désespoir, le peuple fit plusieurs tentatives pour enlever leur puissance aux capitalistes et la remettre aux mains d'un souverain absolu qui leur ferait droit.

Les Athéniens voulurent en finir avec ces luttes sociales; vers 620 avant J.-C., ils confièrent à l'aristocrate *Dracon* la mission de donner à l'État des lois écrites. Mais Dracon n'était pas l'homme rêvé pour dénouer cette situation difficile. Il conçut une législation si sévère que les Athéniens la dirent " écrite avec du sang ". Dracon punissait de mort presque tous les délits; celui qui volait quelques légumes ou même une seule pomme devait donc subir le même châtiment que le profanateur du temple ou le meurtrier.

Les lois de Dracon mirent fin aux actes de justice expéditive (et aux vendettas). En effet, Dracon fit de l'*État* la seule instance judiciaire, l'interposant entre le meurtrier et celui qui voulait se venger du meurtre. Dracon ne put abolir en une seule fois une coutume aussi bien enracinée que la justice privée, mais, de toutes façons, il assura au citoyen une sécurité plus grande et c'est pourquoi il a malgré tout bien mérité de la société athénienne.

Les premières " lois draconiennes " n'étaient pas aussi dures que les générations futures l'ont cru, mais elles étaient pourtant trop peu progressistes pour pouvoir se maintenir longtemps.

Solon

Solon était l'un des " sept sages " de la Grèce. C'est ainsi que la tradition populaire appelait les plus célèbres hommes d'État hellènes. Solon naquit vers 640 avant J.-C. Son père était un marchand fortuné à qui sa générosité fit perdre la majeure partie de ses biens. Son fils partit alors à l'étranger pour s'y créer une situation indépendante. Ces voyages lui apprirent à voir plus loin que l'horizon étroit de sa ville natale, d'enrichir sa personnalité et de s'élever au-dessus des querelles partisanes. Il parut le seul à pouvoir sauver sa patrie menacée de guerre civile. En 594 avant J.-C. les Athéniens le nommèrent archonte et l'investirent d'un pouvoir illimité. Solon présenta son programme — si l'on peut l'appeler ainsi — dans de nombreux poèmes. Il y sigmatise l'injustice et la cupidité des riches et les met en garde contre le châtiment que les dieux ne manqueront pas de leur envoyer. C'est un idéaliste qui parle dans ces poèmes, mais en même temps, un homme réfléchi, doué de sens pratique, capable de mesures énergiques. Son sentiment du devoir venait de cette conviction inébranlable : la justice divine punit toujours le mal. Il ne déviait jamais de ce qu'il considérait comme juste, mais toutes ses actions lui étaient dictées par ce sens de la mesure qui est la clé de voûte de la culture grecque.

Tous faisaient confiance à cet homme extraordinaire de droiture et d'humilité, qui plaçait l'intérêt général avant toute autre considération. Si quelqu'un était capable d'apporter plus de justice dans la société, ce devait être lui, " car ", dit Plutarque, " il n'était pas plus coupable des injustices des riches que de la misère des pauvres ". Il faut louer les Athéniens d'avoir pu faire l'unanimité, au milieu de troubles si graves, sur le choix d'un arbitre aussi intelligent et aussi impartial.

Et Solon ne déçut pas les espoirs de son peuple. S'il avait été poussé par l'ambition, ce lui aurait été un jeu d'enfant de réussir un coup d'État avec l'aide d'un des grands partis et de se faire nommer " tyran ". " Tyran " était le terme grec désignant un leader populaire devenu souverain absolu par les voies de la révolution. Mais le bien-être de l'État était le seul but de Solon. Et il appliquait à ses réformes la devise qu'on lui attribue : " En tout, garde la mesure ".

Comment le sage Solon a-t-il procédé pour résoudre les problèmes sociaux d'Athènes? Sa première mesure fut d'*annuler* définitivement *toutes les créances* qui écrasaient les petites propriétés agricoles et d'ordonner que tous ceux qui avaient été réduits en esclavage pour dettes soient libérés sur le champ. Solon pouvait décréter un tel bouleversement sans remords, car il savait avec quelle cruauté les riches avaient mis à profit les difficultés des pauvres pour leur enlever le peu qu'ils possédaient. Les gens frappés par les ordonnances de Solon étaient des usuriers et des exploiteurs; il ne leur devait aucune pitié. Et l'affection que le peuple portait à Solon devint plus grande encore lorsqu'il abolit les *terribles lois sur les dettes* qui donnaient à un citoyen le droit d'en asservir un autre et lorsqu'il trouva moyen de racheter et de rapatrier avec des fonds d'État les débiteurs vendus comme esclaves à l'étranger.

Solon assainit la situation *politique* en supprimant tous les privilèges de classe. Il adapta les devoirs et les droits des citoyens aux revenus de leurs terres. Il divisa la société en quatre classes d'après la fortune de chacun. Les trois classes supérieures devaient accomplir trois ans de service militaire comme " hoplites " dans l'infanterie lourde. tandis que les membres de la quatrième classe, les travailleurs à gages devaient servir tout au plus dans l'infanterie légère ou dans les équipages de la flotte. Tous les citoyens furent exemptés d'impôts directs. Au contraire des pays d'Orient antique et de notre société contemporaine, la Grèce considérait le paiement des impôts indigne d'un citoyen libre. Et les Romains partageaient cette opinion. Il était possible de mettre ce principe en pratique, car toutes les fonctions de l'État étaient honorifiques et non rémunérées. Les citoyens pouvaient cependant être frappés d'impôts d'exception lorsque la patrie était en danger; dans ce cas, leur contribution dépendait de la classe à laquelle ils appartenaient.

Solon accorda également les *droits* politiques à tous les citoyens, y compris les plus pauvres. Tout Athénien, âgé de vingt ans révolus, reçut le droit de participer à l'assemblée du peuple où tous les fonctionnaires étaient élus, même les archontes. Toutefois, seuls les membres des trois premières classes pouvaient poser leur candidature à une fonction publique.

Pour équilibrer l'assemblée du peuple, Solon créa, aux côtés de l'Aréopage, un autre conseil, le Conseil des Quatre Cents; il correspondait au conseil de Sparte, mais reposait sur des bases plus larges et plus démocratiques.

L'activité de Solon s'exerça également dans un troisième domaine, celui de la *législation générale*. Il adoucit les lois de Dracon et limita l'application de la peine de mort aux délits les plus graves.

Solon introduisit une autre réforme intéressante : il fut le premier législateur de l'histoire à réglementer les signes extérieurs de richesse. Il voulut, par des décrets très détaillés, refreiner l'appétit de luxe des Athéniennes. D'autres ordonnances luttaient contre le faste exagéré des funérailles.

Il en fut de Solon comme de nombreux législateurs qui ont essayé d'éviter les extrêmes : il finit par mécontenter tout le monde; les pauvres aussi bien que les riches. Une fois leur première exaltation passée, les pauvres découvrirent que malgré les lois de Solon la vie n'était pas encore idéale, que les soucis et le travail existaient toujours. Les plus pauvres avaient espéré que toutes les grandes propriétés terriennes allaient être divisées en petites parcelles égales et ils furent déçus lorsque ces propriétés ne furent amputées que dans une certaine mesure. Car Solon avait repoussé leurs exigences avec la plus grande fermeté. En cela comme en tout, il recherchait le juste milieu, il voulait " garder la mesure ". Un jour, quelqu'un lui demanda s'il pensait avoir donné les meilleures lois aux Athéniens; il répondit: " *Oui, les meilleures que les Athéniens peuvent accepter !* "

Enfin, Solon se fatigua des reproches qu'on lui faisait partout. Il fit un voyage de dix ans, pour voir d'autres pays. Pendant son absence, les Athéniens devaient vivre en paix selon ses lois. Ils le lui avaient promis. Solon considérait son rôle politique comme terminé. Cet homme qui avait tenu entre ses mains le sort de tout un peuple, s'écartait donc volontairement du pouvoir. Il mourut vers 560 avant J.-C.

Pisistrate et ses fils

Le peuple turbulent d'Athènes se tint relativement tranquille pendant plusieurs années. Puis les partis reprirent leurs luttes acharnées. Un homme de haute naissance, Pisistrate, parvint finalement à rétablir l'ordre. Pisistrate fut le premier démagogue dans l'histoire du monde. Il sut se poser en défenseur de tous les opprimés. De cette façon, il se fit de nombreux partisans et put, avec leur aide, réaliser ses ambitions personnelles. Il se haussa jusqu'à la tyrannie vers 560. Voici, d'après la tradition, comment il organisa son coup d'État; un beau jour, Pisistrate entra en ville, venant de la campagne. Il était en excellente santé, de même que les mules qui tiraient son char. Mais il raconta aux Athéniens réunis au marché qu'il avait été attaqué par ses ennemis politiques et qu'il n'avait pu sauver sa vie qu'à grand peine. Il fallait absolument lui donner une garde du corps! L'assemblée du peuple lui accorda cinquante hommes armés de gourdins. Par la suite, la garde de Pisistrate augmenta de jour en jour et fut enfin en mesure de conquérir l'Acropole.

Lorsque Solon mourut, sa chère Athènes était donc aux mains d'un tyran. Solon, père de la démocratie, savait depuis longtemps que les Athéniens, " pris individuellement étaient autant de renards rusés, mais devenaient un troupeau de moutons dès qu'ils se réunissaient en assemblée du peuple ". L'*ordre politique* installé par Solon fut donc aboli, mais il avait jeté la semence dont jaillirait plus tard la démocratie. Ses lois *générales* restèrent la base de la vie privée.

On peut dire de Pisistrate qu'il ne se laissa pas enivrer par la puissance, mais eut la sagesse de ne pas tomber dans l'extrémisme. Il n'a pas modifié les lois de Solon.

Son pouvoir fut de courte durée, après cinq ou six ans, quelques dirigeants de parti parvinrent à le chasser et à confisquer ses biens.

Athènes connut à nouveau le cycle infernal des querelles politiques et, après quelques années de troubles, Pisistrate jugea le moment venu de retourner à ce peuple qui l'avait chassé. Mais il fut encore détrôné l'année suivante et dut passer quelques années en exil jusqu'à ce que la roue tournât, une fois de plus, et qu'il redevint le maître d'Athènes.

La leçon avait porté; Pisistrate prit alors des mesures plus fermes pour assurer son pouvoir. Son exil ne lui avait cependant inspiré aucune haine vis-à-vis de ses adversaires. Il gouverna avec la même modération qu'auparavant et sa bienveillance lui attira beaucoup de sympathies.

Le gouvernement de Pisistrate fut un âge d'or dans l'histoire d'Athènes. Il sut maîtriser tous les trublions, ce qui permit aux Athéniens de se consacrer à des choses plus utiles que les querelles politiques; le commerce et l'industrie purent se développer. Le bien-être s'accrut et la ville s'embellit; Pisistrate fit beaucoup pour l'orner des œuvres d'art qui convenaient à son rang.

Au moment où Sparte assurait son hégémonie sur le Péloponnèse, Pisistrate jetait les bases de la suprématie navale d'Athènes. Il fut le premier à comprendre que l'avenir de sa ville était sur mer. Il tenta de prendre pied sur les bords de l'Hellespont; il occupa un territoire sur la rive asiatique au moment où un autre Athénien, Miltiade, conduisait une troupe d'émigrants sur la presqu'île de Chersonèse. L'autorité de Pisistrate s'étendit à d'autres endroits dans le nord de la mer Égée et jusqu'aux Cyclades. Entre-temps, il avait entrepris la construction de cette flotte de guerre qui serait plus tard la plus puissante de toute la Grèce.

Pisistrate mourut en 527. Ses deux fils *Hipparque et Hippias* lui succédèrent. Hipparque, fidèle à l'esprit de son père, fut un ami du peuple. Il était connu comme protecteur de la poésie et des autres arts.

Les fils de Pisistrate différaient de leur père : lui s'était élevé de simple citoyen à souverain absolu; eux, par contre, s'étaient toujours considérés comme des princes. Ils avaient hérité du pouvoir de leur père, mais non de son génie. Hipparque fut victime d'un complot après quatorze années d'un règne généralement heureux. Ses meurtriers, *Harmodios* et *Aristogiton*, payèrent ce crime de leur vie. Harmodios mourut sur les lieux même de l'assassinat; il fut massacré par la garde du corps. Aristogiton put s'échapper dans la confusion générale, mais fut bientôt rejoint. Il fut forcé de révéler les noms de ses complices puis conduit devant le frère de la victime qui, dans sa rage, le transperça de son sabre.

Plus tard, lorsque les tyrans furent devenus un objet d'exécration, le peuple considérait l'assassin d'un tyran comme un héros et lui élevait une statue.

Le meurtre d'Hipparque ne délivra pas Athènes de la tyrannie. Bien au contraire ! Hippias ne put jamais oublier le meurtre de son frère. Il devint mesquin, aigri et rompit complètement avec la politique bienveillante d'Hipparque. Il fit bannir un grand nombre de citoyens, suspects de complicité avec les conjurés ; sa méfiance prit de telles proportions que tout le monde en vint à craindre pour sa vie et sa liberté. Les meurtriers donnèrent donc un vrai tyran aux Athéniens. Et plus Hippias sentait le sol se dérober sous lui, plus ses mesures devenaient sévères. Pressentant ce qui allait arriver, il entra en relations avec les Perses pour s'assurer un refuge à l'étranger. Et il se félicita de sa prudence en 510. Le parti qui était à ce moment le plus puissant à Athènes parvint à juguler le tyran sous la conduite d'un aristocrate doué et ambitieux, Clisthène, qui avait obtenu l'aide de Delphes et de Sparte. Hippias fut encerclé sur l'Acropole et capitula après quelques jours, à condition de pouvoir quitter le pays sans ennuis. Il partit alors pour les territoires de l'Hellespont conquis par son père, et y vécut en vassal du roi de Perse.

Les réformes démocratiques de Clisthène

On devine aisément que les querelles partisanes firent à nouveau rage après le départ des tyrans. La conduite de l'État finit par revenir à Clisthène. Il était aristocrate certes, mais d'une famille connue pour ses vues modérées. Les gens de sa classe n'avaient rien appris et rien oublié. Ils voulaient toujours imposer à Athènes cette organisation qu'ils admiraient tant à Sparte. Clisthène au contraire, voulait rétablir l'État de Solon. Pour atteindre ce but, des réformes étaient nécessaires. Tous les citoyens avaient bien le droit de vote et étaient égaux devant la loi, mais, en fait, noblesse et bourgeoisie s'affrontaient comme deux peuples distincts. Solon avait classé les citoyens d'après leur niveau de fortune ; mais il existait parallèlement une autre répartition, plus ancienne, qui divisait le peuple en quatre tribus et datait de l'époque où les Grecs étaient encore un peuple de nomades. Cette division se maintint après la conquête de l'Attique. C'était encore la noblesse qui possédait le plus d'influence parmi les tribus. Solon n'avait pas osé s'attaquer à cette classification selon la naissance. Mais Clisthène, devenu un démocrate acharné, jeta ses forces dans une réforme électorale qui enleva toute signification politique aux anciens groupes tribaux. Il répartit la population de l'Attique non plus d'après la naissance, mais d'après le *domicile*, créant ainsi des districts électoraux. Après cette réforme, les anciennes tribus n'eurent plus d'influence que dans la vie privée des citoyens. Clisthène réalisa encore d'autres réformes d'inspiration démocratique.

Monarchie — aristocratie
tyrannie — démocratie

Tous les « États urbains " de la Grèce suivirent la même évolution ; ils passèrent de la monarchie à l'aristocratie et, par le détours de la tyrannie, atteignirent enfin une démocratie toujours plus radicale. Aucune force au monde ne put endiguer ce raz-de-marée. Les rois et les tyrans furent d'excellents administrateurs mais les roues de la révolution tournèrent avec une précision qui fait penser à une loi de la nature. La vague des révolutions et des réformes va d'est en ouest et part des colonies ioniennes, mais nous ne savons que peu de choses de leurs effets en Ionie même.

Le monde des savants fut d'autant plus agréablement surpris quand un chercheur découvrit dans l'île de Chios, à l'ouest de Smyrne, une pierre portant quelques fragments des lois de l'île et datant sans doute de 600 avant J.-C. Cette pierre avait été employée pour la construction d'un mur le long d'une grand-route. Il manquait, hélas, une partie de la face inférieure ; mais on a pu comprendre malgré tout que l'inscription concernait les " lois du peuple ". Le texte parle du droit d'interjeter appel auprès du " Conseil du peuple ". Le Conseil du peuple était formé de cinquante personnes de chaque tribu ou district électoral, et habilité à trancher les litiges juridiques. Ce conseil ressemblait au Conseil des Quatre Cents (élu par le peuple) que Solon avait institué à Athènes et qui reprit progressivement le rôle de l'ancien Aréopage. Cette trouvaille nous permet donc de suivre un mouvement populaire démocratique dans une colonie ionienne.

Le mouvement démocratique se limite aux parties du monde grec où la civilisation était la plus avancée, notamment dans les régions qui connaissaient un commerce maritime très actif; l'Attique avec Corinthe et d'autres villes portuaires, et les colonies grecques d'Asie Mineure et de Sicile. Le mécontentement social offrit aux tyrans le pouvoir de la noblesse dans les États où le développement du commerce et de l'industrie avait créé une classe moyenne prospère composée d'artisans, d'industriels et de marchands. Sous leur direction, le peuple entreprit la lutte contre l'aristocratie.

Les écarts de l'aristocratie fournirent des armes aux mécontents. Lorsqu'une classe sociale, n'importe laquelle, détient le pouvoir, elle place ses intérêts économiques et sociaux au-dessus de l'intérêt général, aussi longtemps qu'elle l'ose. En fait, toutes les classes de la société montrent le même égoïsme. La noblesse de la Hellade ne faisait pas exception à la règle.

Elle commettait ses abus de pouvoir les plus flagrants dans le domaine de la justice, détenue par la noblesse sans aucun contrôle et exercée par le conseil. L'arbitraire et la corruption étaient monnaie courante.

La noblesse minait ainsi ses propres positions. La nouvelle classe moyenne tira profit du mécontentement des masses. Dans un État puis l'autre, le peuple — *demos* en grec — sut, par la rébellion ou des menaces de rébellion, arracher le pouvoir à la noblesse pour transformer le pays en *république démocratique*.

La révolution put parfois être évitée — encore que provisoirement — par des réformes sociales comme celles que les Athéniens avaient demandées à Solon. Mais, en règle générale, le chemin de la démocratie passa par la tyrannie. Le tyran honorait autant que possible les formes républicaines, se contentant de nommer les membres de sa famille et ses partisans aux postes les plus importants. Il tentait de se garder la faveur populaire par de grands travaux publics, surtout par la construction de théâtres, et par des guerres glorieuses pour lui et pour l'État.

La tyrannie eut sans aucun doute une influence souvent salutaire sur le développement économique et intellectuel de la Grèce. Elle fit disparaître les vieux préjugés de classe, délivra les petites gens d'une oppression séculaire et fit tous les citoyens égaux devant la loi. *L'État considère alors de son devoir de protéger ses citoyens, mais aussi de veiller à leur bien-être matériel.* On construisit des routes, des canaux, des conduites d'eau. Ce furent des autocrates qui jetèrent les bases de la grandeur future d'Athènes, de Corinthe et de Syracuse — pour ne citer que les exemples les plus frappants. Les artistes et les poètes étaient toujours les bienvenus à la cour du tyran.

Nous avons emprunté le mot " tyran " au grec et nous lui avons donné un sens péjoratif que n'avait pas forcément le terme grec. Le " tyran " grec pouvait être un chef excellent, nous venons de le voir. Cependant, la tradition nous parle aussi de tyrans qui firent honneur à leur nom pris dans l'acception actuelle du terme. Ainsi par exemple, *Polycrate*, qui prit le pouvoir dans l'île de Samos vers 530, fut ensuite pris au piège par un satrape perse et mourut crucifié. Il prétendait que l'on fait plus plaisir à ses amis en leur rendant ce qu'on leur a volé qu'en ne touchant pas à leurs biens. Au milieu du sixième siècle vécut à Acragas, sur la côte méridionale de Sicile, un tyran nommé *Phalaris*, qui, pour maintenir son autorité, ne connaissait que la violence. Il avait coutume de brûler vifs tous ses adversaires dans une statue de bronze représentant un taureau. Même un tyran aussi sympathique que *Périandre* de Corinthe qui comptait parmi les sept sages de la Grèce, devint à la longue mesquin et despotique. Lorsque le tyran de Milet lui fit demander la meilleure façon de régner, Périandre conduisit l'ambassadeur milésien sur un champ de blé. Il ne dit pas un mot, mais eut un geste très éloquent : il prit son bâton et abattit chaque épi dont la tête dépassait celle des autres.

Le tyran *Denys* de Syracuse contribua beaucoup au développement de sa ville. Mais il commit violence sur violence. Un jour qu'un courtisan nommé Damoclès vantait sa puissance et son bonheur, Denys répondit : " Vois par toi-même combien il est agréable d'être tyran ! " Et il fit donner à Damoclès des vêtements précieux, l'assit à sa place devant un festin splendide. Mais une épée aiguë pendait au-dessus de sa tête et ne tenait qu'à un crin de cheval.

Les tyrans ont contribué à l'évolution de la Grèce. Ils mirent fin aux luttes sociales et le peuple put consacrer toutes ses forces à son développement matériel. Ainsi s'améliora la position économique des classes inférieures et la situation sociale dans son ensemble. Mais la tyrannie ne put devenir une structure politique durable car seuls des hommes éminents et très doués peuvent exercer un pouvoir aussi grand. Et de tels hommes ne courent pas les rues — même en Grèce.

C'était naturellement l'aristocratie qui avait le plus à attendre de la chute des tyrans. Certes, elle put chasser les tyrans, mais elle ne put effacer les traces de leur administration. Le retour aux anciennes structures aristocratiques fut toujours impossible. Le plus souvent, le départ des tyrans installa et renforça la démocratie. Ce fut le cas à Athènes par exemple. Ainsi se consolida dans les régions les plus vitales du monde grec ce régime politique considéré par les contemporains et les historiens futurs soit comme le plus grand bien, soit comme le plus grand mal de la société. Une chose est certaine ; il fallut attendre la démocratie pour voir le *citoyen* devenir le centre de la société.

Ce fut cet idéal d'égalité sociale qui poussa les Grecs à combattre les Perses, combat qui devait décider si l'évolution future de l'Europe allait être placée sous le signe de l'esclavage oriental ou de la liberté chère à l'Occident.

INDEX

Un index général de tous les volumes de l'Histoire Universelle sera publié en même temps que le dernier tome.

SOURCES DE L'ICONOGRAPHIE

Les illustrations hors-texte ont pour origine : Celebonovic : pl. I. — Giraudon : pl. I, IV, XVIII, XIX, XXI. — Caractère Noël 60 (ph. R. Schall, coll. Pr. Monod) : pl. II. — CNMH : pl. III. — Viollet : pl. V, VI, XII, XIV, XV, XXVII, XXXII. — Ed. Tel : pl. VII, IX, XIII, XVII, XX, XXIV, XXVI, XXVIII. — René Burri - Magnum : pl. VIII. — Unesco-Almasy : pl. XI. — Almasy : pl. XXV, XXIX. — Guiley-Lagache : pl. XVI.

Les œuvres reproduites appartiennent aux collections des musées suivants : Musée du Louvre : pl. VII, IX, X, XIII, XVI, XVII, XVIII, XIX, XX, XXIV, XXVI, XXVIII. — Musée des Antiquités Nationales (Saint-Germain-en-Laye) : pl. I. — British Museum : pl. XXII-XXIII, XXXI. — Musée National Archéologique d'Athènes : pl. XXXII.

TABLE DES MATIÈRES

Achevé d'imprimer sur les presses de **Scorpion**,
à Verviers, pour le compte des nouvelles éditions **Marabout**.
D. mai 1985/0099/136
ISBN 2- 501-00368-3

Histoire Biographies

Marabout Université

Biographies

Marabout Université

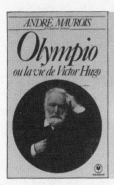

Documents

Marabout Université